羅庸　湯用彤　馮友蘭　聞一多　蔣夢麟　著

西南聯大國學課

中和出版
OPEN PAGE

中

西南聯大部分師生抵達昆明

西南聯大學生在昆明龍頭街宣傳演出

羅庸

湯用彤

馮友蘭

聞一多

蔣夢麟

編 者 的 話

西南聯大只存在了八年時間，卻培育了兩位諾貝爾獎得主、五位中國國家最高科技獎得主、八位「兩彈一星」功勳獎章得主、一百七十多位中國科學院院士和中國工程院院士。這是教育史上的傳奇。傳奇的締造並非偶然，而是源於強大的師資力量和自由的教學風氣。

西南聯大成立之時，雖然物資短缺，沒有教室、宿舍、辦公樓，但是大師雲集。聞一多、朱自清、陳寅恪、張蔭麟、馮友蘭等大師用他們富足的精神、自由的靈魂、獨特的人格魅力以及深厚的學識修養，為富有求知欲、好奇心的莘莘學子奉上了凝聚着自己心血的課程。

聞一多的唐詩課、陳寅恪的歷史課、馮友蘭的哲學課……無一不在民族危難的關頭閃耀着智慧的光芒，照亮了求知學子前行的道路，為文化的繼承保存下了一顆顆種子，也為民族的復興帶來了希望。

時代遠去，我們無能為力；大師遠去，我們卻可以把他們留下的精神和文化財富以文字的形式永久留存。這既是大師們留下的寶貴財富，也是我們應該一直繼承下去的文化寶藏。

為此，編者以西南聯大為紐帶，策劃了一系列套書，以展現西南聯大的教育精神和大師風貌，以及中華民族的文化與思想特點。已出版《西南聯大文學課》《西南聯大國史課》《西南聯大哲學課》《西南聯大文化課》《西南聯大詩詞課》《西南聯大文學課（續編）》，本書主題是「國學課」。

　　本書所選各篇文章，在內容的側重和表述方式上有很大的不同，這是各位先生在教學和寫作風格上各有千秋的結果。這一點，不僅體現了先生們各自的寫作特點，更體現了西南聯大學術上的「自由」，以及教學上的「百花齊放」。

　　本書收錄文章，秉持既忠實於西南聯大課堂，又不拘泥於課堂的原則。有課堂講義留存的，悉心收錄；未留存有在西南聯大任教時的講義，而先生們在某一方面的卓有成就的研究成果亦予以收錄；還有一部分文章是先生們在西南聯大教授過的課程，只是內容不一定為在西南聯大期間所寫。

　　國學的範疇廣泛，因體例受限，不能面面俱到。本書以「儒」「釋」「道」「法」「名」為框架，整理出羅庸、湯用彤、馮友蘭、聞一多的國學研究成果，以諸位教授現存作品中較為完整的全集類作品或較為權威的單本作品作為底本。這些底本不但能保證本書的權威性，也能將先生們的作品風貌原汁原味地呈現出來。同時，第六章選錄的西南聯大校長之一蔣夢麟先生的文章，取自《西潮》，講述學生逃難以及西南聯大在昆明成立時的諸多困難，非常有意義，以饗讀者。

　　因時代不同，某些字詞的使用與現今有所不同。同時，每個人的寫作習慣以及每篇文章的體例、格式等亦有不同，為保證內容的可讀性、連續性以及文字使用的規範性，本書在尊重並保持原著風格與面貌的基礎上，進行了仔細編校，糾正訛誤。此外，本書還對原文進行了統一體例的處理，具體如下：

　　1. 原文中作者自註均統一為隨文註，以小字號進行區分；文中腳註均為編者所加，並以「編者註」加以區分。

　　2. 文中公元紀年皆改為阿拉伯數字。為保持全書體例一致，本書對隨文註中表示公元紀年的方法進行了統一處理，皆以「公元×××

年」表示，表示時間段的，則統一為「×××－×××」，正文則保留作者原文原貌。

3. 因時代語言習慣不同造成的差異，本書對引文外的文字做了統一，如馮友蘭先生著作中多用「惟」字，均改為現今通用的「唯」字，「工夫」「其它」「透澈」「涵義」「修練」等詞皆改為現今通用的「功夫」「其他」「透徹」「含義」「修煉」等詞。第二章中「浮屠」「浮圖」二詞，歷史上均指佛教，保留原文風貌。另外，按現今語法規範，修訂了「的」「地」「得」，「做」「作」，以及「絕」「決」等字的用法。舊時所用異體字則絕大部分改為規範字。

4. 為保障現代讀者的閱讀體驗，本書對部分原文標點符號略作改動，以統一體例，如「《莊子》、《墨子》」，改為「《莊子》《墨子》」。

希望本書有助於讀者們更好地認識中華文化和傳統國學，並領略到幾位先生的學術風采；同時，更希望本書能夠喚起讀者對西南聯大的興趣，更多地去了解這所在民族危亡之際仍然堅守教育、傳播優秀文化思想的大學，將西南聯大對中國傳統文化的堅持與希望傳承下去。

目　錄

· 第二章 ·
湯用彤講佛學

·第三章·

馮友蘭、聞一多講道家與道教

· 第四章 ·

馮友蘭講法家

─────────────

·第五章·
馮友蘭講名家

·第一章·

羅庸講儒學

儒家的根本精神

　　一個民族的文化，必有其根本精神，否則這個民族便無法存在和延續。中國民族，兩千多年以來，雖然經過許多文化上的變遷，但大體上是以儒家的精神為主。所以，中國民族的根本精神，便是儒家的根本精神。

　　儒家的根本精神，只有一個字，那就是「仁」。《說文解字》說：「仁，相人偶也。從二人。」[1] 這個字在西周和春秋初年，還沒人特別提出來當作為學做人的標目。到了孔子，才提出來教弟子。所以《論語》一部書裡，弟子問仁的話特別多，孔子許多不同的答話，對仁的義蘊，也發揮得最透徹。仁就是孔子的全人格，兩千多年以來，中國民族共同的蘄向，也便是這仁的實踐。

　　《論語》裡記孔子論仁的話，最簡單扼要的莫如答顏淵的一句：「克己復禮為仁。」克己就是克去一己之私，復禮就是恢復天理之公。因為人性本善，人格本全，只為一己的私欲所蔽，陷於偏小而不自知，便有許多惡行出現。有志好學之士，欲求恢復此本有之仁，便須時時刻刻做克己復禮的功夫。及至己私克盡，天理流行，自己的本然，也就是人心之所同然，自己的全體大用，也就是宇宙的全體大用。則天

1《說文解字》無此表述，疑羅庸結合舊註作解。——編者註

下不期同而自同，不期合而自合，所以說：「一日克己復禮，天下歸仁焉，為仁由己，而由人乎哉！」

但這為仁的功夫，只在日常的視聽言動之中，並非在生活之外，別有所事。所以顏淵請問其目，孔子答他：「非禮勿視，非禮勿聽，非禮勿言，非禮勿動。」因為「閑邪存誠」，是克己的根本功夫；學而時習之，也便是實習此事。到了大段純熟綿密，便可以「無終食之間違仁，造次必於是，顛沛必於是」，達於君子的境界了。顏淵在孔門是最純粹的，所以孔子稱讚他：「好學，不遷怒，不貳過。」「其心三月不違仁。」「吾見其進，未見其止。」其實顏淵的得力處，只是讓一息不懈地做收斂向裡的功夫。這才真是「學問之道無他，求其放心而已矣」了。

克己的功夫，第一在寡欲，《孟子》「養心莫善於寡欲」一章，說得最親切。因為一切的欲，都是由軀殼起念。心為物累，便會沾滯私小，計較打量，患得患失，無所不至，毀壞了自強不息的剛健之德。所以孔子批評申棖，說：「棖也欲，焉得剛？」又說：「剛毅木訥近仁。」蓋不為物累，便能灑脫擺落，活潑新鮮，使生命成為天理之流行，與宇宙同其悠久。所以曾子說：「士不可以不弘毅，任重而道遠，仁以為己任，不亦重乎？死而後已，不亦遠乎？」

能克去外誘之私，便能深根寧極，卓爾有立，所以木有似於仁。孔子稱讚顏淵，說：「吾與回言終日，不違如愚；退而省其私，亦足以發，回也不愚。」蓋心不外馳，自然有此氣象。孔子和左丘明都是討厭「巧言令色足恭」的，就因為他「鮮仁」，所以仁者必訥。司馬牛問仁，子曰：「仁者其言也訒。」曰：「其言也訒，斯謂之仁矣乎？」子曰：「為之難，言之得無訒乎？」因為仁是由力行得來的，所謂先難而後獲，所以君子「先行其言，而後從之」，到此才知一切言語，都是浮華了。

　　克己的最後境界是無我。《論語》說：「子絕四：毋意，毋必，毋固，毋我。」意是揣量，必是武斷，固是固執，都是意識所行境界中的妄念，因為私欲作主，便爾執持不捨，攀緣轉深，把一個活潑無礙的生命，弄得觸處成障，而其總根源都由於有我。因為我是因人而有的，人我對立，便是自己渾全之體的割裂，縮小，割裂縮小，便是不仁。所以克己不但要克去外誘之私，而且要克去意念的妄執；不但要克去意念的妄執，而且要克去人我共起的分別見。到了用力之久，而一旦豁然貫通，則大用現前，人我雙泯，體用不二，天理流行，這才真是復禮，真是得仁了。

　　孟子教人在怵惕惻隱之發見處識仁，因為仁以感為體，他是寂然不動、感而遂通的。寂然不動便是靜虛，感而遂通便是動直。內外無隔，有感斯應，如水就下，如箭在弦，所以仁者必有勇，仁者必敏。靜虛之極至於無我，則死生得失不介於懷。動直之極至於自他不二，則不達於得仁不止。所以君子無求生以害仁，有殺身以成仁，是極從容自然的事。到此境界，只有內省不疚，是唯一大事，此外都無憂懼，心境自然坦蕩平愉了。

　　無憂無懼，便是知命樂天，孔、顏樂處在此。到此境界，豈但富貴不能淫，貧賤不能移，威武不能屈；直是素位而行，無人而不自得，聖人之從容中道蓋如此。然究其極，亦只是做到了盡心率性，並非於人生本分外有所增加，極高明亦不過道中庸而已。

　　這便是儒家的根本精神。我民族二千年來涵濡於這精神之中，養成了一種大國民的風度。那便是寡欲知足、自強不息、愛人如己、敏事慎言的美德。我民族所以出生入死，百折不回，屹然立於不敗之地，全靠了這一副哲人精神為其自信力。發揚這一種精神，便成為全人類共同的信念，是我民族的責任，應該當仁不讓的。

周禮與魯禮

我們平常讀《論語》，常常見到孔子對於周公是非常地讚美。他說：「甚矣吾衰也！久矣吾不復夢見周公。」又說：「周監於二代，郁郁乎文哉！吾從周。」為甚麼孔子要盛讚周朝呢？因為周的文化，實際上就是儒家的理想。中國的文化，自夏以來，一向是以農業為根據的，大禹會治水，便是一個說明。孔子說：「夏禮，吾能言之，杞不足徵也；殷禮，吾能言之，宋不足徵也。文獻不足故也。足，則吾能徵之矣。」夏朝的文化，是以農業為主的。殷朝的文化，特點是工商業，所以現在一般人，還稱經商的人為「商人」。不過到了商的末葉，農業也很發達。周本來不是農業民族，但到了周變為農業民族。從歷史的眼光看來，一個民族，從遊牧變為農業民族，這實在是文化上一大進步。中國自周起，奠定了農業社會的基礎，這對以後文化的發展有莫大的貢獻。大概說來，凡是農業社會，其特點有四：(1) 地址固定；(2) 有家庭組織；(3) 有宗法制度；(4) 實行封建制度。

政治方面，自君主以至諸侯，多為血統關係。社會組織的倫理，便是封建社會的基礎，有人曾把西洋的封建制度，來比中國的封建制度，這是很大的錯誤。因為中國的社會，大體上說，是以倫理為中心的，家庭亦然。所以中國的社會，不能以法治，只可以禮治。因為這種制度，係建立在人與人的情感之上的。中國的文化與西洋的文化不

同便在於此，維繫中國社會的，並不是法，而是禮。周代的社會組織，是以此為根據的。根據這一點，便將一切制度，建立在宗法倫禮的「禮」上。我們知道，周代的婚禮，是非常隆重的，說中國不重視女權，從過去看，實屬不然。例如男子當娶，必須到女家親迎，並且還要替女子趕車，這些都是尊重女子的表徵。現在也有人說，這是掠奪婚姻的遺跡。倘若論周朝文化的偉大，就在於能熔各代文化於一爐，給予新的意識。這是周的特點。而且禮樂相聯，造成一個統整的社會制度，這實在可以代表中國文化的特點，也便是奠定以後各代文化的基礎。直到周東遷以後，周朝文化的熔合性的光輝，才逐漸減退。其中只有魯國，尚能保持周代文化的整體。周以後，魯人保留周代文化為最多。春秋以後，人們仰周之餘威，便視魯為具體而微的「周朝」。故後人常以周公和孔子相提並論，實因孔子與周，有文化上的共鳴的緣故。

周朝的文化，到了春秋戰國，從重禮義一變而為重利害。這個時候，人的本性，日趨於下。孔子當日看到此種情形，甚為擔憂。因為當時的社會，存在三大危機：（1）統一的政權崩潰；（2）國內社會組織的混亂；（3）文化的變化和變質。

孔子大聲疾呼，希望能夠力挽狂瀾而謀安定，是因為過去周禮所表現的是人類正常的心理，此後即變為反常的發展。那麼，人的精神上的禮法，便要從動搖而至於崩潰。這種情形在孔子時代極為顯著，這便是孔子急於作《春秋》的動機[1]，以為文化既已逆轉，則人類將恢復到歷史獸性的時代。為了扭轉此種醜惡現象，唯有恢復周朝的禮樂。但這不過是一個理想。因之退一步主張恢復人性，認為人性可以恢

---

[1] 孔子只是對魯史《春秋》加以刪修，並未創作。——編者註

復，則天下尚有可救，所以孔子晚年的思想，多從哲學上發展，尤以讀《易》為主。所以孔子説：「加我數年，五十以學《易》，可以無大過矣。」孔子晚年研究哲學，啟發人性，即以「仁」為中心。到了孟子，主性善，不唯把孔子的哲學發揚光大，而且除「仁」字之外，更加「義」字，便成了「孔曰成仁，孟曰取義」的儒學，於是中國文化從「禮樂」而為「仁義」了。孔子以前，學在官守，孔子以後，學在私門。學在官守時，提倡禮樂尚有依據；學在私門時，既無以興禮樂，則唯有講「仁義」而已矣。這便是由周公到孔子的這一段變遷。

孔子與顏淵

　　孔子是最不容易講的偉大人物，他在中國歷史上及中國文化上的地位，是非常重要的。歷代人對孔子就有各種不同的看法，反對孔子也由來很久，在《莊子》《墨子》書裡，就有反對孔子的學說。一個偉大的哲人，看的人所取的角度不同，認識也就不同。比如講孔子就可以有：(1) 孔子與周公；(2) 孔子與顏淵；(3) 孔子與孟子；(4) 老子與孔子。四種講法，我取第 (2) 種。

　　宋人程、朱，喜歡談「尋孔顏樂處」。孔子說：「飯疏食，飲水，曲肱而枕之，樂亦在其中矣。不義而富且貴，於我如浮雲。」孔子又說：「賢哉，回也！一簞食，一瓢飲，在陋巷，人不堪其憂，回也不改其樂。賢哉，回也！」宋朝以後的人，喜歡將孔、顏連在一齊來講，這是很可注意的。

　　孔子一生的志願，是使周公的事業發揚光大，所以非常重視魯國。他全部學問的中心問題，注重在禮。我們只要讀《禮記》的《曲禮》《檀弓》，便可見禮的條目很繁瑣，尤其是喪禮，墨子就是反對孔子的禮。司馬遷《太史公自序》云：「累世不能通其學，當年不能究其禮。」也是說禮的繁瑣。孔子處在當時的環境裡，政治理想不能實現，便想用一種教育方法，實現政治的理想。孔子在六十歲以前，是從事政治，注意教育，六十歲以後，整個獻身在教育事業上。弟子三千，

成名就有七十二賢。在弟子中，只有顏淵是孔子最得意的，其他弟子不如顏淵那樣被孔子讚歎不已，所以孔、顏合看，是很能得到真相的。

我們上次講周代文化，同農業自然是非常地接近。就好似工業文化同機器是接近的。農民終日在田裡，人與自然來比，自然太偉大，人太渺小了，所以人沒有力量同自然爭衡。中國人靠天吃飯的觀念便來於此。愈覺得自然偉大，愈覺得個人渺小，這樣就產生宗教，宗教觀念再演變，就成為後來的哲學。老子的思想也是這樣產生的，照道家的思想來看，自己既然渺小，就該一事不做，任天而行，這樣自然就是我，我就是自然，自然與我合而為一。儒家則不然，是擴大自己的人格以求同天，而《易經》所講的「天行健，君子以自強不息」，這種自強不息的精神，便是孔、顏的共同點。

莊子對孔子批評得最厲害，他也是反對孔子最激烈的人物，另一面卻讚美顏淵，莊子在《人間世》講顏淵的心齋那一段文字，非常重要。在這裡，孔、顏同天的精神，又是道家所承認的。

先講孔子。要認識孔子，應該由歷史着手。那時，國際變遷非常激烈，孔子便生在這惡劣的社會環境裡。他不是魯國人，他的父親叔梁紇，母親顏氏。以我的推算，他是從宋國遷到魯國，不過已有七十多年。只要讀《禮記》的《檀弓》就知道孔子對宋國的感情比魯國還深。孔子一直到死也沒有忘卻他是殷人之後，卻微服而過故鄉，因為他的觀念同當時人不同。孔子着眼在整個人類的文化，他最高的理想是「仁」，在《論語》裡，孔子對「仁」發揮的意義最多。孔子自述：「吾少也賤，故多能鄙事。」孔子早年的生活是很苦的，他四十歲開始收弟子，曾和魯昭公到齊國避難；五十歲時，定公任命孔子為中都宰，後做到司空，再升為大司寇，有夾谷之會攝相事。孔子在政治上、外交上成績是卓越的。又派子路為季孫氏家臣，墮三都，藉此削弱三家的

力量。魯定公對孔子言聽計從，其後齊人歸女樂，孔子便周遊列國。在衛國住得最久，因為衛國保存着周文化，在禮樂方面的收穫很大。陳國是很小的國家，但接近楚文化，孔子到陳後，又想到晉國而未成。他的旅行可以説是文化的考察。由五十歲一直到六十歲都是在外邊遊歷，回國以後，七十三歲卒於家。《論語》這部書，是孔子的弟子或再傳弟子記載孔子最主要的著述，是儒家最重要的經典。欲明孔子各方面的成就，非細心研究《論語》不可。

在《論語》裡，有一段孔子的自述：「吾十有五而志於學，三十而立，四十而不惑，五十而知天命，六十而耳順，七十而從心所欲，不逾矩。」這一段話道理精深博大，不容易講，他給我們清清楚楚的啟示：做學問的功夫，要自己向內，才能有所成就，不應向外馳求。在孔門弟子中，能拳拳服膺於「仁」的只有一個顏淵，他只管自己教育自己，充實自己。孔子讚揚他道：「回也，其心三月不違仁，其餘則日月至焉而已矢。」另一個弟子子張，他的精神是向外發展的。曾子這樣批評他：「堂堂乎張也，難與並仁矣。」孔門的教育是自己照顧自己，自己完成自己。孔子説：「吾十有五而志於學。」學甚麼呢？即是立於禮。孔子説：「不知命，無以為君子也；不知禮，無以立也；不知言，無以知人也。」「四十而不惑」，於事物之所當然，皆無所疑。即是判別事物的力量，已經通透於事理，無所疑惑。「五十而知天命」，此天命即《中庸》所謂「天命之謂性」，知天命即宋儒所謂「見性」。「六十而耳順」，朱註謂：「聲入心通，無所違逆，知之之至，不思而得也。」這種境界是很不容易達到的。「七十而從心所欲，不逾矩」，矩亦禮也。這種境界很高，很不容易達到。聖人達到了這種境界，人的生活同自然合而為一，到了這種境界，時間與空間都沒有了。聖人的生命，雖然不能永遠存世，而大地一日不絕滅，聖人之道就永存於世。孔子説：「朝聞

道，夕死可矣。」如果你一天得道，就是你一天沒有死。同宇宙一樣地不會消滅，這種最高境界，不是渺小、自私的人所能達到的。可見聖學之不容易學，就在於此。怎樣才能達到「仁」的境界？只有好學。孔子說：「十室之邑，必有忠信如丘者焉，不如丘之好學也。」又說：「三人行必有我師焉，擇其善者而從之，其不善者而改之。」再說：「發憤忘食，樂以忘憂，不知老之將至。」這是孔子終日不息的好學精神。

宋儒訓學為效，王陽明則訓為覺，程朱、陸王的異同就在於此。朱子一生的學問，就是在格物窮理，即「人心之靈，莫不有知，天下之物莫不有理」。孔子好學，沒有一分鐘、一秒鐘的放掉，這便是自強不息。不息的意義是自然宇宙本來具有，生命流行本來沒有一分鐘、一秒鐘停息的。譬如電燈片刻性熄滅，我們就感覺不方便。人的身體也是片刻不停息，人應該這樣教育自己，假如以為力量不夠就不努力向學，這便是生命的哀息。為學如逆水行舟，不進則退。克服自己的懶情，發憤自強自立，這樣就是君子自強不息的功夫。孔子不許人有一秒鐘的偷懶，在孔子眼中不允許有絲毫的夾帶，在光天化日之下，一切都要透明、透亮，沒有一分隱藏。在孔子弟子中，也只有顏淵深知孔子的偉大，師生彼此心心相印，最為默契。有一天，顏淵感慨地歎了一聲：「仰之彌高，鑽之彌堅；瞻之在前，忽焉在後。夫子循循然，善誘人，博我以文，約我以禮。欲罷不能，既竭吾才，如有所立卓爾。雖欲從之，末由也已。」這是顏淵讚揚孔子的話，很不好懂。按照文意的次序，應該分為三段來講——

第一段：「夫子循循然，善誘人，博我以文，約我以禮。」

第二段：「仰之彌高，鑽之彌堅；瞻之在前，忽焉在後。」

第三段：「欲罷不能，既竭吾才，如有所立卓爾。雖欲從之，末由也已。」

　　孔子深知每個弟子的程度，因材施教，慢慢地引導上路。弟子在未做學問之先，心量並不開闊，故先教以博之。這裡的「文」是指「六藝」，教人最先盡量去博學，在博學方面已做過功夫，再繼續做的功夫，就是把所學的消化，變成自己的能力，應用在日常生活上。孔子全部學問，只有顏淵懂得最透徹，也只有顏淵身體力行，顏淵會用功，愈用功而愈知道孔子的哲理是圓的，上下四方都照顧得到。他的學問是絕對的，也就是博大精深，絲毫不能苟且。顏淵日夜不息地用功，也沒有達到孔子的境界，可是他的學問真有所得。真正會用功的人，才能體會到顏淵說的道理。他這一段話是立體的，而不是平面的，立體的觀念是向上的。孔子是這樣讚歎他的：「語之而不惰者，其回也與！」孔子對顏淵說：「惜乎吾見其進也，未見其止也。」孔子真正認識顏淵，也只有顏淵真正認識孔子，宋儒程朱理學家喜談「尋孔顏之樂」，就在這種師弟[1]契合的地方。

　　一個富人，他沒有人生樂趣，住的高樓大廈，吃的山珍海味，坐的豪華汽車，仍終日悵悵不樂，因為他的樂是向外的。真正懂得樂的人，要深刻了解生命是不息的。不息是靠好學入手。顏淵問「仁」，孔子回答他：「克己復禮為仁。一日克己復禮，天下歸仁焉。」你要每天改過自新，隨時隨地把自己改變成盡善盡美的完人。由這裡看顏淵的學問進步真是飛躍的。一個人修養到這種境界，是永遠不會衰老的。可以這樣說，孔子活到七十三歲，他還是一個赤子。孟子說：「大人者，不失其赤子之心者也。」孔子和顏淵正是如此。

---

1 這裡的師弟指老師和弟子。——編者註

曾子、子思與孟軻

　　中國近八百多年以來，民間思想受四書的影響很大。四書裡的《大學》《中庸》，本是《禮記》裡的兩篇，宋儒認為《大學》是曾子作的，《中庸》是子思作的，現在我就根據《大學》《中庸》來講曾子與子思。可以這樣說：曾子是孔門最篤實的學生；顏子是孔門最聰明而又最篤實的學生。假如孔子有兩個學生，一個聰明而不篤實，一個篤實而不聰明，孔子寧取篤實而不聰明的學生。在孔門弟子中，曾子的天資最愚魯。孔子說：「參也魯。」而曾子成就最大，得夫子一貫之道。有一天孔子對曾子說：「參乎，吾道一以貫之。」曾子曰：「唯。」子出，門人問曰：「何謂也？」曾子曰：「夫子之道，忠恕而已矣。」曾子的學問是身體力行出來的，同時也是親身體驗出來的。曾子的天資並不高明，而傳夫子之道的就是他。《漢書·藝文志》著錄《曾子》十八篇，在《大戴禮記》有《曾子本孝》等十篇，疑即《漢書·藝文志》所錄。還有一部《孝經》也是曾子作的，或者是曾子的弟子記的。可見大、小戴《禮記》當中，包括曾子的書很多。《大學》這篇是在《小戴禮記》裡，其價值在其他各篇之上。朱子以為經一章是孔子之言，傳十章是曾子所述，以經合傳，大體相符，只少了「格物致知」一段，於是加上格物補傳，就是現在「四書」分的本子。

　　宋以後很多人，認為《大學》沒有脫文錯簡，就有《大學》古本之

說，陽明就是主張《大學》古本的，因為本子之不同，就影響到程朱、陸王學派之不同。朱子和陽明的學問是絕對相反的，我們念《大學》首先應該注意這一點。《大學》是教人如何用功，因解說不同，效果也就不同。《大學》有三綱八目：三綱即明德、新民、止於至善；八目即格物、致知、誠意、正心、修身、齊家、治國、平天下，簡稱為格、致、誠、正、修、齊、治、平。這一套功夫，由修身到齊家、治國、平天下的道理是容易懂的。由修身以上必須說明，《大學》說：「欲修其身者，先正其心。」原來「正」字和「止」字同義，正字下面的止是像人的足，上面一橫，表所止之處。古人學射，必須在地上畫表，人的足便停止在那裡，這是正字的本義。在古音上來說，正與「定」同音，正心就是定心，也就是安住其心。要一切行為都對，必須在定心上才能分別出來。怎樣才能正心呢？我們要把心意弄得絕對誠實，自己不欺騙自己，一切念頭都放在誠上，如飢之於食，渴之於飲，如此才不會妄想。但如何能誠實呢？那就必先格物致知才行。

　　格物致知，按照朱子的講法，就是即物窮理，遇一物即窮一物之理，用力之久，一旦豁然貫通，便物理大明，那就是致知。用現在的話來說，物就是事物，格就是研究，就是透徹的研究，把每件事物的道理都要格到家，今天格一物，明天格一物，久之物物都能格，便是致知。朱子用功的方法，很接近於現代科學家治學的精神。象山則認為今天格一物，明天格一物，天下之物那樣多，永遠也沒有辦法格完。陽明也做過朱子格物的功夫，今天格一物，明天格一物。他格竹子之理，格了七天，格不出所以然，人也弄病了。他對朱子的格物說法，也就不相信了。照陽明講格物，格者拒也，這物是不對之物，格物就是格其不正，以歸於正，總的說來，就是把一切不正的都把它格出去。良知不為物蔽，這就是致知了。這種講法很近於顏淵的寡過、

孟子的集義，但《大學》的本意是否如此，很成問題。朱子說格物窮理，不要以為物是格不完的。人之用功，只要一路通了，則路路都通，照推理的方法知道了甲，就可以知道乙，所以顏淵聞一知十，就是這個道理。如果天下之物，樣樣都用功夫去研究，以有限之生命，追求無窮的學問，真是用功到死，也弄不清楚多少。我們對朱子的格物，千萬不要產生這樣的誤解。

現在提出《大學》三綱：「大學之道，在明明德，在親民（程子曰：『親』當作『新』），在止於至善。」明德是甚麼？人類和其他動物之不同，就是人類有明白道理的性格，其他動物沒有。人類就應該把其生命特別明白道理的那一部分，盡量讓他發揮出來。假如他不明白這種明道的道理，可以用教育使他明白，這種叫明明德。人類與其他動物不相同的地方，中國人和外國人說法不同，外國人說：人類是高等動物，這話是不對的。在中國很早儒家就有分別：人之所以異於禽獸者幾希。人類的文化與豬狗的文化不同，人類有精神文化，能創造物質文化，豬狗就沒有這些，只求生存而已。人類生活的目的不僅為求生存，還有超出生存的意義。在國家危急存亡之秋，可以殺身成仁、捨生取義，人之可貴就在這裡。人可以教育自己，同時可以教育別人，一切文化都是幫助人在做人，每一個中國人，讀了古先聖賢遺言，就應該懂得這一點。這是教育第一義，這就是在明明德。明德以後，就可以新民，就要「苟日新，日日新，又日新」，天天過他的新生活，一切懶惰、苟且都可以一掃而空，努力改造，大家能過恰到好處的生活。就如孔子答魯定公所說，「君君臣臣，父父子子」。各人都盡各人的責任，就把國家弄好了，這就是止於至善。《大學》的大意是這樣，比《論語》更進一步，把孔子的學問體系化了。

《中庸》是子思作的，在《荀子‧非十二子篇》和兩戴《禮記》裡都

提到子思，宋儒很重視子思之學。《中庸》照朱子分為三十三章，可分為幾個綱領條目來講，率性修道，自明誠，自誠明，最後條目是致中和。庸之本義是「用」，《中庸》即「中用」。怎樣才使人中用，必須懂得率性、修道這一套功夫。孔子不肯定地講性善或性惡，孔子只講「性相近，習相遠」，一個四五歲以下的小孩子，將來是好是壞，我們不可得知，人類是靠教育來改造人生，不必肯定說人性是善是惡。孟、荀分別主張性善、性惡，是他們立言如此。《中庸》第一章講：「天命之謂性，率性之謂道，修道之謂教。」天命是自然所賦予人或物的性。譬如茶杯不能寫字，而粉筆能寫字，因為粉筆有寫字的性。人不用耳朵講話，只能用口講話，因為口有講話的性。一個人生下來，能盡量發揮他的本性，不要中途停頓，或偏畸，這樣便是完人。這在孟子叫作盡性，在《中庸》叫作率性。孟子常說「人皆可以為堯舜」，就是任何一個人，都可以把自己做成一個完滿的人。我們本來都可成聖人、賢人。不能成為這樣的人，儒家認為是自己毀滅自己。所以要把率性的道理常常修明，這就是教育了。這率性的起手功夫，就是做每一件事情都不要自欺，把每一件事情都弄得確實明白，這就是明誠。不論做任何事情，都要恰到好處，這就是致中和。這些話很不容易理解。在《論語》裡，孔子的弟子常問孝問仁，孔子的答覆各人不同，這便是時中之用。《中庸》最高的目的，就是中用，把壞環境弄好，才是中用。「致中和，天地位焉，萬物育焉。」小人就相反，小人只是自私，自私就毀滅了自己，同時也毀滅了宇宙人生。

孟子的道理是根據曾子、子思的學問而來的。孟子說：「人之所以異於禽獸者幾希。」人類與禽獸的不同，在上面略略講過。在戰國時代，在那非人的社會裡，孟子就拼命地講人性是善的，言必稱堯舜。《孟子》全書的綱領，即「仁心」「仁政」。仁心是孟子自己的修養，所

謂知言養氣。孟子講不動心，即《大學》裡所講的「正心」。孟子曰：「我
知言，我善養吾浩然之氣。」孟子的養氣，就是顏淵的改過功夫，也就
是「不遷怒，不貳過」的功夫。今天做一件善事，明天又做一件善事，
由此心安理得，理直氣壯，這就是孟子的集義功夫。孟子的學問，就
是要做到心安理得、理直氣壯的境地，這是孟子的氣象，知言養氣的
功夫不是外來的。

　　有一句名言說：「三折肱為良醫。」這話很有深意。由孔子到顏子、
曾子、子思、孟子，儒家這一套學問，都是由克己入手，以恢復人類
的本性，人性　·復，天下自然太平，世界立刻成為一個理想的樂園。
反之，人心愈亂，天下就愈亂。在這裡，順便談到學國文的問題，學
國文也要知道孟子知言養氣的功夫，韓退之《答李翊書》就是受孟子知
言養氣功夫的影響，每一個國文教師都應該知道這套功夫：大家能夠
在知言養氣上下功夫，不僅是對修養上有幫助，就是對作文章也有很
大的幫助。下次繼續講七十子以後的儒學。[1]

1　本書為選本，在尊重並保持原著風格與面貌的基礎上，編校時沒有刪除或改動具有前後
　　互現、互證的語句。後文中如「上見」「上詳」「見下文」「下詳」「見下章」「文見下引」「已
　　詳上章」「上文已詳」「前面」「詳下章」等表述，多數都有對照的內容，只有極少數因選
　　文或統一體例等原因導致沒有對照的內容，請讀者諒解。——編者註

七十子以後的儒學

　　現在用很簡單的演講，將七十子以後的儒學講到近代。荀子在《非十二子篇》反對許多儒家，此外還有韓非的《顯學》篇，說孔子以後，儒分為八。在《顯學》篇可以看出儒學在戰國很盛行，儒家學派可分為八派：「有子張之儒、有子思之儒、有顏氏之儒、有孟氏之儒、有漆雕氏之儒、有仲良氏之儒、有孫氏之儒、有樂正氏之儒。」孔孟弟子皆包括在裡面，班固著《漢書‧藝文志》，著錄《子思子》二十三篇，《禮記》的《中庸》《坊記》《緇衣》《表記》等篇，都出於《子思子》，從文體上來看很像《論語》。另外曾子所著十八篇，《大學》一篇，宋儒認為曾子所作，他篇已經失傳。在孟子、荀卿以後，《小戴禮記》包括了許多儒學。《禮記》之所以稱為記，本是《儀禮》的記，兩戴《禮記》關於冠、婚、喪、祭等禮是《禮記》的本身。此外記載古代的制度，如明堂位，其他還有歷史上的材料，同《論語》性質相近的，有《哀公問》等篇。關於學派的分別相當麻煩，要知道各篇的時代比較容易，就是要從文體來看，孔子時代的文體很短，《論語‧季氏》首章，文字比較長，據清朝考據家的考證，認為是偽託的。像《禮記‧禮運》篇那樣文字很長又有體系，足見是很晚的。十三經中的《禮記》，沒有好的註疏，因為《禮記》比較難讀，全書的內容複雜，直到今日還未能透徹整理出來。現在從《易傳》《荀子》來講，《易經》的內容同《中庸》很相近，是講

天道。《荀子》這書不是講天道而是講人道，他認為人道講得好，天道亦包括在裡面。孟子也是講人道的，同荀子所講的人道不同。荀卿有兩個大弟子，一個是韓非，一個是李斯。這兩個人都是法家。那時是禮壞樂崩，儒家沒有辦法來教人，只有根據人倫來講孔子的禮。孟子沒有具體的材料講禮，所以孔子講仁，孟子講仁義。因為禮沒有了，便用義來代禮，孟子講義，等於孔子講禮，當時是禮壞樂崩，風俗蕩然。子思作《中庸》，開始就講：「天命之謂性，率性之謂道，修道之謂教。道也者，不可須臾離也；可離非道也。」這一段完全是講人生哲學的本體論。

荀子學問的規模是保有儒家原來的真面目的，他的重心是在講周公與孔子，荀子的《禮論篇》《樂論篇》《天論篇》最為重要。子思、孟子是推崇孔子的學問，荀子是發揚周公與孔子的禮樂。荀子的天論為他最重要的理論。照荀子的意思，天對人並不苛待，而是人自己對不起自己，你只要自尊自貴，為聖人不求知命，只管人事，不管天命。《中庸》所講非知天命不可，荀子的看法恰恰相反，他在《性惡篇》主張人性是惡的，可用教育的力量由惡改為善。因為孟子主張人性是善的，荀子就主張人性是惡的，他希望人努力克服人的惡性。在中國古代學術史裡很少有人討論性的問題，只有孔子說過：「性相近，習相遠。」也沒有說到人性一定是善，或人性一定是惡。到了孟、荀，對性的看法，就各走極端。荀子是主張戡天主義，在《荀子·勸學篇》教人要拚命地努力，這種好學的態度，仍是發揮孔子守近的精神，不要管得太遠，把目前的事弄得盡善盡美。荀子是主張法後王之說，真正好的聖人，不一定考慮夏、商、周，一定有能應付現實的才幹，才是理想中的聖人。孟子則反是，開口必談堯舜、聖君賢王，他是主張法先王。荀子法後王的精神很接近孔子的本來面目。就荀子的學問來說，

他是比孟子還好，不過荀子太注意現實，因為時代的關係，到了壞的時候，有一種人就特別注意現實，如伊尹，必須要有他那種魄力，那種擔當，假若你有伊尹的志向，就可以那樣做，反之就不可能。荀子的學問沒有注意到這一點，所以由荀子就一直變到韓非、李斯。另外一種人，感覺社會紊亂，自己就站遠一點，保持自己獨立的人格，效法「先王之道，以待來者」，有點像伯夷之清。因此之故，孟子的學說大倡於後世。除《荀子》以外，還有一部《易經》——這部書的《十翼》相傳是孔子所作的。根據最近歷史考證，不一定是孔子所作的。《易傳》不管是誰作的，而與儒學有關。《易經》這部書在中國哲學上達到登峰造極的境界，明天道，知人事。「易」有三種意思：第一是不易，即是永遠不變動。第二是變動之易，宇宙不停地在那裡變化，所謂「天行健，君子以自強不息」。第三是簡單之意，人生的問題，看起來是很複雜，其實是很簡單。《易經》本於太極，太極生兩儀，兩儀生四象，四象生八卦，八八即六十四卦。宇宙的本體是不容易知道的，由表面來看，是一個相對的現象。如好惡、東西，我們可以這樣說宇宙是互相對待，一切的事情都是對待變化，你認得了天道，人道的變化也就認得了。《易經》同《中庸》的道理很接近，與荀子的學問離得很遠了。

自從秦焚書以後，一直到西漢的儒學，漢武帝罷黜百家，表彰六經，受陰陽五行思想影響很深。兩漢四百多年以來，《論語》《易經》這兩部書，沒有人特別注意，兩漢的經學，沒有了不起的貢獻，那時的社會，也非常平靜。到了三國，天下大亂，人民的生活非常困難。佛教傳入中國，在三國末年，大家都認為佛學的哲理比中國的哲理要高明得很多。亂極思靜，就來潛心學佛學。中國原來沒有這樣的學問，只有《老子》《莊子》《論語》《易經》，簡稱易老莊「三玄」之學，又名魏晉玄學。都是把儒、道混合而談，這就是清談家，一切面對的現

實讓它毀滅了。這種現象正是荀子所怕、所反對的。一直到了隋唐之際，比較高明之士，都投到佛教禪宗裡去，隋唐的《傳燈錄》，儒家的道理在當時不能與之相比。到了王通，他是北朝舊派儒家，是隋末唐初了不起的人物。唐朝開國最著名的人物，都是他的弟子。文中子死了以後，唐朝第二人就是韓退之，他是承繼孟子的道統，他最有名的弟子是李習之，作有《復性書》。他講義理之學比他的先生高明得多，以《中庸》為基礎，發揮他高深的學理，開後來宋明理學的先河。

到了宋朝初年，出來陳摶、邵康節、周濂溪，而儒學一變。濂溪作有《太極圖說》，把《易經》道家化，但《通書》卻恢復了儒家高深的面目。除了以上幾位外，有程明道、程伊川、朱熹、張載，宋明理學，受禪宗的影響很大，就是把禪宗的最高境界同孔顏之學合而為一。程朱主敬，是奠定理學的基礎，就是要把孔孟的精神表現出來，因為中國後來禮壞樂崩，要想做居敬的功夫是不容易的。西洋人辦公就專心辦公，下公後就不管公家事。中國人講孔孟之學，而行為恰恰相反；西洋人不講孔孟之學，人家到處合孔孟的精神。中國人受了老莊的影響很深，中國的社會是禮壞樂崩，中國人做事就是馬馬虎虎。兩程子就是做主敬功夫，時時照顧自己的本心之明，仁就表現，同時明德也就表現。伊川主敬就是隨時隨地專心把自己弄好，如走路就專心在走路上，如讀書就專心在書本上，如寫字就專心在寫字上。陸象山偏於禪學，提出主靜，就是靜坐、動與靜相互為用。一天只有靜沒有動，也是不大好，或有一天只有動沒有靜，也是不大好。一天有時候靜一下是很好的，靜觀喜怒哀樂之未發，人愈靜，心愈靈，人愈亂，心愈不靈。

朱子是講格物致知，即一事之兩方面。實際說來，朱陸之學合起來，才是學問的真面目，元明以後把陸象山的學問看成別派，王陽明

的學問就是由象山那裡來的。致良知之學是陽明學問的全部，可以說受禪學的影響很深。王門的弟子，都能夠帶兵打仗，到了明末，理學就衰。清代的樸學發達，清朝開山大師有顧炎武、黃梨洲、王船山，就是講新的理學，經學即理學。清代中葉以後，講經世致用之學，真正得到經世致用的真髓，在政治、軍事修養上毫無毛病一洗空洞的弊病的，恐怕是曾文正公了。最近幾十年，西洋學傳入中國，康南海、梁任公主張變法。最近有兩位大師，一位是馬一浮先生，一位是熊十力先生。馬先生的學問近於象山、慈湖，熊先生的學問近於陽明、船山。馬先生著有《復性書院講錄》，熊先生著有《新唯識論》《讀經示要》等，都是不可不讀的。

·第二章·

湯用彤講佛學

佛教入華諸傳說

　　佛教入華，果在何時？傳說紛歧，實難確定。蓋佛教自魏晉以後，在中國文化思想上，雖有重大影響，方其初來，中夏人士僅視為異族之信仰，細微已甚，殊未能料印度佛教思想所起之作用，為之詳記也。漢明求法，見之於牟子《理惑論》，然上距永平之世，已過百年。其後乃轉相滋益，揣測附會，種種傳說，與時俱增。考其原因蓋有三端。一者，後世佛法興隆，釋氏信徒以及博物好奇之士，自不免取書卷中之異聞，影射附益。二者，佛法傳播，至為廣泛，影響所及，自不能限於天竺，而遺棄華夏。因之信佛者乃不得不援引上古逸史、周秦寓言，俾證三五以來，已知有佛（參看《弘明集》宗炳《明佛論》）。三者，化胡說出，佛道爭先。信佛者乃大造偽書，自張其軍。如《漢法本內傳》，謂漢明之世釋老優劣，即已判明。《周書異記》，謂西周之世，佛陀應跡，即已震動中華。由此三端，佛教始入漢土諸傳說，遂少可信。然吾人治史，書卷闕載，原不宜強為之解。而治佛教史，尤當致意於其變遷興衰之跡，入華年代之確定，固非首要問題矣。茲僅略敘入華諸傳說，而加以考定如下。

伯益知有佛

劉宋宗少文《明佛論》曰：

> 伯益述《山海》，天毒之國偎人而愛人。郭璞傳，古謂天毒
> 即天竺，浮圖所興。偎愛之義，亦如來大慈之訓矣。固亦既聞
> 於三五之世也。

《山海經》為禹、益時書，劉歆、王充、顏之推雖傳其說，兹姑不論。
但天毒偎人愛人之語，見於《海內經》。而劉歆進《山海經》，初只十八
篇，其《海內經》及《大荒經》皆進在外，世人早疑其偽。且《海內經》
原文曰：

> 東海之內、北海之隅，有國名曰朝鮮、天毒，其人水居，
> 偎人愛人。

朝鮮、天毒同謂在東海之內、北海之隅，其荒誕無稽，蓋亦可知也。

周世佛法已來

三國時謝承《後漢書》記佛以癸丑七月十五日寄生於淨住國摩耶夫
人腹中，至周莊王十年甲寅四月八日生 (見《歲華記麗》卷三)，蓋以春秋是
年，恆星不見，係應化之瑞相也。實則莊王十年，歲非甲寅。而依今
日考證，佛之出世，或更在此後。然佛陀生年，謝承之說或為最早。
迨其後釋老因化胡之說，互爭先後，釋迦、老子之生年，乃各愈推愈
遠，而其瑞應益為神奇。《穆天子別傳》（《三寶記》謂齊法上引之）、《漢法
本內傳》、《周書異記》（《續高僧傳·魏曇無最傳》所引），均上推佛陀生於周
昭王之世。唐法琳於武德五年上《破邪論》，中引《周書異記》甚詳。其
文略曰：

　　周昭王即位二十四年甲寅歲四月八日，江河泉池，忽然氾漲，井水並皆溢出。宮殿人舍，山川大地，咸悉震動。其夜五色光氣入貫太微，遍於西方，盡作青紅色。周昭王問太史蘇由曰：是何祥也？蘇由對曰：有大聖人生於西方，故現此瑞。……一千年外，聲教被及此土。昭王即遣鐫石記之，埋在南郊天祠前。……穆王即位三十二年，見西方數有光氣，先聞蘇由所記，知西方有聖人處世。……至穆王五十三年壬申歲二月十五日，平旦暴風忽起，發損人舍，傷折樹木，山川大地，皆悉震動。午後天陰雲黑，西方有白虹十二道，南北通過，連夜不滅。穆王問太史扈多曰：是何徵也？扈多對曰：西方有聖人滅度，衰相現耳。……

《周書異記》自係偽書。而至唐初，乃有所謂道宣律師《感應記》，中載天人陸玄暢來謁律師，言及秦穆公時獲一石佛。穆公因污像感疾，以問由余。由余謂周穆王時，有化人來，云是佛神。穆王為築高台作道場。穆公後燒香禮拜，造像立台云云。此所謂穆王時有化人來，乃抄襲《列子》偽書之言，而秦穆、由余與周穆王、蘇由相對，其作偽之跡，蓋極顯然也。又按唐法琳上書駁傅奕有曰：

　　　　周世佛法久來，生盲人云，有佛祚短，良可悼矣。（見《廣弘明集》十一）

我國反對釋教咸以其能短祚為言。如佛果生於周初，而且已行於中國，則周祚八百歲，可以塞反對者之口。此雖不必為僧人言佛生周初之唯一原因，而後來釋子之所以堅執此説，其故想在此也。

孔子與佛

《列子》載太宰嚭問孔子，孰為聖人。

　　　夫子動容有間曰：丘聞西方有聖者焉，不治而不亂，不言而自信，不化而自行，蕩蕩乎民無能名焉。

後世佛徒，常據此以謂孔子亦知有佛（《弘明集·後序》，及《廣弘明集》卷一）。《列子》一書，乃魏晉時人所偽造。而其孔子所稱之西方聖者，以至周穆王時之西極化人，亦或指西出關之老子。故六朝人士多不引《列子》以證孔子之尊佛。如元魏之世道士姜斌與曇無最爭論，斌問孔子既是制法聖人，當時於佛迥無文記何耶。曇無答言固未引及《列子》也。劉宋宗炳《答何承天書》，稱周孔於佛所未嘗言。而牟子《理惑論》亦有堯舜周孔何以不修佛道之問，牟子答辯，固亦未援用《列子》一書也。

燕昭王

《拾遺記》載戰國時燕昭王即位七年，「沐胥之國來朝，則申毒國之一名也。有道術人名尸羅，問其年云，百三十歲，荷錫持瓶，云發其國五年乃至燕都，善炫惑之術，於其指端出浮屠，十層高三尺」，云云。按王子年《拾遺記》，文原多亡佚，經梁蕭綺搜檢殘遺，合為一部。其所記燕昭王事，不悉是晉代原文，抑梁時改竄。但其所記，《晉書》已稱其事多詭怪。所謂沐胥之國，印度無此名稱。燕昭王時佛化未出天竺。所謂尸羅荷錫持瓶指出浮屠，隱射佛徒已來中國，誠屬荒唐不經。按《史記·世家》謂燕昭王卑身厚幣以招賢者。《封禪書》則謂其信方士，《水經注》亦謂昭王禮賓廣延方士，此均由招賢事附會而來，因是而起種種詭怪不實之故事也。

古阿育王寺

《弘明集》宗炳《明佛論》，謂佛圖澄言臨淄城中有阿育王寺遺址，猶有形像承露盤在深林巨樹之下，石虎依言求之，皆如言得。又姚略叔父為晉王（即姚緒，見《僧傳·法和傳》），於河東蒲坂古老所謂古阿育王寺處鑿得佛遺骨於石函銀匣之中。因是宗炳論曰：「有佛事於秦晉地久矣哉。」阿育王者威力廣被於印土，宣傳佛法，至為盡力。其後佛書中載阿育王神跡甚多。釋教入華，王之聲威，當與之俱至。《開元錄》載後漢支讖譯有《阿育王太子壞目因緣經》一卷，西晉安法欽譯有《阿育王傳》五卷，晉宋之間，中夏此項傳說之記載，當亦不少。東晉釋曇翼以育王造像，佈在四方，何其無感不能招致。乃專精懇惻，請求誠應。又釋慧達，本名劉薩阿，發願覓阿育王塔像，禮拜懺悔，自并州南遊建業，禮長干阿育王故舍利塔。又至鄮縣拜阿育王塔。東西觀禮，屢表徵驗。（上見《高僧傳》。劉薩阿事亦見《珠林》卷十三及三十八，均多怪異不可信。）可見尊崇阿育，至為熱烈。而阿育立八萬四千塔於宇內之說，亦必風傳當世。故臨淄蒲坂地下所得，皆指為阿育神跡。其他如吳孫皓於建業得育王金像（見《珠林》卷十三），晉犍陀勒知洛陽山中有古寺基塪（《弘明集·後序》）。因宗教之熱誠，經好事者之附會，此等故事在社會中流傳蔓演，固甚易易。按魏晉佛塔，或原係中國式建築。（見《營造學社彙刊》第四卷第一期劉敦楨覆艾克教授書）掘出墓塪，認為古塔，原無足怪。至若金像，秦始皇已有製作，地下枯骨，所在皆有，不必即其所傳故事，盡屬虛構也。不過阿育造塔八萬四千，按諸史實，並無其事。而佛陀造像在育王時，印度尚無其事（說見下）。則指為古寺，必出於教徒迷信，其失實自不待多辨也。

秦始皇與佛教

唐法琳上書駁傅奕（見《廣弘明集》卷十一），引釋道安、朱士行等《經錄》目曰：

> 始皇之時，有外國沙門釋利防等一十八賢者，齎持佛經來化始皇。始皇弗從，乃囚防等。夜有金剛丈六人來，破獄出之。始皇驚怖，稽首謝焉。

按此事南北朝前，無人道及。隋費長房《歷代三寶記》卷一始載之，然未言其出於釋道安及朱士行《經錄》。按道安《經錄》如載此事，則僧祐、慧皎等必有稱述。至如朱士行《經錄》，亦首見《房錄》，此前罕有所聞。費長房自言亦未見其書。《三寶記》蕪雜凌亂，謂朱士行曾作錄，實不可信。其言出道安、朱士行錄云云，乃為佛徒偽造。至若釋利防來華，梁任公則以為可信，蓋謂始皇與阿育王同時，阿育派遣宣教師二百五十六人於各地，或有人至中國。（見梁氏近著第一輯中卷第二頁）但阿育王傳教雖遠及西北，而東北方面，則絕無文記。至謂阿育曾派人至緬甸傳教，則據今日所知，緬甸距此三百年後乃有佛教（參看 V.A.Smith ASOKA.P.44）。梁氏意似謂佛教在當時經緬甸由海道以傳入我國，則亦太遠於事實也。又《史記·始皇本紀》三十三年有曰：

> 又使蒙恬渡河，取高闕、陶山、北假中，築亭障以逐胡人，徙謫實之初縣。禁不得祠明星出西方。（按此文句讀頗多異說。一謂「禁不得祠」為一句，「明星出西方」另為一事，但語似不可通。二謂縣字與懸字通，而其句讀應為「初縣禁：不得祠明星出西方」。但《漢書·匈奴傳》引此文，謂徙謫實三十四縣，則初縣係初立之縣，而縣字非懸字也。）

日人某謂「不得」為「佛陀」之對音，所禁者乃佛祠也。（似係藤田豐八之說，但余未見原書。）按「不得」為虛字，非實字，烏能指為佛陀。據近人

研究，始皇蓋禁人民私祠出西方之明星。徐廣曰：皇甫謐云彗星見，今按謐説非也。《漢書‧地理志》，陳倉有上公明星祠，錢坫曰：「《説文解字》《甘氏星經》曰：太白上公妻曰女媊，居南斗，食厲，天下祭之，曰明星。《史記‧始皇本紀》三十三年，禁不得祠明星。」又按《詩‧大東》毛傳：「日且出，謂明星為啟明。日既入，謂明星為長庚。」然則《史》言明星出西方，正指日既入之長庚言，其為太白無疑。據《天官書》，太白主兵事，故秦人禁民間私祀。段玉裁註《説文》，謂「天下祭之，蓋祀女媊」，亦失之。由此言之，禁不得祠，實與佛教無關也。

又宋宗少文謂三五以來，佛法早已流行，但或散沒於史策，或絕滅於焚坑。(見《弘明集‧明佛論》)其後佛徒多用其説。即《隋書‧經籍志》亦曰，佛書久已流佈，遭秦之世，所以湮滅，此均更荒誕無據，不可信也。

東方朔

釋子又常謂東方朔言及劫火，已知佛法。按《漢書‧朔傳贊》，謂後世好事者，因取奇言怪語，附著之朔。則在東方朔死後，已多恢奇不可信之故事。且《高僧傳》載此事曰：

　　又昔漢武穿昆明池，底得黑灰，問東方朔。朔曰，不知。可問西域胡人。後法蘭既至，眾人追以問之。蘭云：世界終盡，劫火洞燒，此灰是也。朔言有徵，信者甚眾。

然在劉宋時，宗少文乃言東方朔對漢武劫燒之説，是言劫燒者，非法蘭而為朔。然據《僧傳》所言，朔並未識劫灰也。

張騫

《魏書·釋老志》言漢武帝時佛法始通中國。並曰：

> 及開西域，遣張騫使大夏還，傳其旁有身毒國，一名天
> 竺，始聞浮屠之教。

查《史記·大宛傳》張博望雖言及身毒，然於浮圖，則《史》《漢》均未
記其有所稱述。且《後漢書·西域傳》曰：

> 至於佛道神化，興自身毒，而二漢方志，莫有稱焉。張騫
> 但著地多暑濕，乘象而戰。

據此始聞「浮屠之教」云云，係魏收依通西域事而臆測之辭，並非述騫
所言也。唐時《廣弘明集》引《釋老志》，而改竄此文曰：

> 及開西域，遣張騫使大夏，還云身毒天竺國有浮圖之教。

是以魏氏臆斷之詞，改為張騫所說。所改雖微，然道宣引書，往往點
竄原文，以證實其所信。名僧如此，則無聊僧人之作偽可知。而其所
流傳之故事虛妄不實，蓋亦可知矣。

休屠王金人

《世說·文學篇注》有曰：

> 《漢武故事》曰：「昆邪王殺休屠王，以其眾來降。得其金人
> 之神，置之甘泉宮。金人皆長丈餘，其祭不用牛羊，唯燒香禮
> 拜。上（漢武帝）使依其國俗事之。」此神全類於佛。豈當漢武之
> 時，其經未行於中土，而但神明事之耶？

《漢武故事》題班固撰。然與《漢書》絕不同，一覽可辨。《郡齋讀書
志》，引唐張柬之《書洞冥記後》云，《漢武故事》王儉造，所記多出入

《史》《漢》，而更益之以妖妄之言。故此書或為南北朝作品。其記帝禮
金人，顯暗指佛教。故劉孝標謂其時經典未行而神明事之。《魏書·釋
老志》亦有云：

> 案漢武元狩中遣霍去病討匈奴，至皋蘭，過居延，斬首大
> 獲，昆邪王殺休屠王，將其眾五萬來降，獲其金人，帝以為大
> 神，列於甘泉宮，金人率長丈餘，不祭祀，但燒香禮拜而已，
> 此則佛道流通之漸也。

所謂金人為大神，率長丈餘，但燒香禮拜云，均隱射金人之為佛像。
但《史記》《漢書》所載，均無此語。如《史記·匈奴列傳》僅曰：

> 其明年(元狩三年)春，漢使驃騎將軍去病將萬騎出隴西，過
> 焉支山千餘里，擊匈奴，得胡首虜騎萬八千餘級，破得休屠王
> 祭天金人。

又如《衛將軍驃騎列傳》，亦只曰：

> 轉戰六日，過焉支山千有餘里，合短兵，殺折蘭王，斬盧
> 胡王，誅全甲，執渾邪王子，及相國都尉首虜八千餘級，收休
> 屠祭天金人。

《魏書》謂昆邪王殺休屠王來降，獲其金人，案《史記》《漢書》，獲金
人在元狩三年春。及秋，昆邪王始來降。則魏收所記，已有錯誤。而
列之甘泉宮，燒香禮拜，則全不見於《史記》《漢書》。又按匈奴俗祭
天為大事。《史記·匈奴列傳》曰：

> 歲正月，諸長小會單于庭祠。五月大會龍城，祭其先、天
> 地、鬼神。秋，馬肥，大會蹛林，課校人畜。

《後漢書·南匈奴傳》曰：

> 匈奴俗歲有三龍祠，常以正月、五月、九月戊日祭天。(中
> 略)因會諸部議國事。

據此則霍去病所獲之金人，並非佛像而為祭天神主。《史記》謂匈奴單于嘗自稱天所立大單于，或天地所立，日月所生大單于。其稱號雖擬配中國之天子，但亦見其俗之敬天也。《前漢書·金日磾傳贊》曰：「休屠作金人，為祭天主。」其後《史》《漢》諸家註解，多以休屠王金人為祭天之主。故裴駰《集解》引三國如淳曰：「祭天為主。」《集解》又有曰：「駰案《漢書音義》(三國孟康撰) 曰，匈奴祭天處本在雲陽甘泉山下，秦奪其地，後徙之休屠王右地，故休屠有祭天金人像，祭天主也。」《史記索隱》引吳韋昭之言亦同。韋昭云：「作金人以為祭天主。」是蓋皆以金人為祭天之神主。然三國時張晏乃云，佛徒祠金人也。而後魏崔浩亦同此說。如《史記索隱》曰：「崔浩云，胡祭以金人為主，今浮圖金人也。孟說 (指孟康《漢書音義》) 恐不然。案得浮圖金人後置之於甘泉也。」考漢末魏初，笮融作佛像，以黃金塗之，必頗為當時人所傳說。張晏之言，或因此而誤斷。崔浩則去漢已遠，其時佛法興隆，更易聯想及之，其言更不可據。日人羽溪了諦，在大正七年十月發刊之《史林》中，曾著文論及，謂當武帝時代，印度尚未有佛像之製作，休屠金人，決非佛像，此實為最有力之證明。又案金日磾本休屠王太子，降漢後，因其國祭金人，故賜姓金 (見《漢書·日磾傳》)。如金人為佛像，則日磾或奉釋教，史書不致全無記載。又甘泉山金人，似有二處，一在甘泉宮，揚子雲《甘泉宮賦》有曰：

> 金人仡仡，其承鐘虡兮，嵌岩岩其龍鱗。揚光耀之燎燭兮，垂景炎之炘炘。配帝居之縣圃兮，象太一之威神。

蓋秦漢宮殿取象天帝之居。故班孟堅《西都賦》曰：「其宮室也，體象乎天地，經緯乎陰陽，據坤靈之正位，仿太紫之圜方。」按天上紫微宮有十二藩，故宮中又常列金人十二，以取則之。(《西都賦》又有曰：「立金人於端闈。」李善註云，《史記》始皇鑄十二金人置宮中，又引《三輔黃圖》曰，秦營宮殿，

端門四達，以則紫宮。）觀子雲賦中所言，甘泉亦效法太一紫宮，且立金人，想亦數為十二，以象十二星宿也。仡仡者，孔安國《尚書傳》曰，壯勇之貌也。甘泉金人想頂載鐘虡，故稱為仡仡。又《太平御覽·禮儀部》引《漢舊儀》：「漢法三歲一祭天於雲陽宮甘泉壇。」則甘泉更應象天帝之居。據此，金人乃象太一之威神，其非西方之佛也又審矣。又甘泉或亦另有匈奴祭天金人，與徑路祠在一地。考《括地志》（孫星衍輯本），謂漢甘泉宮在雍州雲陽縣西北八十里（一作八十一里）。徑路神祠，在雍州雲陽縣西北九十里甘泉山下，本匈奴祭天處，秦奪其地，後徙休屠右地。而《漢書·地理志》雲陽縣下註曰，有休屠金人及徑路神祠三所。此休屠金人，無論為霍驃騎所獲，或秦朝匈奴故址，然當與徑路神祠在一處，距縣九十里，與縣西北八十里之甘泉宮當無關也。（參看《三宅博士紀念論文集》，白鳥庫吉關於休屠故地一文。）

綜上所言：（甲）《史記》《漢書》並未言及武帝列休屠丈餘金人於甘泉，燒香禮拜。（乙）《漢書·金日磾傳贊》，有立金人為祭天主之言，其後註解多有從之者。（丙）漢武帝時，印度未有造佛像之事。（丁）金日磾乃休屠太子，無奉佛傳說。（戊）甘泉宮乃象紫微宮之十二星。而休屠金人與徑路祠則同另在一地。由此五證，《釋老志》所言之虛妄可知也。

劉向敘列仙

《世說·文學篇注》曰：

劉子政《列仙傳》曰，歷觀百家之中以相檢驗，得仙者百四十六人。其七十四人，已在佛經。故撰得七十，可以多聞博識者遐觀焉。如此即漢成哀之間，已有經矣。

據清王照圓校《列仙傳》有七十二人，上文「撰得七十」乃「撰得七十二」也。又上文謂乃自《列仙傳序》略出。故劉宋宗炳《明佛論》有曰：

　　劉向《列仙》敘，七十四人在佛經。

此序又稱為贊，《顏氏家訓·書證篇》有云：「《列仙傳》劉向所造，而《贊》云七十四人出佛經。蓋由後人所羼，非本文也。」南宋時志磐謂其所見之傳，猶有此語。但佛經已改為仙經（詳《佛祖統紀》卷三十四）。而現在通行版本，則已無七十四人出於佛經或仙經之語。蓋此書曾歷經道士改竄也。

永平求法傳說之考證

永平求法之傳說

漢明帝永平年中，遣使往西域求法，是為我國向所公認佛教入中國之始。茲據南朝前之記載，先分疏其事跡，再詳論此傳說之真偽。

依今日所知永平求法，最早見於牟子《理惑論》（載於《弘明集》），《四十二章經序》（《祐錄》六載六），及《老子化胡經》（《廣弘明集·笑道論》第十四）。此外石趙時王度《奏疏》（《高僧傳·佛圖澄傳》），東晉袁宏《後漢紀》（卷十），劉宋宗炳《明佛論》（《弘明集》），范曄《後漢書》（卷百十八），南齊王琰《冥祥記》（《珠林》卷十三），蕭梁時僧祐《出三藏記集》（卷二），慧皎《高僧傳》（卷一），陶弘景《真誥》（卷九），北魏酈道元《水經·穀水注》，楊衒之《洛陽伽藍記》（卷四），《魏書·釋老志》，以及元魏僧徒所偽造之漢《法本內傳》（見《法苑珠林》《廣弘明集》及《佛道論衡》等，《續論衡》廣引其文）。其餘六朝人士言及之者，尚不乏人。

東漢末牟子作《理惑論》，凡三十七章。其第二十章，述漢地始聞佛道。茲錄其全文，並附以他書所載異說。

昔孝明皇帝。

按各項記載均不載年月。僅《化胡經》謂永平七年遣使，十八年還。《法本內傳》作三年感夢。而《廣弘明集》卷一所引

之《吳書》，謂在十年。隋費長房《三寶記》作七年感夢，十年還漢。並引陶弘景《帝王年譜》（《隋志》著錄）稱十一年夢金人遣使。

夢見神人，身有日光，飛在殿前。

按《四十二章經序》作身體有金色，項有日光。《化胡經》：長丈六尺，項有日光。袁宏：夢見金人長大，項有日月光。范曄：金人長大，頂有光明。王琰：形垂二丈，身黃金色，頂佩日光。慧皎：夜夢金人，飛空而至。酈道元：夢見大人，金色，頂佩白光。楊衒之：帝夢金人，長丈六，項背日月光明。《釋老志》：頂有白光，飛行殿庭。

欣然悦之。明日，博問群臣，此為何神。

按《真誥》略同。《經序》有「意中欣然，甚悦之」。餘均無此句。有通人傅毅曰。

按《經序》《化胡經》《高僧傳》《釋老志》均同。餘僅作「或曰」。

臣聞天竺有得道者，號之曰「佛」，飛行虛空，身有日光，殆將其神也。

按《化胡經》，毅對曰，西方胡王太子成道佛號。（一本號下有佛字，此處疑有脱誤。）王浮蓋虛構事實，謂釋迦於漢代乃成道也。其餘各書，均略同牟子所記。

於是上悟，遣使者張騫（麗本據晚出傳說改此四字為中郎蔡愔。此依宋元明宮本。《世說》註引《牟子》無張騫名）、羽林郎中秦景、博士弟子王遵等十二人，於大月支寫佛經四十二章。

按《經序》《真誥》略同。惟「羽林郎中」，《序》作「羽林中郎將」。餘多僅言遣使，不書人名。南齊王琰，謂使者只蔡愔一人。《祐錄》七，王僧孺《慧印經序》曰：「王遵之得《四十二

章》[1]。」《僧傳》，求法者為郎中蔡愔、博士弟子秦景，《釋老志》
從之。《真誥》原註有曰，遣侍中張堪，或郎中張愔，並往天
竺，寫致經像，並沙門來，云云。至若《後漢紀》，則不言遣
使，僅謂明帝問其道術。（《御覽》引《袁紀》則言遣使天竺，問其道術，恐
係後人增加。）《後漢書》，則謂遣使天竺，問佛道法。《化胡經》所
載獨不同。其言曰，明帝即遣張騫等窮河源，經三十六國，至
舍衛，佛已涅槃，寫經六十萬五千言，至永平十八年乃還。蓋
謂佛在漢時成道，於明帝世入滅。因浮圖既後於老子，則化胡
之說有根據也。

藏在蘭台石室第十四間。

按牟子不記迦葉摩騰等隨蔡愔來華事。《四十二章經序》《化
胡經》《後漢紀》均同。至南齊王琰《冥祥記》，始記蔡愔將西域
沙門迦葉摩騰等賫優填王畫佛像至。《高僧傳》從之，唯作攝摩
騰，《釋老志》同。

又有可注意者，牟子言於大月支寫佛經歸，藏在蘭台第
十四間。《經序》略同。又《祐錄》二，首言張騫遠使西域於月
氏寫經四十二章，次又言於月支遇沙門竺摩騰，譯寫此經還洛
陽。均謂經係譯於月氏。《水經注》曰：「發使天竺，寫致經像，
始以榆欓盛經，白馬負圖，表之中夏。故以白馬為寺名。此榆
欓後移在城內愍懷太子浮圖中。近世復遷此寺。」《伽藍記》曰：
「寺上經函，至今猶存，常燒香供養之，經函時放光明，耀於堂
宇，是以道俗禮敬之，如仰真容。」

時於洛陽城西雍門外起佛寺。

1《四十二章》即《四十二章經》。——編者註

　　按《經序》作起立塔寺，亦未言及寺名。王琰乃言及白馬寺。《僧傳》則更言外國有白馬，繞塔悲鳴，故寺多以白馬為名。《水經注》《伽藍記》均謂白馬寺在西陽門外。西陽一名雍門，乃洛陽西門之一也。又按白馬寺之名，始見於西晉竺法護譯經諸記中。太康十年 (公元 289 年) 四月譯《文殊師利淨律經》，十二月出《魔逆經》，均在洛陽城西白馬寺。(均見《祐錄》七) 永熙元年 (公元 290 年) 譯《正法華》，亦在洛陽白馬寺。(《祐錄》八) 上距漢永平之世，已二百餘年。牟子雖未載寺名，然地望恰合，則應亦指白馬寺。又按竺法護譯經，常於長安青門內白馬寺。(《須真天子經記》見《祐錄》七) 東晉時支道林常在建業白馬寺。則漢晉間寺名白馬，或實不少。《名僧傳》目錄稱摩騰等住蘭台寺，則顯由藏書石室之說而來。

　　於其壁畫千乘萬騎繞塔三匝。

　　按《經序》無此句。《僧傳》白馬繞塔悲鳴，或與此傳說有關。

　　又於南宮清涼台及開陽城門上作佛像。明帝存時，預修造壽陵，陵曰顯節，亦於其上作佛圖像，時國豐民寧，遠夷慕義，學者由此而滋。

　　按《經序》無此段。後漢書紀均僅有於中國圖其形像之語。《冥祥記》《高僧傳》均有之。並謂原來佛像是優填王所作。(《高僧傳》作倚像，《魏書》立像。)

　　又按《高僧傳》一《竺法蘭傳》，謂竺法蘭與摩騰俱至洛陽：「譯《十地斷結》《佛本生》《法海藏》《僧本行》《四十二章》等五部，移都寇亂，四部失本，不傳江左，唯《四十二章經》今見在，可二千餘言，漢地見存諸經，唯此為始也。」至若《祐錄》卷二則不載竺法蘭之名，並未著錄其所譯之經。

綜上所述，永平求法傳說，蓋可分為三系：（一）牟子系。此以牟子《理惑論》所言為最早。（《四十二章經序》或更早，說見後。）《四十二章經序》與之大同。晉袁宏、宋范曄或採此說。梁陶弘景之《真誥》，則直抄《經序》之文。此係記載謂漢明感夢遣使，於月氏寫經而歸，並圖佛像。考《水經注》《伽藍記》均未載摩騰等在洛陽譯經之事，二書均詳敘賫經回華之榆欓，似亦謂經譯於西域，故亦可入此系。（二）《化胡經》系。此據求法之說，羼入佛陀成道涅槃之年，以證其遠在老子之後。（三）《冥祥記》系。此於原說又增記摩騰等來華譯經，使者為蔡愔一人，而非張騫等三人。《真誥》子註中亦引同類記載。《高僧傳》乃不僅詳記摩騰事，並益以竺法蘭之傳說。《漢法本內傳》者當係南北朝末偽造之書，且復於求法譯經之外，更加與道士牴力之怪事。至若僧祐《出三藏記集》卷二則既言經譯於月氏，而又言及摩騰（不載竺法蘭），則依違一、三兩說之間，態度實頗模棱也。

求法傳說之考證

考證求法傳說之真偽，當分七端說之：一、佛法不始於明帝；二、《四十二章經》之早出；三、明帝求法之真偽；四、蔡愔摩騰事之遲見；五、竺法蘭事之無徵；六、求法說非王浮所假造；七、餘論。

（一）西晉王度上石季龍奏議曰，漢明感夢，初傳其道。（《高僧傳·佛圖澄傳》）其後歷代人士，多從此說。唐韓文公奏議，亦言漢明帝時始有佛法。而諫迎佛骨一文，既為後人所傳誦，故此說更認為定案。然使永平年前，未傳佛法，則不但哀帝時伊存已授佛經（見魚豢《魏略·西戎傳》，下詳），明帝時，楚王英已為桑門伊蒲塞設盛饌（見《後漢書·楚王英傳》，下詳），其時已有奉佛者在。且即就此傳說本身言之，傳毅已知天

竺有佛陀之教，即可證當時朝堂已聞有佛法。此則不但宋人范鎮《東齋記事》已有此疑，即六朝人士，早持斯論。（僧祐《弘明集後序》即有此意）

（二）按《四十二章經序》，大藏經常刊之於本經首端。梁僧祐《出三藏記集》卷六載其全文。其所記與牟子所載事實僅略有出入，文字亦且大同小異。此必非偶然之相同，或其一為底本，而其他係抄襲。依今考之，則牟子所記，實本於《經序》。其證有二：一曰，牟子之文較整潔，而其事跡則較增多也。《經序》「意中欣然悅之」牟子無「意中」二字。《經序》稱所夢神人「身體有金色，項有日光，飛在殿前」，後傅毅對曰：「佛輕舉能飛，殆將其神也。」牟子於神人僅言「身有日光飛在殿前」，而傅毅之對，則為「飛行虛空，身有日光，殆將其神也」。以二文相比校，則牟子前後照應周到，較之《經序》為文，整飭多矣。又《經序》末僅言起立寺塔。至若塔在雍門外，及於南宮開陽門顯節陵上畫像，則只牟子載之，似係抄襲原文，而又為之增益也。二曰，牟子作《理惑論》時，蓋常引及《四十二章經》。如論第四曰：

> 立事不失道德，猶調弦不失宮商。

此引經沙門夜誦經甚悲之文也。論第十一曰：

> 有道雖死，神歸福堂。

此似取《經》中濁水喻章之言（此據麗本）。論第二十五曰：

> 吾自聞道以來，如開雲見白日，炬火入冥室也。

經中亦有「夫為道者，譬如炬火入冥室中」之言。夫《理惑論》，篇幅頗短，其中所用典故，出《莊》《老》諸書者較多，援用佛經者實頗少，而其中乃引《四十二章經》三次，其曾熟讀此《經》可知也。意者牟子作論時，篋中或有此經，而其所言漢明故事，則就《經序》修改增益者也。

（三）吾前分求法記載為三系。茲先就牟子系傳說先論之。漢明帝求法之說，實有可疑。感夢遣使，事頗神怪，一也。永平八年，楚王英

已為沙門伊蒲塞設盛饌，則其奉佛應更早，或竟在光武之世。明帝為太子時，英獨歸附太子，甚相親愛。（見《後漢書‧楚王英傳》）英於光武世如已與釋氏遊，明帝或已知之。則感夢始問，應是讕言，二也。遣使三人中，有張騫最為可異，《真誥》原註中解之曰：「按張騫非前漢者，或姓名同耳。」然姓名既同，西遊又同，似非偶合，此可疑者三也。

　　求法故事，雖有疑問。但歷史上事實常附有可疑傳說，傳說固妄，然事實不必即須根本推翻。釋迦垂跡，神話繁多。素王御世，讖緯疊出。然吾人不能因神話讖緯，而根本否認喬答摩曾行化天竺，孔仲尼曾宣教華夏也。謂求法故事附會妄謬為一事，謂全係向壁虛造，則另為一事。吾人不可執其疑點，以根本否認其故事之全體也。（甲）按牟子漢末作《理惑論》（說詳下），上距永平不過百餘年。《四十二章經》則桓帝以前亦已譯出（說亦詳下），《經序》或已早附入，上距永平更近，或且不及百年。此推證若確，則其記載出於佛徒，雖或有虛飾，然不應全屬無稽，無中生有也。（乙）且牟子稱立寺於城西雍門外，此即北魏酈善長所指為白馬寺之地址。而西晉竺法護譯經於洛陽白馬寺，其出經記亦謂在洛陽城西。（《祐錄‧文殊淨律經記》《魔逆經記》）則牟子雖未記寺名，而漢末或已以白馬名此寺。考寺院固輒妄取往昔高僧為開山祖，後世信之不疑。然此概因年代已遠，疊經變遷之故。至於漢末去中興不遠，京師又未遭浩劫，牟子如知有白馬寺，則東漢初造，創立此寺，亦非不可能。（丙）世人又據《後漢書‧西域傳》謂永平十六年以前，漢與西域交通中絕者六十五載，故永平十六年前，遣使求法為必無之事。（詳梁任公近著第一輯中卷）然《牟子》《經序》本不書年歲。其年歲則出於《化胡經》《法本內傳》等，皆係晚出，且為偽書。依《牟子》諸書所載，則不能謂其必在十六年前。且西域交通中絕一語，係指漢不置都護而言。考王莽建國元年，至永平十六年，六十五載間，中

國國際交通，並未斷絕。如王莽天鳳三年李崇等出西域，其時西域諸國尚郊迎送兵穀。光武建武十四年，莎車國鄯善國遣使奉獻。二十一年鄯善等十八國遣子入侍。凡此可證王莽光武時，中華西域仍有信使往還。即在永平三年，休莫霸與漢人韓融等殺都末兄弟，自立為于闐王，則永平間西域與漢人猶有交通。（上詳《學衡》第二期柳詒徵《評梁任公中國佛教史》）按《後漢書·西域傳》原文略曰：

> 武帝時，西域內屬。……王莽篡位，貶易侯王。由是西域怨叛，與中國遂絕，並復役屬匈奴。

是則絕者為役屬之關係。又傳中謂交通中絕，及西域三絕三通等，按其全文均不能指為漢人不能西遊，是則明帝遣使求法，又可知非絕對不可能之舉矣。

綜上所言求法故事，雖有可疑，然不能因此即斥《牟子》《經序》所傳說，毫無根據。至若果何所據，而加以附會，雜以誤傳，則書闕有間，非二千年後人所應妄度。凡治史者，就事推證，應有分際，不可作一往論斷，以快心目。求法故事，雖有可疑，而是否斷定即全無其事，則更當慎重。昔者王仲任著《論衡》，《書虛》《語增》分為二事。漢明求法之說，毋寧謂語多增飾，不可即斷其全屬子虛烏有也。

（四）牟子《理惑論》作於漢末，《四十二章經序》出世，或更早。此中僅言四十二章寫於月氏。至若袁彥伯僅言明帝問其道術。范蔚宗亦只謂遣使天竺，問其道法。蓋均未載蔡愔將佛像與沙門還國之事。依今日所知，摩騰東來，首見於北齊太原王琰之《冥祥記》。此書所誌詭異，本不可盡信。而求法一條顯係抄錄三種舊記而成。其全文曰：

> 漢明皇帝夢見神人，形垂二丈，身黃金色，項佩日光，以問群臣。或對曰，西方有神，其號曰佛，形如陛下所夢，得無是乎。於是發使天竺，寫致經像，表之中夏。

此段文字，頗與《水經注》相同，仍大體循《經序》《牟子》之最初傳說。《冥祥記》續曰：

　　　　自天子王侯咸敬事之，聞人死精神不滅，莫不懼然自失。

此段見於《後漢紀》，仍為晉人所傳。然《冥祥記》又曰：

　　　　初使者蔡愔將西域迦葉摩騰等齎優填王畫釋迦佛像，帝重
　　　　之，如夢所見也。乃遣畫工圖之數本於南宮清涼台及高（應作開
　　　　字）陽門顯節壽陵上供養。又於白馬寺壁畫千乘萬騎，繞塔三匝
　　　　之像，如諸傳備載。

圖像畫壁均見《牟子》。然所述蔡愔摩騰一段，則不見於向日敘述。去張騫、秦景、王遵三人，而易以蔡愔，復加一摩騰故事，構成後世公認求法之史實。然王琰既言如諸傳備載，則此條可證為抄集而成。蔡愔摩騰故事，顯更為晚出之事實。劉宋以前既不見於正史，又為佛家所未稱述，則其說之不可信，蓋可知矣。

　　復次，蔡愔一事疑本另出一源。查《四十二章經序》並未言畫像。牟子雖言及而不言來自西域。《高僧傳·興福篇》論曰，「蔡愔秦景自西域還至，始傳畫甌釋迦，於是涼台壽陵並圖其像」，可知蔡愔原與優填王畫像有密切關係。明帝遣使，最初所得者為經，是認為傳法之始。笮融以後，造像供養，成為風氣。立塔則稱道阿育，畫像必本諸優填。阿育之塔既相傳遺跡遍佈神州。優填之像亦自不能不稱其早已來中夏。既信其早傳東土，則須明述原委，以起信心，蔡愔故事想由此創始。其後復因信佛法始於漢明，因而於傳經之外，復增齎像之文。又兩晉以後經像俱常隨外國僧人俱至，或因此而更附會蔡愔齎像，摩騰偕來歟？

　　（五）摩騰譯經，劉宋以前所不知，已難置信。然《高僧傳》復於摩騰之外，敘及竺法蘭，則更為可怪。《冥祥記》無法蘭之名。《祐錄》著

錄《四十二章經》，並繫之於竺摩騰，而於竺法蘭所譯經，概不列入。夫僧祐與慧皎先後同時，僧祐獨不採取竺法蘭出經事，則其懷疑可推而知。《高僧傳》謂蘭譯經五部，有《十地斷結》。按羅什以前十地通譯十住，此曰十地，其偽可知。又蘭所譯書，不見兩晉南北朝各家經錄。至隋《長房錄》始著錄，並言見朱士行《漢錄》及《名僧傳》(一本無名字)。士行作錄，本屬無稽。而《三寶記》卷十五末，自言未見朱士行《漢錄》。長房之書，採集至為蕪雜。其言見於《漢錄》，想亦妄據一種偽書 (疑如《漢法本內傳》之類)。由此可證，長房以前，法蘭所出，概不為譜錄家所信也。又《僧傳》蘭所出五部之內，有《四十二章經》，而《房錄》僅列之摩騰錄中，而別謂蘭譯有《二百五十戒合異》二卷 (註見別錄)。實則《合異》造自東晉竺曇無蘭，今其書雖佚，然其自序，固赫然載入《祐錄》卷十一中也。

(六) 世人考證永平求法之說，多不知其有各種不同之傳說，又不先推究其先後。梁任公著論 (見《梁任公近著》第一輯中卷) 詳定各說之先後，謂《四十二章經》，實吳晉間偽作。其序又在其後。《牟子》則晉宋作品。此外東晉有王度奏疏，袁宏《後漢紀》。而《老子化胡經》作於西晉，年代則特早。故梁氏謂《化胡經》所載，為各說之根據。而求法故事，乃此經作者道士王浮所偽造。但《四十二章經》乃漢代所出，《理惑論》亦漢末著作。(待下詳)《化胡經》實採取佛書，以為釋迦死於漢明帝之世，以成就老子化胡之說，是求法之說，非王浮所偽造，一也。若道士造求法之事，而釋子乃因襲其說，愚謬至此，殊不可解，二也。王浮與帛遠同在晉惠帝末年 (《高僧傳》卷一)，而王度為石虎著作郎，袁宏為桓溫記室，其年代相差不遠。使永平求法事，為王浮偽造，何至一則掇入奏牘，一則載於史書。況袁宏之作《後漢紀》，自謂集前史數百卷，正其錯誤異同，更何能採集之荒妄若是，永平求法

事，非創自王浮，觀此益信，三也。

（七）依上所論，漢明求法，吾人現雖不能明當時事實之真相。但其傳說，應有相當根據，非向壁虛造。至若佛教之流傳，自不始於東漢初葉。明帝雖曾獎勵此新來之教，然其重要，亦自不如後日所推尊之甚。至若後世必定以作始之功歸之明帝，則亦有說。蓋釋迦在世，波斯匿王信奉三寶，經卷傳為美談。其後孔雀朝之阿輸迦，貴霜朝之迦膩色迦，光大教化，釋子推為盛事。東晉彌天釋法師亦曾曰，不依國主，則法事不立。漢明為一代名君，當時遠人伏化，國內清寧（《四十二章經序》中語），若謂大法濫觴於茲，大可為僧迦增色也。

南北朝時，佛與道相爭先後，佛徒謂釋迦於周昭王二十四年出世，穆王五十二年涅槃，初視似無理由。但亦或亦與永平求法有關。查《周書異記》有曰：

> 周昭王時有聖人出在西方。太史蘇由對曰，所記一千年時，聲教被及此土。

查自穆王五十二年至漢光武二十三年恰約一千歲。按晉慧叡《喻疑論》（《祐錄》五），「孝明之世，當是像法之初」。佛典傳說，常謂正法五百年（曇摩讖之說也，見《文選‧頭陀寺碑文》李善註中，慧叡《喻疑論》從之）。但亦有謂正法一千者，依此則明帝求法，正當像法之初。佛徒捏造事實，謂佛生於周昭王時，或亦因此種關係歟。

《四十二章經》考證

《四十二章經》譯出傳說

梁《高僧傳》引記曰，騰（攝摩騰）譯《四十二章經》一卷。又謂竺法蘭譯經五部，唯《四十二章經》尚行江左。是則《四十二章經》依慧皎言，乃摩騰法蘭二人共譯也。隋《開皇三寶記》（《歷代三寶記》之原名）引梁寶唱曰，是經竺法蘭所譯。而梁僧祐作錄則不著竺法蘭之名，謂經乃竺摩騰譯。是梁時於本經譯出之人，本無定說也。又《僧傳》謂經在洛陽出，而僧祐謂於大月氏譯訖還國。是梁時於本經譯出之地，亦無定說也。蓋漢明求法故事，牟子系傳說較早，亦較可信。《冥祥記》系出世晚，而事益荒誕。梁時諸師，兼取諸說，互有異同，故其言亦復互異也。依上章所論，牟子所傳，雖有疑義，但絕非全誣。若據其所言，斯經譯於月氏，送至中夏也。又《經序》及牟子均言譯經四十二章。而《祐錄》有曰，《舊錄》云：「《孝明皇帝四十二章》。」則此經舊名，或本未稱為經，而首加孝明皇帝四字也。（隋二種眾經目錄，原均無經字。）

今考證《四十二章經》，當分四段述之。一、經之早出。二、劉宋時經有二本。三、此書疊經歷代之改竄。四、經之性質。

《四十二章經》出世甚早

《四十二章經》世頗有疑其出世甚晚，而為中國人所自著者。梁任公 (近著第一輯中卷) 論之曰：

> 隋費長房《歷代三寶記》本經條下云：
>
> 「《舊錄》云，本是外國經抄，元出大部，撮要引俗，似此《孝經》十八章。」
>
> 此言經之性質最明了。蓋並非根據梵文原本，比照翻譯，實撮取群經精要，摹仿此土《孝經》《老子》，別撰成篇，質言之，則乃撰本而非譯本也。

按長房所引《舊錄》，不知為何人之書。但其言經係「外國經抄」，自非中土編撰，實可了然。查今日所存巴利佛經，亦不乏此種類似《孝經》之文體。如 *Suttanipāta* 集合佛説多章而成。其中諸章恆甚短且往往見於《阿含》及其他大部中。則 *Suttanipāta* 者，亦實可謂為外國之經抄也。又魏晉諸師，言外國常抄集大經以為要略，固有其人。三國時失名之《法句經序》(《祐錄》七)，謂佛説原有十二部經，四部《阿含》：

> 是後五部沙門，各自鈔採經中四句六句之偈，比次其義，條別為品。於十二部經靡不斟酌，無所適名，故曰《法句》。

晉道安《道行經序》(同書卷七) 有曰：

> 佛泥曰後，外國高士鈔九十章為《道行品》。

又其《道地經序》(同書卷九) 曰：

> 於是有三藏沙門，厥名眾護，仰惟諸行，佈在群籍，俯愍發進，不能悉洽，祖述眾經，撰要約行，目其次序，以為一部二十七章。

孝明皇帝時書亦係從大部中，撮要抄為一部、四十二章，不得因其類

似《孝經》，而謂為中國所撰也。

漢明求法事，因年代久遠，書史缺失，難斷其真相。但東漢時，本經之已出世，蓋無可疑。東晉時，郗超撰《奉法要》（《弘明集》），三國時，《法句經序》（《祐錄》七），已引本經（詳下文）。漢末牟子作《理惑論》，似亦曾援用（已詳上章）。是漢晉間固有經四十二章，為佛學界所得誦讀。而最早引用本經者，則為後漢之襄楷（參看觀古堂刻宋真宗註《四十二章經》葉德輝序）。襄楷延熹九年（公元 166 年）上書桓帝（《後漢書》六十下）曰：

　　浮屠不三宿桑下，不欲久，生恩愛，精之至也。天神遺以
　好女，浮屠曰，此但革囊盛血，遂不盼之。其守一如此。

此中不三宿桑下，即本經樹下一宿之言。革囊盛血云云，係引經革囊眾穢一章。則後漢時，已有此經，實無可疑。桓帝延熹九年（公元 166 年）至明帝時（公元 58 年至公元 75 年）約百餘年。明帝時於大月氏寫譯此經，或亦可能之事也。

按現存經錄，以僧祐《出三藏記集》為最早，《四十二章》已見著錄。其言曰：

　　《四十二章經》一卷，《舊錄》云，《孝明皇帝四十二章》，安
　法師所撰錄闕此經。

安法師者，謂釋道安。道安於東晉寧康二年（公元 374 年）撰《綜理眾經目錄》。僧祐謂安公「始述名錄，銓品譯才，標列歲月，妙典可徵，實賴伊人」。（上均見《祐錄》二）道安乃一代名師，與各地廣通聲氣。其作錄時，已離河北，南居襄陽將十年。其在河北時，竺道護送以《大十二門經》。及至襄陽，慧常自北鄣之涼州送《光贊》等經展轉到達。竺法汰在楊都，安公曾託其造露盤。又常與法汰問答往復。（上雜見《祐錄》，參看《僧傳》道安法汰及竺僧敷傳。）江南河北，如有此經，安公應可知及。

查三國時《法句經序》，及晉郗超《奉法要》，均引《四十二章》（下

詳）。又在晉成帝時，沙門支愍度作有佛經目錄。《祐錄》載其《合首楞嚴經記》，內謂漢支讖譯有《小品》《阿闍貰》《屯真》《般舟》四經。而《祐錄》支讖錄下有此二條（小註均出自原書）：

　　　　《伅真陀羅經》二卷。（舊錄云，《屯真陀羅王經》。別錄所載，安錄無，今闕。）

　　　　《阿闍世王經》二卷。（安公云，出《長阿含》。舊錄，《阿闍貰經》。）

此云伅舊錄作屯，世舊錄作貰。均與支愍度《合首楞嚴經記》所載相符。可見僧祐所指之舊錄，為愍度所作。其錄在安錄之前，或且作於江南。僧祐謂《四十二章》見於《舊錄》。則安公時已有斯經，斷可知也。

　　郗超愍度均約與安公同時。而安公經錄，竟缺此經，其故極難解索。然大凡翻譯，後出者勝。吾人今於讀西洋典籍，已不必求明清二代之所譯。而前代所譯，因漸漸滅。今日求之，常最難得。東晉去東漢已三百年，古人傳抄，流傳已難。安公草創，智者千慮，究有遺失。又安公自序其經錄曰（《祐錄》五）：

　　　　此土眾經，出不一時。自孝靈光和以來，迄今晉康寧（應是寧康）二年，近二百載。值殘出殘，遇全出全，非是一人，難卒綜理，為之錄一卷。

今按此文所謂值殘出殘云云，疑謂安公就所親見之經，無論殘簡全篇，均著於錄。安公治學精嚴，非親過眼，則不著錄。故自知遺漏者不少。故謂若欲綜理已出一切經典，自知非一人所能為。夫安公之世，《方等》風行，經出更多。《四十二章》，為常日所不備。安公固未見之，遂未著錄，或亦意中之事也（又據上文安錄斷自漢靈之世，《四十二章》出於靈帝之前，故未錄也）。

《四十二章經》譯本有二

梁任公疑《四十二章經》為偽書。蓋因其不似漢譯文體，其文字優美，謂應於三國兩晉時求之。梁先生此說亦非確論。

第一漢代稱佛為浮屠（或浮圖），沙門為桑門，舊譯須陀洹、斯陀含、阿那含及阿羅漢，為溝港（一作道跡）頻來（一作往來）不還及無著（或應真，或應儀，此見《祐錄》一）。按現存本經已曰佛，曰沙門，曰須陀洹等，則其經之非古可知。但舊日典籍，唯藉抄傳。浮屠等名，或嫌失真，或含貶辭。後世展轉相錄，漸易舊名為新語。即出《祐錄》稱天竺字為胡文，元明刻經，乃改為梵，可以為證。（參看《開元錄》安清條下。又後漢末譯經已用佛與沙門二譯名。但僧會《法鏡經序》，嚴佛調作浮調，仍用漢時浮圖舊譯。須陀洹四名亦見於安世高譯之《七處三觀經》。）

第二現存經本，文辭優美，不似漢譯人所能。則疑舊日此經，固有二譯。其一漢譯，文極樸質，早已亡失。其一吳支謙譯，行文優美，因得流傳。按《大周經錄》卷八曰：

《四十二章經》一卷（初譯六紙），
　　右後漢明帝代永平十年迦葉摩騰共竺法蘭於白馬寺譯，出《長房錄》。
《四十二章經》一卷（第二出），
　　右吳支謙譯，與摩騰譯者少異。
《四十二章經》（第三出），
　　右見《長房錄》。
　　上三經同本別譯。

查《長房錄》本經僅有第一第二出，更無第三出。但別又著錄《五十二章經》一卷。《周錄》之第三出，或係五十二章之訛誤。至於支謙所

譯，則長房所記如下：

> 《四十二章經》一卷，第二出，與摩騰譯者小異，文義允
> 正，辭句可觀，見《別錄》。

按《長房錄》卷十載搜尋所得前代經目六家，及未嘗見之二十四家。
《別錄》者在長房所目見之六家中。長房言此錄有二卷十篇，上卷三
錄，下卷七錄 (但缺其第五)。並各詳其部卷數目。《三寶記》中廣引用
之。但至宋朝為止。因此而長房曰，未詳作者，似宋時述 (梁任公謂為支
愍度所撰非也)。據此則劉宋時，《四十二章》猶存二譯。一者漢代所譯，
一者吳支謙所出。《別錄》作者謂此二本少異。漢譯文句，想極樸質。
而支謙所譯，「則文義允正，辭句可觀」。劉宋以後，漢譯辭劣，因
少讀者，或即亡佚。支謙所出，則以文章優美，而得長存。但古人寫
經，往往不著譯人。(參看《祐錄·失譯經錄》序) 而摩騰譯經為一大事，因
遂誤以支謙所出，即是漢譯，流傳至今，因襲未改。故今存之經，梁
任公讀之，謂其文字優美，不似漢代譯人所能辦也。

以上推論，似涉武斷。但合漢晉所引本經考之。則有二古本，實
無可疑。後漢襄楷疏曰；

> 浮屠不三宿桑下。

高麗藏經本曰：

> 日中一食，樹下一宿，慎不再矣。使人愚蔽者，愛與欲也。

襄疏曰：

> 天神遺 (浮屠) 以好女。浮屠曰，此但革囊盛血，遂不盼之。

宋藏曰：

> 天神獻玉女於佛，欲以試佛意，觀佛道。佛言，革囊眾
> 穢，爾來何為。……去，吾不用汝。(下略)

三國時《法句經序》云：

唯值佛難，其文難聞。

宋板經曰：

得睹佛經難，生值佛世難。

西晉郗超《奉法要》引經云：

佛問諸弟子，何謂無常。一人曰，一日不可保，是為無常。佛言，非佛弟子。一人曰，食頃不可保，是為無常。佛言，非佛弟子。一人曰，出息不報，便就後世，是為無常。佛言，真佛弟子。(此段或出漢譯，佛字或原係浮屠，經後人改正。)

麗本經曰：

佛問諸沙門，人命在幾間。對曰，在數日間。佛言，子未能為道。復問一沙門，人命在幾間。對曰，在飯食間。去，子未能為道。復問一沙門，人命在幾間。對曰，在呼吸間。佛言，善哉，子可謂為道者矣。

《四十二章經》，漢晉間有不同之譯本，觀上所列，甚可置信。譯出既不只一次，則其源出西土，非中華所造，益了然矣。

《四十二章經》之疊經改竄

梁任公又謂《四十二章》，頗含大乘教理，其偽作者，深通老莊之學，懷抱調和釋道思想。此則未稽考本書版本之歷史，而率爾立言。蓋此經歷經改竄，其大乘教理，與梁氏所指之老莊玄學，乃後世所妄增，非唐以前之舊文也。

《四十二章經》之版本有十數種，文字出入，多寡不等。但可析為三系。一曰麗本。宋元宮諸本大同。一曰宋真宗註本。明南藏始用之。唯僅錄其經文，及其序，至若小註，則未刊入。明正統五年僧德

經等刻本，亦遵南藏，只載其師馬鞍山萬壽禪寺僧道孚之序，及僧道深之跋，而未刊註本之序。至乾隆四十六年辛丑，詔譯為滿文，後又命翻為藏文、蒙文。（《四體合璧四十二章經跋》及質郡王府本之跋）亦均用真宗之本。一曰宋守遂註本。明僧智旭之《解》，了童之《補注》，道霈之《指南》，清僧續法之《疏抄》，均用之。而道霈《三經指南凡例》，謂雲棲大師言，藏經之本未妥，宜用守遂註本。蓋自明以來，藏經所載為宋真宗註本正文。其全本則光緒乙巳觀古堂曾刊之。而世俗久已流行者，為守遂註本，金陵刻經處印行者，亦是也。二者皆失真，經後人所改竄者。而守遂註本為尤甚。

　　何以知守遂註本之大失本真耶。蓋麗本者，出於北宋初蜀版。而蜀版必係採唐以來所公認之一切經。按《初學記》卷二十三引本經曰：「僧行道，如牛負行（原文奪行字）深泥中，疲極不敢左右顧」，此文與麗本同。而守遂註本則改為「如牛負重行深泥中，疲極不敢左右顧視」。又唐初玄應本經《音義》，載「輸敬」及「黍筥」二語。輸敬麗宋元宮四本均有之。而守遂乃改為愈敬。「黍筥」二字當即四本「深棄去垢」句中之深棄二字（明本作深垂）之原文。而守遂本，必因見其文難通，而改為「去滓成器」。《法苑珠林》亦唐初之作，其卷四十九，引飯凡人章，文與麗宋元諸本同。而與真宗註本及守遂本異。是則守遂之本，非唐人所見之舊也。又梁陶隱居《真誥·甄命授篇》，頗竊取《四十二章經》文，納之於真人誥語。取此與宋麗本與守遂本對勘，則其真偽了然。如麗宋經本及真宗註本均有人為道亦苦章。《真誥》襲取全文，而守遂本割去此章。又麗宋本在牛行深泥章之前，有摘懸珠章。《真誥》抄合為一章。守遂本則僅存後一章。又水歸海，磨鏡垢，愛生憂諸章，《真誥》與麗宋本同，而與守遂註本異。據此則麗宋古本，為南朝舊文，而守遂本之偽妄立見。

　　且《四十二章經》乃撮取群經而成，其中各章，頗有見於巴利文各經及中國佛典者，但常較為簡略耳。今略取其數條對照之，則麗本常合乎原文，而守遂本則依意妄造。（一）禮從人章麗本有以惡來以善往之言，而守遂本全刪之。然此章，實見於《雜阿含》四十二卷，及巴利文雜部七之一之二，均有惡來善往之意。（二）木在水喻章，守遂本改麗本之「不左觸岸，亦不右觸岸」為「不觸兩岸」，然此章見於《雜阿含》四十三卷，則有「不著此岸，不著彼岸」之句。（三）慎勿視女章，二本不同。此章在巴利長部《涅槃經》《長阿含遊行經》，均載之。然按其文，則麗本實近於原文也。（四）麗本之蓮花喻章之末，有「唯盛惡露，諸不淨種」云云一句。而守遂本全刪之。唯《雜阿含》四十三載有類此之經，則實有諸不淨云云。凡此數端，均可確證原譯《四十二章》，實根據印度原文。但或因譯經之始，常易繁複為略簡。至若守遂本，則不悉原文，妄加臆測，所改治遂常不合本原也。

　　守遂本與麗本《真誥》不同之最可異者，不在文字之刪改，而在新義之增加，其最要者如下：

　　（甲）守遂本之首，多轉四諦法輪之章。

　　（乙）多「內無所得，外無所求，無念無作，非修非證」一全章。

　　（丙）飯凡人章中，又加「無念無住，無修無證」之言。

　　（丁）人有二十難，麗本只言五難，而守遂本加「心行平等，見性學道」等之十五難。

　　（戊）麗本原為「吾何念，念道，吾何行，行道，吾何言，言道」等語，改為「吾法念無念念，行無行行，言無言言，修無修修」等語。

　　（己）麗本之「睹萬物，形體豐熾，念非常」，改為觀靈覺，即菩提。

　　（庚）牢獄章末加「凡夫透得此門」二語。

（辛）得為人難章之末，經增改後，有「發菩提心，無修無證」之語。

（壬）牛行深泥章，前加磨牛章，中言「心道若行，何用行道」。

（癸）末章多「視大千世界，如一訶子」等十一句。

觀上列諸條，可知《四十二章經》之修加，必是唐以後宗門教下之妄人，依據當日流行之旨趣，以彰大其服膺之宗義。而此經亦不只增改一次，不必即出於一派一人之手也。何以言之？蓋宋真宗註本，文句同於麗本。而於上列守遂本增加之甲、乙、丁、癸諸條，則有之。可見真宗註本，為中間修改者。(真宗本不知何時始出世。近中華書局影印唐大曆十三年懷素草書之經文，與真宗所用者同，若果為懷素所書，則唐代宗時，已有此本矣。) 而守遂本，則最後妄改之書也。夫吾人既確證麗本，至少為南北朝之舊，又合乎印度原文。則宋真宗註本，增刪處之妄，可知。且也此宋代二註本同有二十難一章，而麗本只敘五難。按涼譯《三慧經》中，述五難三次。麗本五難，略同其第二次。可見印度原文初只五難。麗本之文，確然有據。唐初《法苑珠林》二十三引此段，亦只五難。則二註本，於其後所加之十五難，直偽也。又按宋真宗註本首五難中，有「判命不死難」(宋元本作利命，宮本作判命)，文句極費解。註者遂謂「不」字當為「必」字之訛 (守遂本亦改為棄命必死)。麗本於此作「制命不死難」。《真誥》，及《珠林》(宋麗本) 所引，「判」均作「制」，證之以《三慧經》之「制人命不得傷害者難」，則文義昭然，麗本得原來真面目，於此益信矣。

古本《四十二章經》，說理平易，既未申大乘之圓義，更不涉老莊之玄致。「見性學道」「無修無證」為大乘所有，而固此經所無也。漢代佛法，典籍頗少，《四十二章》遠出桓帝以前。為研求最初釋教之至要資料。但疊為妄人改竄，失其本真。吾所以不憚辭費，詳為論列者，

蓋因此下二章，取汲於斯典者頗多也。

最近山西趙城，發現金刻藏經，中有《寶林傳》。其第一卷中，載有《四十二章經》（原卷首殘缺六頁）。此本最可注意之點有二：（一）其行文常用韻語，如仰天唾章云。

> 佛言，惡人害賢者，猶如仰天唾。唾不至天公，還從己身墮。逆風揚惡塵（原奪塵字），不能污上人。賢者不可毀，禍必降凶身。

此段在巴利文中，雖為偈言。（見其雜部一之三之二，及七之一之四，與經集六六二，及法句經一二五。）但在《真誥》中，此並非韻語。可見中華原譯，於此並無偈語也。（二）《寶林傳》本，除文字稍有出入外，與守遂註本幾全相同。舉凡守遂本所增加之新義，如「無念無住」「見性學道」諸語，均原見於《寶林傳》本。（上文所列之十條，甲條《寶林傳》殘缺，餘九條均與守遂本相同。）按此諸新義，固為禪宗口頭所常用。則《四十二章經》現今流行之本，原為禪宗人所偽造。《寶林傳》晚唐僧智炬所撰，為造謠作偽之寶庫。則斯經之竄改，即謂寶林系僧人，或智炬本身所妄改，亦非過言也。按禪宗典籍，好作偈語，則寶林本之間有韻文，或亦循宗門之結習也。

杭州六合塔現存宋紹興二十九年石刻《四十二章經》。其末西蜀武翊跋文有曰：「迦葉竺法譯於前，智圓訓於中，駱偁序於後。」石刻經文與守遂註本大體相同。孤山智圓之註已佚。但《釋門正統》五載其序有曰：「古者能仁氏之王天下也，象無象之象，言無言之言，以復群生之性。」此自係引用守遂本「言無言言」語。可證彼確已用禪宗所傳之本。智圓雖為天台教僧。然固深受禪門之影響也。又武氏跋文，謂此經「與《太易》《老》《莊》相表裡」，可見此新改之本，不僅加入大乘教義，而其言可與玄理相符會，則宋人已先梁任公先生言之

矣。但此本既非其真，則據此而言《四十二章經》為魏晉人偽作，必不可也。

《四十二章經》之性質

《四十二章經》，雖不含大乘教義，老莊玄理，雖其所陳，樸質平實，原出小乘經典，但取其所言，與漢代流行之道術比較，則均可相通。一方面本經諸章，互見於巴利文及漢譯佛典者（幾全為小乘）極多，可知其非出漢人偽造。一方面諸章如細研之，實在與漢代道術相合。而其相合之故，有二。首因人心相同，其所信之理每相似。次則漢代道術，必漸受佛教之影響，致採用其教義，如《太平經》，其一例也（下詳）。吾人不必於此二方面詳為逐條論之。然因經義與道術可相附會，而佛教在漢代已列入道術之林。此經因而為社會中最流行之經典。故桓帝時，襄楷精於術數之學，得讀此經。而其上書談道術，並引此與《太平經》及讖緯之說雜陳，且於西來之法與中夏之學，未嘗加以區分也。

漢代佛法之流佈
（節選）

開闢西域與佛教

釋迦牟尼世尊生於天竺北方，其教化始僅流行於中印度恆河上游。至阿育王時代，即當中國秦朝，聲教已漸西被，雪山邊鄙當已聞法。至若中亞，即有佛化，或未深廣。其後希臘種族彌蘭王，佔有高附及西印度，曾問法於名僧龍軍。（巴利文之《彌蘭問經》，中文之《那先比丘經》，即紀其時問答。）而其泉幣鐫文曰「弘法大王彌蘭」。此則在西漢文景之世，佛化可知早已盛於印度之西北。《漢書》所述之西域各國，何時始行佛化。現存史料，多係神話，少可置信。而中西學者考證之所得，亦尚分歧無定論。于闐、龜茲之建國，均傳在阿育王時。教澤廣被，亦謂始於此。但此種記載，怪誕不經，常不可信。又一切溯源於傳教最力之名君，亦頗可疑。但在西漢，佛法當已由北天竺傳佈中亞各國。其時漢武銳意開闢西域，遠謀與烏孫、大宛、大夏交通。此事不但在政治上非常重要，而自印度傳播之佛法必因是而益得東侵之便利。中印文化之結合，即繫於此。故元狩之得金人，雖非佛法流通之漸，但武帝之雄圖，實與佛法東來以極大之助力。依史實言，釋教固非來自與我國接壤之匈奴，而乃傳自武帝所謀與交通之各國也。蓋匈

奴種族向未以信佛著稱。而傳譯經典於中國[1]者，初為安息、康居、于闐、龜茲。但其於傳法最初有關係者，為大月氏族。

蓋在西漢文景帝時，佛法早已盛行於印度西北。其教繼向中亞傳播，自意中事。約在文帝時，月氏族為匈奴所迫，自中國之西北，向西遷徙。至武帝時或已臣服大夏。大夏君主，原亦屬希臘遺民。其與弘法之彌蘭王，政法民情，本極密切。大夏在吐火羅地，與彌蘭轄境相接，佛化在漢初當已流行。及大月氏佔領此土後，並取高附地，滅濮達罽賓，侵入印度，建立貴霜王朝。而其王迦膩色迦，後世釋子推為護法名王之一。漢通天竺，以其地為樞紐（張騫在大夏始聞有身毒）。佛法之傳佈於西域，東及中國，月氏領地實至重要也。

迦膩色迦之祖父為丘就卻。其貨幣上嘗刻佛像，又曾刻文曰「正法之保護者」。丘就卻之信釋教，實無可疑。此王在位，要在西漢之末，或東漢之初。印度佛教歷史傳記，可信者少。但阿育王弘法見於石刻，彌蘭信佛，刻於泉幣，皆據最可信之材料。月氏國王之奉佛法，據上所言，則至遲亦在丘就卻時。而此民族之始被化，必更在此前或即西漢中葉。永平求法傳說，謂在大月氏寫取佛經四十二章，可知大月氏固東漢時所認為佛教之重鎮也。

伊存授經

最初佛教傳入中國之記載，其可無疑者，即為大月氏王使伊存授《浮屠經》事。此事見於魚豢《魏略·西戎傳》，《三國志》裴註引之。（《世說·文學篇注》、《魏書·釋老志》、《隋志》、法琳《辨正論》五、《太平御覽四夷

---

1 作者文中所提「中國」，常沿用舊時用法，指中原地區。——編者註

部》，均載之。《史記·大宛傳》正義、《通典》一九三、《通志》一九六、所引晉宋間《浮屠經》、宋董逌《廣川畫跋》卷二引《晉中經》，可參考。）今先引其文，略加校釋次乃於伊存授經詳為論列也。

　　罽賓國，大夏國，高附國，天竺國，皆并屬大月氏。臨兒國（《正義》作臨毗國），《浮屠經》云，其國王生浮屠。浮屠太子也。父曰屑頭邪。母曰莫邪。浮屠身服色黃，髮青如青絲，乳青毛蛉（按蟆蛉色青，疑謂乳青如蛉，《世說注》等均缺此四字），赤（《世說注》作爪）如銅。（《正義》作乳有青色，爪赤如銅。《御覽》作乳有青色，毛冬赤。按爪如銅，乃八十種好之一。）始莫邪夢白象而孕。及生，從母左（《世說注》《辨正論》《正義》《御覽》，作右。餘作左。依釋典應作右字）脅出。生而有結（《世說注》作髻。佛典稱菩薩頂有肉髻）。墮地能行七步。此國在天竺城（《通典》《通志》，城均作域）中。天竺又有神人名沙律。昔漢哀帝元壽元年（即公元前 2 年）博士弟子景盧（《世說注》作景廬。《釋老志》作秦景憲。《通典》作秦景。《通志》作景匱），受大月氏王使伊存口授《浮屠經》〔《通典》作秦景館受大月氏使王（疑有脫誤）伊存口授浮經。《通志》作景匱受大月氏使王使伊存口授《浮圖經》。《畫跋》作秦景憲使大月氏，王使伊存口授《浮圖經》。《辨正論》作秦景至月氏國，其王令太子授《浮屠經》。《隋志》文難明〕，曰（《通典》曰上多一國字，疑衍）復立（《世說注》等均作復豆。《酉陽雜俎》卷二，漢所獲大月氏復立經）者，其人也。《浮屠》所載臨蒲塞、桑門、伯聞、疏問、白疏聞、比丘、晨門（《通典》桑門下作伯開、疏間、白間、比邱、桑門。《畫跋》作白開、疏間、白間、比邱、桑門），皆弟子號也。《浮屠》所載，與中國《老子經》相出入。蓋以為老子西出關，過西域，之天竺，教胡浮屠屬弟子別號二十有九（《畫跋》作教胡為浮圖。徒屬弟子，其名二十有九），不能詳載，故略之如此。

　　伊存授經，各書所記，微有不同。《裴注》《世說注》似謂景盧在中

國受大月氏使者伊存口授之《浮屠經》。《通志》《通典》《畫跋》《辨正論》（法琳所引非原文，並就魚書加以增改，不可據），則似言秦景使大月氏，而得受經。按《漢書・西域傳》，謂大月氏共稟漢使者。顏師古言同受節度也。王鳴盛解，為供給漢使者。是則張騫之後，漢頗有使者至大月氏，秦景其一也。但據《漢書・西域傳》，及《哀帝本紀》，謂元壽二年匈奴單于，烏孫大昆彌，來朝。伊存是否實以此年中曾至中國，不能妄斷。但自張騫通使以來，蔥嶺以西諸國皆頗有使者東來，則大月氏是時有使人至中國，亦可信也。《裴注》與《世說注》所引相同，而年代又較早。則謂伊存使漢，博士弟子景盧受經，或較為確實也。

　　諸書於授經地點人名雖不相同，但受者為中國博士弟子，口授者為大月氏人，則按之當時情形，並無不合。蓋（一）大月氏為天竺佛化東被之樞紐，在哀帝時，其族當已歸依三寶。（二）我國早期譯經，多以口授。（三）考《魏略》，該段原文意謂天竺有神人曰「沙律」，而此沙律者，則伊存所授經中所言「復立」者或即其人。按《廣川畫跋》引此文，謂出《晉中經》。《廣弘明集》載阮孝緒《七錄序》，謂《晉中經簿》有佛經書簿十六卷。則晉室秘府，原藏佛經。又《晉中經簿》源出《魏中經》（如《隋志序》）。是魏世朝廷，當已頗收集佛經。疑其作簿錄時，伊存之經或尚在，並已著錄。而作錄者，且比較前後翻譯之不同，謂他處所言之「沙律」，實即伊存經中之「復立」。魚豢所記，或用《魏中經》文。（如《魏略》成書在《中經簿》之後，則係《中經》採魚書之文。）與《畫跋》《晉中經》語，同出一源。故文若是之相同也。是則魚氏即未目睹伊存之經，而《魏中經》作者，則必經過目。且其所見《浮屠經》，當不只此一部。據此則伊存授經，更為確然有據之事也。

　　依上所言，可注意者，蓋有三事。（一）漢武帝開闢西域，大月氏西侵大夏，均為佛教來華史上重要事件。（二）大月氏信佛在西漢時，

佛法入華或由彼土。（三）譯經並非始於《四十二章》，傳法之始當上推至西漢末葉。

鬼神方術

伊存授經之後六十六年（明帝永平八年，公元65年），東漢明帝詔楚王英，言及佛徒。按光武諸子，類好鬼神方術。濟南王康在國不循法度，交通賓客，招來州郡奸猾漁陽顏忠劉子產等。阜陵王延與姬兄謝弇及姊館主婿駙馬都尉韓光招奸猾，作圖讖，祠祭祝詛事。廣陵王荊信星者。王充曰，廣陵王荊迷於嬖巫。葛洪云，廣陵敬奉李頒，傾竭府庫。荊又常使巫祭祀祝詛。按濟南、阜陵、廣陵以及楚國，壤地相接，聲氣相通。而所交納，似多燕齊方士。漁陽顏忠為楚王英及濟南王康所先後招致。王充《論衡》云，道士劉春熒惑楚王英，使食不清。惠棟謂疑即濟南王交結之劉子產。則諸王為兄弟同氣，不但常相聞問（如永平年中諸王來朝。六年十月諸王會於魯），且信仰亦多同。至若光武及明帝，雖一代明君，均信讖緯。沛王輔亦善圖讖。楚王、濟南王，均謂常造作圖書。當時皇室風尚若此。楚王英祀黃老浮圖，明帝詔中言及釋教，並以班示諸國中傅，固不足異之事也。

王充生於光武建武三年（公元27年）。據其《論衡》所批斥，當時俗情儒術均重陰陽五行之說。鬼神方術，厭勝避忌，甚囂塵上。其《論死篇》曰：「世信祭祀，以為祭祀者，必有福，不祭祀者，必有禍。」《祭意篇》曰：「況不著篇籍，世間淫祀，非鬼之祭，信有其神，為禍福矣。」是則漢代天地山川諸大祀外，尚有多種之祭祀。而自先秦以來，感召鬼神，須遵一定方術。漢武帝時，方士李少君有祠灶之方，可致物（謂召鬼神也）。方士謬忌奏祠太一方。方士欒大常夜祠，欲以下神。

少翁以方見武帝，為夜招致李夫人（《史記》作王夫人），及灶鬼。故方士求仙捷徑，最初厥為禮祠鬼神，期由感召，而得接引（參看《燕京學報》十一期中載《周官著作年代考》四章五節）。按佛教在漢代純為一種祭祀。其特殊學說，為鬼神報應。王充所謂不著篇籍，世間淫祀，非鬼之祭，佛教或其一也。祭祀既為方術，則佛徒與方士最初當常並行也。

楚王英為浮屠齋戒祭祀

　　楚王英建武十五年為王。二十八年就國。少時好遊俠，交通賓客。晚節更喜黃老學，為浮屠齋戒祭祀。永平八年，詔令天下死罪皆入縑贖。英遣郎中令奉黃縑白紈三十匹詣國相曰：「託在藩輔，過惡累積，歡喜天恩，奉送縑帛，以贖愆罪。」國相以聞。詔報曰：「楚王誦黃老之微言，尚浮屠之仁祠（《資治通鑑》祠作慈，《後漢書紀》均作祠）。潔齋三月，與神為誓，何嫌何疑，當有悔吝，其還贖以助伊蒲塞桑門之盛饌。」因以班示諸國中傅。英後遂大交通方士，作金龜玉鶴，刻文字以為符瑞。十三年（公元70年）男子燕廣，告英與漁陽王平顏忠等造作圖書，有逆謀事。下案驗，有司奏英招聚奸猾，造作圖讖，擅相官秩，置諸侯王公將軍二千石，大逆不道，請誅之。帝以親親不忍，乃廢英徙丹陽涇縣，仍加優遇。明年（公元71年）英至丹陽自殺（《後漢書》本傳）。
　　浮屠之教既為齋戒祭祀，因附庸於鬼神方術。西漢武帝好神仙方士。王莽特尊圖讖。及東漢讖緯占候，帝王奉為聖言（光武對桓譚語）。異術方技，尤為時人所樂尚。（參看《後漢書·方技傳》及王充《論衡》）楚王英之信方術，在光武諸王中，並非特出。而明帝詔書中，稱「仁祠」言「與神為誓」，可證佛教當時只為祠祀之一種。楚王英交通方士，造作圖讖，則佛教祠祀，亦僅為方術之一。蓋在當時國中人士，對於釋教

無甚深之了解，而屢以神仙道術之言。教旨在精靈不滅（下詳），齋讖則法祠祀（語見《高僧傳》《曇柯迦羅傳》）。浮屠方士，本為一氣。即至漢之末葉，安清（字世高）譯經最多，為一代大師。但《高僧傳》，謂其七曜五行，醫方異術，以至鳥獸之聲，無不綜達，故俊異之聲早被。吳時康僧會，恰在世高之後。其《安般守意經序》有曰：

> 有菩薩者安清字世高，……博學多識，貫綜神模，七正盈縮，風氣吉凶，山崩地動，針脈諸術，睹色知病，鳥獸鳴啼，無音不照。

降及三國，北之巨子曇柯迦羅，則向善星術。南之領袖康僧會，則多知圖讖。由此言之，則最初佛教勢力之推廣，不能不謂因其為一種祭祀方術，而恰投一時風尚也。

康僧會謂安世高善針脈諸術，睹色知病。牟子亦言佛家有病而進針藥，則西域來人有傳針藥者。後漢時針脈諸術盛行。如涪翁著《針經診脈法》傳於世。又傳華陀善針脈術。又見嚴昕而謂其有急病（《後漢書·方技傳》《三國志·華佗傳》），則係睹色知病也。《黃帝素問》依陰陽五行敘針脈諸術，頗疑其為漢時所作。（《古今偽書考》）牟子曰，黃帝稽首受針於岐伯，即出於《素問》。此又西域沙門與中夏道術可以相通之又一事也。（康僧會序所謂七正風氣之名，參看《後漢書·方技傳》。山崩地動，據《續漢·五行志》，時人亦多有論列。）

桓帝並祭二氏

《漢書·藝文志》道家者流，載《老子》四家五十一篇，《黃帝》四家六十八篇，《神仙》共十家，託名《黃帝》者四家，而陰陽、五行、天文、醫經、房中均溯源於黃帝。《隋志》曰：

　　　漢時諸子道書之流有三十七家，大旨皆去健羨，處沖虛而
已，無上天官符籙之事。其《黃帝》四篇，《老子》二篇，最得
深旨。

西漢黃老之學，主清淨無為，《班志》所謂獨任清虛，可以為治是也。
《隋志》所言蓋即指此。然史遷《封禪書》中，已載鼎湖仙去之說。而
《老莊申韓列傳》，謂老子百有餘歲，以其修道而養壽也。然則道家者
流，早由獨任清虛之教，而與神仙方術混同。陰陽五行，神仙方技，
既均託名於黃帝。而其後方仙道，更益以老子。於是黃老之學，遂
成為黃老之術。降及東漢，而老子尤為道家方士所推崇。長生久視之
術，祠祀辟穀之方，均言出於老子。周之史官，擢升而為教主，其事
跡奇誕，益不可究詰矣。

　　漢桓帝即位十八年好神仙事（《續漢書‧祭祀志》）。延熹八年（公元165
年）春正月，遣中常侍左悺之苦縣，祠老子。十一月使中常侍管霸之苦
縣，祠老子。（《後漢紀》作十二月。）據邊韶《老子銘》，是年八月皇帝夢見
老子，尊而祀之。韶時為陳相，乃演而銘之。又《水經‧汳水注》，載
蒙城有王子喬塚，其側有碑，延熹八年八月帝遣使致祠，國相王璋乃
紀銘遺烈。（碑文載《蔡中郎集》中）而《孔氏譜》曰，桓帝位老子廟於苦縣
之賴鄉，畫孔子像於壁。孔疇為陳相，乃立孔子碑於像前。蓋是時帝
方修神仙之事，故一時競作銘表。（上據《後漢書集解》。據上文，則是年正、
八、十一月曾三次遣人致祭老子。八月並祭王子喬。）畫壁必援用孔子適周見李老
故事，益見老氏之崇高。

　　不特此也，浮屠之教，當時既附於方術以推行。釋迦自亦為李老
之法裔。《續漢志》云：「延熹九年，親祠老子於濯龍，文罽為壇飾，淳
金釦器，設華蓋之坐，用郊天樂。」（《後漢書‧本紀》謂在七月庚午。《後漢紀》
作六月。）《東觀漢記》曰：「以文罽為壇飾，淳金銀器，彩色眩耀，祠用

三牲，大官飾珍饌作倡樂，以求福祥也。」據《後漢書·本紀》論曰：
「飾芳林而考濯龍（濯龍，宮名，或曰殿名。或曰濯龍祠也。在洛陽西北角）之宮，
設華蓋以祠浮圖老子。」《西域傳》論佛教，亦言「楚英始盛齋戒大祀，
桓帝又修華蓋之飾」，襄楷上書，亦言「聞宮中立黃老浮屠之祠」。是
老子之祠，不但以孔子像飾廟壁，而濯龍之祭，浮屠似亦陪祀。蓋神
仙方技之士，自謂出於黃老。最初除服食修煉之術以外，尚講求祠祀
之方。而浮屠本行齋戒祭祀，故亦早為方士之附庸。史稱楚王英交通
方士。王充云，道士劉春燊惑楚王英。則方士亦稱道士。兩漢之世，
鬼神祭祀，服食修煉，託始於黃帝老子。採用陰陽五行之說，成一大
綜合，而漸演為後來之道教。浮屠雖外來之宗教，而亦容納，為此大
綜合之一部分。自楚王英至桓帝，約一百年，始終以黃老浮屠並稱，
其時佛教之性質可推想也。考伊存授經，明帝求法以後，佛教寂然無
所聞見。然實則其時，僅為方術之一，流行民間，獨與異族有接觸（如
博士弟子景盧），及好奇之士（如楚王英、襄楷），乃有稱述。其本來面目，原
未顯著。當世人士不過知其為夷狄之法，且視為道術之支流。其細已
甚。後世佛徒，尤恥其教之因人成立。雖知之，而不願詳記。豈真佛
教在桓靈以前未行中國耶。蓋亦因其傍依道術而其跡不顯耳。晉釋道
安《注經錄序》（《祐錄》五）云：

> 佛之著教，真人發起，大行於外國，有自來矣。延及此
> 土，當漢之末世，晉之盛德也。

若果據此言，則非唯元狩水平諸傳說，悉為偽妄。即明帝與楚王英之
詔令，安公亦行抹殺。此其故因漢末以前，佛道未分，浮屠且自附於
老子。安公博洽精審，知之甚悉，而為佛教諱之耳。（安公《經錄》不載
《四十二章經》，或亦因其書為道士所利用。）

《太平經》與化胡說

佛教最初為道術之附庸，讀桓帝延熹九年（公元 166 年）襄楷所上之書，益得明徵。其疏中曰：

> 又聞宮中立黃老浮屠之祠。此道清虛，貴尚無為，好生惡殺，省欲去奢。今陛下嗜欲不去，殺罰過理，既乖其道，豈獲其祚哉。

疏中曰「此道」，曰「其道」，又以清虛無為、好生去欲並提。在襄楷心目中，黃老浮屠同屬一「道」，亦已甚明。其疏雜引《四十二章經》《老子》，及《太平經》義（詳下章），以證成道必須去欲。其末復繼云：

> 今陛下淫女豔婦，杜天下之麗，甘肥美飲，單天下之味，奈何欲如黃老乎。

上引佛書，而下言奈何欲如黃老乎。則浮屠為道教之一部分，確然無疑也。

黃老之道，盛於漢初。其旨在清淨無為，乃君人南面之術。《漢志》著錄之《泰階六符經》，謂天之三階平，則陰陽和，風雨時，社稷神祇咸獲其宜，天下大安，是為太平。（見《漢書‧東方朔傳》註）則是黃帝之道，已有太平之義。而黃老道術，亦與陰陽曆數有關。成帝時，齊人甘忠可，陳赤精子下教之道，詐造《包元太平經》。至順帝時，琅琊宮崇，上其師于吉所得神書百七十卷，號《太平清領書》。現《正統道藏》所載《太平經》殘本共五十七卷，是也。其旨以為天地萬物受之元氣，元氣即虛無無為之自然。陰陽之交感，五行之配合，俱順乎自然。人之行事，不當逆天，須事事順乎陰陽五行之理。又屢言太平氣將至，大德之君將出，神人因以下降。其所陳多教誡之辭，治國之道。謂人君當法天，行仁道，無為而治。其所言上接黃老，推尊識

緯。而其流行之地，則在山東及東海諸地，與漢代佛教流行之地域相同。其道術亦有受之於佛教者 (詳下章)。而佛教似亦與其並行，或且借其勢力以張其軍，二者之關係實極密切也 (參看《國學季刊》五卷一號拙著《讀〈太平經〉書所見》)。

漢代佛教依附道術，中國人士，如襄楷輩，因而視之與黃老為一家。但外族之神，何以能為中華所信奉，而以之與固有道術並重。則吾疑此因有化胡之說，為之解釋，以為中外之學術，本出一源，殊途同歸，實無根本之差異，而可兼奉並祠也。《太平經》雖反對佛教，而抄襲其學說。佛教徒所奉者雖非老子，而不免有人以之與黃老道術相附會。二方既漸接近，因而有人偽造化胡故事。此故事之產生，自必在《太平經》與佛教已流行之區域也。襄楷疏中曰：

> 或言老子入夷狄為浮屠。

東漢佛陀之教，與于吉之經，並行於東海齊楚地域，則兼習二者之襄公矩首述此說，固極自然之事也。按《三洞珠囊》卷九，《老子化西胡品》首云：

> 《太平經》云，老子往西越八十年，生殷周之際也。

據此《太平經》未敘化胡之事。襄楷亦僅曰或言，可以相證。但《珠囊》又有云：

> 《化胡經》云，老子 (中略) 幽王時，……為柱下史。……復與尹喜至西國，作佛，《化胡經》六十四萬言，與胡王，後還中國，作《太平經》。

《化胡經》相傳為西晉道士王浮所造，當係摭拾舊聞而成。上文謂老子化胡作六十四萬言之佛經後，返而作《太平經》，此言如實出於晉世舊書，則其時人士固認《太平經》與佛教有特殊之關係也。

魚豢《魏略·西戎傳》曰：

　　《浮屠》所載，與中國《老子經》相出入。蓋以為老子西出關，過西域，之天竺，教胡浮屠屬弟子別號二十有九。

依今日所知，漢代佛經，與道家五千文差別甚大。而此所謂二者相出入者，蓋一方道教常抄襲釋氏之言，一方浮屠亦必頗多偽造。（《祐錄》五云《道安錄》載有偽經二十六部。又謂漢末丁氏偽造佛經。）而且佛教如《四十二章》，及道教之《太平經》，義理確可相附會（詳下章）。因而可謂為相出入也。魚豢又謂老子西出關，過西域，之天竺。按後世《化胡經》歷敘老子西行，經各國教化情形，則魏時化胡故事已甚成熟。魚氏所云「之天竺，教胡浮屠屬弟子別號二十有九」，《御覽》「教胡」下有「為」字。《廣川畫跋》引《晉中經》，作「之天竺，教胡為浮屠，屬弟子其名二十有九」。襄楷亦謂「入夷狄為浮屠」。則《魏略》教胡下原有「為」字。按邊韶《老子銘》，謂老子自犧農以來，為聖者作師，則疑教胡為浮屠者，謂老子乃佛陀聖者之師。故胡人所行實老子之教化。漢世佛法初來，道教亦方萌芽，紛歧則勢弱，相得則益彰。故佛道均借老子化胡之說，會通兩方教理，遂至帝王列二氏而並祭，臣下亦合黃老浮屠為一，固毫不可怪也。

安世高之譯經

　　佛教自西漢來華之後，自已有經典。唯翻譯甚少，又與道流牽合附益，遂不顯其真面目。故襄楷引佛經，而以與黃老並談也。及至桓靈之世，安清支讖等，相繼來華，出經較多，釋迦之教，乃有所據。此中安清尤為卓著，自漢末訖西晉，其學當甚昌明。今綴拾魏晉舊文，略考其事實於下。（《高僧傳》所載多怪誕。不錄。）

　　安清，字世高，安息王嫡後之子。讓國於叔，馳避本土，翔而後

進，遂處京師。(謂洛陽。上見《祐錄》六，康僧會《安般守意經序》。) 以漢桓帝建和二年 (公元 148 年) 至靈帝建寧 (公元 168 年至公元 171 年) 中二十餘年，譯出三十餘部經 (《僧傳》引《安錄》)，數百萬言 (《祐錄》十嚴浮調《十慧章句序》)，或曰百餘萬言 (《祐錄》六謝敷《安般序》)。其《修行道地經》，乃譯於永康元年 (公元 167 年)。(《房錄》三引《支愍度錄》之言，又同書卷四言支曾為此經作序。) 其餘經部數及時地，均不可考。安息者，即西洋史中之帕提亞國 (Parthia)。由阿爾沙克斯 (Arsakes) 建立國家。安息，王名之對音也。西漢武帝時始通漢使。東漢章和元年 (公元 87 年)、二年 (公元 88 年)，永元十三年 (公元 101 年) 均疊來貢獻。其後四十七年，安世高乃至中華。其路程當經過西域諸國。晉謝敷《安般守意經序》云，高博綜殊俗，善眾國音 (《祐錄》六)，或非虛語也。又嚴浮調云凡厥所出，或以口解，或以文傳。(《祐錄》十) 其所出經，有《阿含口解》《四諦經》《十四意經》《九十八結經》《安錄》曰似均世高所撰。(見《祐錄》二) 則其於譯經之外，常以口解。安侯蓋亦善華語也。《安錄》中列其所譯，似只三十五部四十卷。(參見《祐錄》二) 但舊譯本常缺人名，安嘗依據文體審定譯人。(參看《僧傳·道安傳》) 如《十二門經》，安公即只謂似其所出。(《祐錄》六) 因此不但《長房錄》著錄一百七十六部，《開元錄》載九十五部，實係臆造，即《高僧傳》謂其譯三十九部亦不可信也。

但世高所出之數，雖不可考，而其學則幸猶可得知。釋道安云，其所宣敷，專務禪觀。(《陰持入經序》，《祐錄》六) 又曰博學稽古，特專《阿毗曇》學。其所出經，禪數最悉。(《安般序》，《祐錄》六) 又曰，安世高善開禪數。(《十二門經序》，《祐錄》六) 數者即指《阿毗達磨》之事數。印度佛徒，對佛之教法，綜合解釋，合諸門分析，或法數分類，如《長阿含經》中之《眾集》《十上》《增一》，諸經已具後來對法藏之形式。其後敷宣佛法，為聽者方便，分門記數，以相發明。安公謂世高，似撰《四

諦》《十四意》《九十八結》諸經。已見其對漢人說經，即依法數。嚴浮
調曰：「物非數不定。」又曰：「唯《沙彌十慧》，未聞深說。」（《祐錄》十）
是則安侯講經，以數為綱，但《十慧》則未詳釋也。而依此形式以講
說，則所講者必多《阿毗達磨》。（《祐錄》二安世高譯有《阿毗曇五法經》《阿毗
曇九十八結經》。凡法數之經，均冠以阿毗曇三字。則似說法數之契經，或可作如是稱。）
故安公曰世高特專《阿毗曇》學也。而因其於《阿毗曇》中，特說禪定
法數，故曰善開禪數也。

安世高譯出，多關於禪數。其在中華佛教之影響，亦在禪法。此
當於下章述之。而稽考自元壽以來，佛學在我國獨立而為道法之一大
宗，則在桓靈之世。延熹八年，桓帝親祠。九年襄楷上疏。而支讖、
朔佛、安玄、支曜、康巨、嚴浮調在洛陽譯經。（康孟詳、竺大力、曇果，在
獻帝時譯經。）但支讖譯《般若》，實至魏晉乃風行。其餘諸人所譯，雖或
亦行於世。但在當時，安侯實為佛學界巨擘。世高於桓帝建和二年（公
元 148 年）到洛陽，在桓帝祀佛（公元 165 年）前十七年。（同時譯人若此之多，
桓帝襄楷祀佛讀書，亦受風尚之影響。）晉謝敷《安般守意經序》（《祐錄》六）曰：

> 於時俊乂歸宗，釋華崇實者，若禽獸之從麟鳳，鱗介之赴
> 虯蔡矣。

而漢末魏初《陰持入經注序》有曰：

> 安侯世高者，普見菩薩也。捐王位之榮，安貧樂道，夙興
> 夜寐，憂濟塗炭，宣敷三寶，光於京師。於是俊乂雲集，遂致
> 滋盛，明哲之士，靡不羨甘。……密睹其流，稟玩忘飢。

「密」當為註經人名。其註文中，嘗稱「師曰」，當即指安侯。似作者親
預講次，稟玩忘飢。迨後復撮取師說，而為此註。世高出經，聽者雲
集，乃目睹者所記，應頗可信也。

當時在洛譯經之安息人，又有優婆塞安玄。安息原為東西諸國貿

易之中心。《史記·大宛傳》云，安息有市民商賈用車及船行旁國，或數千里。安玄者，蓋於靈帝末遊賈洛邑。以有功號曰騎都尉。性虛靜溫恭，常以法事為己任。漸練漢言，志宣經典。常與沙門講論道義，世謂之都尉玄。(上均見《祐錄》十三) 玄嘗共嚴浮調譯《法鏡經》。三國初康僧會為之註。其序曰：

> 騎都尉安玄，臨淮嚴浮調，二賢者，年在齠齓，弘志聖業，鈎深志遠，窮神達幽。愍世蒙惑，不睹大雅，竭思譯傳斯經景模。都尉口陳，嚴調筆受。言既稽古，義又微妙。

安玄譯經，蓋年甚少。而其所講說，義又微妙。時人至稱其議論為都尉玄。則其人聰慧可知。《祐錄》亦稱浮調綺年穎悟，敏而好學，信慧自然，遂出家修道。《祐錄·沙彌十慧章句序》，題曰嚴阿祇梨浮調所造。是浮調乃漢人出家之最早者。據此王度奏疏，謂漢朝不聽漢人出家，實不確也 (或桓靈時佛教勢盛已弛此禁也)。《沙彌十慧章句》，乃浮調所撰。此亦中國撰述之最早者。據其序，謂安侯傳教，唯《沙彌十慧》未聞深說。

> 調以不敏，得與賢次。學未浹聞，行未中四，夙罹殃咎，遘和上憂。長無過庭善誘之教，悲窮自潛，無所繫心。於是發憤忘食，因閑歷思，遂作《十慧章句》。

浮調既學佛 (學佛二字首見於《法鏡經後序》) 於世高，聽講禪數，唯十慧則未詳聞，故此撰書。(《祐錄》著錄一卷) 其序中又謂「十慧之文，廣彌三界，近觀諸身」，則乃禪觀之書也。考謝敷《安般守意經序》，有「建十慧以入微」之句，該經世高所出，中有十點，謂數息、相隨、止、觀、還、靜、四諦也。十慧似即十點。浮調所撰，即在申明世高之遺旨。(世高譯之《阿毗曇五法行經》別有十點，按其內容，當非浮調之十慧。)

《法鏡經》者，調所筆受。《十慧章句》，調所自撰。現存南北朝以

前記載未言其自行譯經。吳時《法句經序》，謂「昔藍調，安侯世高，都尉，佛調，譯胡為漢，審得其體」。（見《祐錄》七《僧傳》作安侯都尉佛調三人，藍調二字疑衍。）晉道安稱其出經「省而不煩，全本巧妙」。（《祐錄》十三）此均據其共譯《法鏡經》而言，未言其曾獨自出經也。至隋費長房始著錄其所譯《古維摩經》等六部（合《十慧》為七部），其中《內習六波羅蜜經》《安錄》入於失譯中，不知長房何因知其為調所譯，餘五部多大乘經，不似安侯都尉風味，且早佚失，疑長房所言只係懸揣。（其中一部乃據古錄及《朱士行錄》，然長房自言未親見二錄。）然古時譯經，僅由口授，譯人類用胡言，筆受者譯為漢言，筆之於紙。故筆受者須通胡語。浮調，時人稱為善譯，則或擅長胡語，巧於傳譯，而為中華譯經助手之最早者。夫調能譯，且以佛理著書，又為發心出家之最早者，則嚴氏者，真中國佛教徒之第一人矣。

支婁迦讖之譯經

與安侯同時來洛陽譯經者，以支讖為最有關係。支讖乃支婁迦讖之簡稱，本月支國人也。《祐錄》稱其操行淳深，性度開敏，稟持法戒，以精勤著稱。諷誦群經，志存宣法。漢桓帝末，遊於洛陽，以靈帝光和中平之間傳譯胡文，出《般若道行品》《首楞嚴》《般舟三昧》等經。又有《阿闍世王》《寶積》等十部經，以歲久無錄。安公校練古今，精尋文體，云似讖所出。（《祐錄》十三）晉支愍度《合首楞嚴經》記（《祐錄》七）有曰：

> 此經本有記云，支讖所譯出。讖，月支人也。漢桓靈之世，來在中國。其博學淵妙，才思測微。凡所出經，類多深玄，貴尚實中，不存文飾。今之《小品》（指《道行經》）、《阿闍貰》

（《阿闍世王經》）、《屯真》（《伅真陀羅王經》）、《般舟》（《般舟三昧經》）悉讖所出也。

此中以《小品》為最要，亦云《摩訶般若波羅蜜經》，凡十卷（或八卷），三十品。其第一品為《道行品》，故亦稱為《道行經》或《道行品經》。晉時《放光經》出，凡二十卷，九十品，二者均是《般若經》，但廣略不同。據道安《道行經序》（《祐錄》七）曰：

> 佛泥曰後，外國高士抄九十章（指《放光》）。為《道行品》，桓靈之世，朔佛賫詣京師，譯為漢文。

安公《注經錄序》（《祐錄》五）曰：

> 《道行品》者，《般若》抄也。佛去世後，外國高明者撰也。辭句復質，首尾互隱，為集異注一卷。

則是道安聞《道行》乃從九十章《放光經》抄出，故曰《般若》抄也。又因而《放光》稱為《大品》，《道行》稱為《小品》。

安公《道行序》所言朔佛者，天竺人，故姓竺。《祐錄》二云，漢桓帝時到中夏，賫來《道行經》胡本。（按延熹二年、四年，天竺均來貢獻。）於靈帝時在洛陽譯出，為一卷。但《祐錄》卷七載有《道行經後記》曰：

> 光和二年（靈帝即位十二年，公元 179 年）十月八日，河南洛陽孟元士口授天竺菩薩竺朔佛。時傳言譯者（一本作者譯），月支菩薩支讖。時侍者南陽張少安，南海子碧。勸助者孫和，周提立。正光二年（漢末無正光，魏有正元，公元 255 年）九月十五日，洛陽城西菩薩寺中沙門佛大寫之。

靈帝時朔佛於洛陽譯《道行》兩次，實不可解。今按一卷本《安錄》實未著錄（此據僧祐所言），則其《道行序》中所謂賫來洛陽，正指十卷本。據《後記》，十卷《道行》似係竺朔佛口授，支讖傳譯，而孟元士筆受者。朔佛賫胡本來，故由彼口授。支讖善傳譯，故彼轉胡為漢。而漢

人孟元士則筆書其文。《道行經》本朔佛所出，支讖所譯，故安公於《道行序》則言及朔佛，而作錄則歸之支讖。二人共譯，故所記不同。僧祐但見二處所記不同，又未見安公《道行注》。（《祐錄》於安公之《十二門經注》等，均有註云「今有」。《道行注》下未言今有，故知梁時此書已佚失。）僅據錄知註為一卷，故誤以為支讖光和二年譯十卷本，而同時朔佛又譯有一卷本也。

《祐錄》卷七，又載《般舟三昧經記》曰：

《般舟三昧經》光和二年十月八日，天竺菩薩竺朔佛於洛陽出，菩薩法護（此四字疑衍文）時傳言者，月支菩薩支讖。授與河南洛陽孟福字元士，隨侍菩薩張蓮字少安筆受。令後普著。在建安十三年（獻帝即位十九年，公元 208 年）於佛寺中校定悉具足。後有寫者皆得南無佛。又言建安三年，歲在戊子（應為戊寅，公元 198 年）八月八日，於許昌寺校定。（獻帝遷都許縣在建安元年。《續漢志》註云，徙都改許昌。但據《魏志》，改名在黃初二年。《魏志》如不誤，則此記應作於魏時。）

合上二記，《道行》《般舟》，蓋同時譯出。出經及傳譯者人相同。唯《般舟》筆受者孟元士外，多一張少安。按古時譯經，或由記憶誦出，或有胡本可讀。善誦讀者，須於義理善巧，但不必即通華言。故出經者之外，類有傳譯者。《道行》《般舟》，均朔佛所出，而讖所譯也。但至寫經時，因係出經者所傳授，故常題為其所譯。（蓋出者不但須能諷誦，且於經有深了解。譯時能解釋其義。傳譯者僅須善方言，地位較不重要。）因此《般舟》經本，或亦只題朔佛之名。故後世依錄則讖譯，依經本則朔佛譯，實亦只一本，二人共出也。《長房錄》於此言二人同在光和中各譯一部，其失考與《祐錄》之於《道行》相同也。

又按漢三公碑側文有曰：

處士房子孟□卿，

　　處士河□□元士。

白石神君碑陰第一列第十行文曰：

　　祭酒郭稚子碧。

三公碑立於光和四年，神君碑立於六年，俱在元氏縣。三公與白石神君均元氏名山。三公碑側，河字下或渤南孟二字。而《般舟經記》南海子碧或即郭稚。二人或在二年後自豫境同到元氏也。按三公碑云：「或有隱遯辟語言兮，或有恬淡養浩然兮，或有呼吸求長存兮。」白石神君祠祀之立，由於巫人蓋高之請求。(參看《曝書亭集跋語》)此項祭祀，均涉於神仙家言。元士子碧如為《般舟》譯時助手，則漢末佛教信徒，仍兼好道術方技，漢代佛教之特性，於此又可窺見也。

　　大乘空宗教史，書闕難言。然空宗或出於大眾部，而起於印度南方。大眾部，在南方流行，有案達羅各部。據西藏所傳，案達羅派已有大乘經。《般若經》中有云：「佛涅槃後，此經至於南方，由此轉至西方，更轉至北方。」(見《小品般若》，《放光經》則略去西方。)空宗自西傳至北方，或在迦膩色迦時。蓋《大毗婆沙》者，在其後撰出。中似引及大乘教。如說佛滅後，偽三藏出世，應指大乘教之三藏。而我國向以馬鳴為最初宣弘大乘教者，相傳深為迦膩色迦王所器重。此王在東漢時，又屬月氏種族。或在東漢中葉，其領土漸行大乘經。至漢之末運，《般若》《方等》諸經，始由此流至中夏。支讖，月氏人也。與朔佛共譯《道行品》。實為中國《般若經》之第一譯。《般舟三昧》，重無量壽佛觀。在此三昧中，彌陀佛現前。故該經記中謂後有寫者，皆得南無佛也。此與《首楞嚴》，均為大乘禪觀，與安世高所出之小乘禪不同。而《首楞嚴》《三昧經》，亦以支讖所譯為初出也。(《祐錄》七《首楞嚴注序》末尾小註引《安錄》曰，支讖於中平二年十二月八日出，此經首略如是我聞云云。)同時有支曜者(姓支，或亦月支人)譯有《成具光明三昧經》，與讖出之《光明三

昧》謂為同本異譯。(《祐錄》二) 此亦大乘禪經，魏晉頗流行者。據支愍度《合首楞嚴經記》，漢末支亮字紀明，資學於讖，其後支越 (即支謙) 字恭明，又受業於亮。支恭明謂亦譯《首楞嚴》。至兩晉時，支法護亦曾出之。《首楞嚴》為魏晉最盛行經典。其來源似均出於大月氏。支讖所譯，僧祐謂《安錄》載十四部。(麗本作十三，誤。) 中多大乘經典。而《般若》《首楞嚴》，特為重要，此亦可知月氏佛教之影響於中土如何也。

康居國人，以營商著稱。漢成帝時，都護郭舜謂康居驕黠，遣子入侍，乃欲賈市。《祐錄》卷十三言，獻帝時康孟詳於洛陽譯《中本起經》。安公謂孟詳出經，奕奕流便，足騰玄趣。而同時有康巨 (亦作臣)者，在靈帝時出《問地獄事經》，言直理質，不加潤飾。(《高僧傳》一) 蓋與孟詳所譯有文質之分也。《祐錄》言孟詳之先，為康居國人，或因遊賈洛陽，因而著籍者也。

佛道
（節選）

《莊子·天下篇》舉儒、墨、陰陽、名、法諸學，總名之為道術。漢初司馬談《論六家要指》，以黃老之清淨無為曰道家。《漢書·藝文志》從之。然《史記·封禪書》，已稱方士為方仙道。漢末乃有太平道。而東漢王充《論衡·道虛篇》，以辟穀養氣神仙不死之術為道家。此皆後世天師道教之始基。而當時漸行流佈之佛教，亦附於此種道術。《牟子》稱釋教曰「佛道」。《四十二章》自稱佛教為釋道，為道法。而學佛則曰：為道，行道，學道。蓋漢代佛教道家，本可相通，而時人則亦往往併為一談也。

精靈起滅

漢代佛教，最重要之信條，為神靈不滅，輪轉報應之說。袁彥伯《後漢紀》曰：

> 又以為人死精神不滅，隨復受形。生時所行善惡，皆有報應。故所貴行善修道，以煉精神而不已，以至無為，而得為佛也。

又曰：

　　　　然歸於玄微深遠，難得而測，故王公大人，觀生死報應之
　　際，莫不矍然自失。

范蔚宗《後漢書》亦曰：

　　　　又精靈起滅，因報相尋，若曉而昧者，故通人多惑焉。

《牟子》書謂世俗非難佛道者曰：

　　　　孔子曰，未能事人，焉能事鬼，未知生，焉知死，此聖人之
　　所紀也。今佛家輒說生死之事，鬼神之務，此殆非聖哲之言也。

夫既謂佛家輒說生死鬼神，可見此為當世佛徒所常言。《理惑論》又云：

　　　　問佛道言人死當復更生，僕不信此言之審也。

牟子答辭，謂滅者身體，而神則不死。

　　　　魂神固不滅矣。但身自朽爛耳。身譬如五穀之根葉，魂神
　　如五穀之種實。根葉生必當死，種實豈有終亡。得道身滅耳。
　　《老子》曰，吾所以有大患，以吾有身也，若吾無身，吾有何
　　患。又曰，功成，名遂，身退，天之道也。

惑者復問：

　　　　為道亦死，不為道亦死，有何異乎。（《四十二章》有云，人為道亦
　　苦，不為道亦苦。）

牟子答言：

　　　　有道雖死，神歸福堂。為惡既死，神當其殃。

此乃報應之說。《四十二章經》有曰：

　　　　惡心垢盡，乃知魂靈所從來，生死所趣向，諸佛國土道德
　　所在耳。

經中涉及輪迴報應，其言非一。至若無我一義，則僅見於下列一章。

　　　　佛言，熟自念身中四大，名（疑是各字）自有名，都為無吾，
　　我者寄生亦不久，其事如幻耳。

「無我」此譯「無吾」。漢魏經典又稱「非身」。蓋無我僅認為精靈起滅，寄生不久，形盡神傳，其事如幻。釋迦教義，自始即不為華人所了解。當東漢之世鬼神之說至為熾盛。佛教談三世因果。遂亦誤認為鬼道之一，內教外道，遂並行不悖矣。

《史記・封禪書》，武帝初即位，尤敬鬼神之祀。於是李少君言上曰，祠灶則致物云云。（《漢書》如淳註曰，物，謂鬼物也。）而方士少翁亦能致鬼。東漢王充《論衡》尤多辯世俗鬼神之說。《論死篇》云，世謂死人為鬼，有知能害人。又曰「世間死者今生人疹，而用其言，及巫叩元弦，下死人魂，因巫口談」，則時人固信鬼可據巫之形體也。王充又謂「死人不能生人之形以見」。又言「未有以死身化為生象者也」。此皆指鬼魂具人之形狀而言。未嘗論及輪迴之說。其《福虛篇》曰：「世論行善者福至，為惡者禍來」，此亦僅謂禍福降於本身，或至子嗣，而非及身行善，來生受報也。《論死篇》又有曰：

> 或曰，鬼神陰陽之名也。陰氣逆物而歸，故謂之鬼。陽氣導物而生，故謂之神。神者伸也。申復無已，終而復始，人用神氣生，其死復歸神氣。

鬼神蓋陰陽二氣之別名。王充據此，破斥世俗之所謂鬼神。但桓帝時邊韶作《老子銘》中有曰：

> 厥初生民，遺體相續，其死生之義可知也。或有浴神不死，是謂玄牝之言，由是世之好道者，觸類而長之。以老子離合於混沌之氣，與三光為終始，觀天作讖，（缺）降什（斗字）星，隨日九變，與時消息，規矩三光，四靈在旁，存想丹田，太一紫房，道成身化，蟬蛻渡世，自羲農以來，（缺）為聖者作師。

王充謂人稟神氣以生，其死復歸神氣。雖無輪迴之說，然元氣永存，引申之則謂精神不滅。邊韶言，老子離合於混沌之氣，與三光為終

始。固不但好道者根據浴神不死之句，且亦用陰陽二氣之義，觸類而長之。因謂老子即先天之道，遺體要續，蟬蛻渡世。（《論死篇》亦用蟬蛻喻生死）形體雖聚散代興，而精神則入玄牝而不死。佛家謂釋迦過去本生，歷無量劫。道家亦謂老子自羲農以來，疊為聖者作師。（《魏書·釋老志》云，老子授軒轅於峨嵋，教帝嚳於牧德，大禹聞長生之訣，尹喜受道德之旨云。蓋述老子自黃帝以來，疊次下生教化聖者。又現存葛洪《神仙傳》卷一歷述老子自上下三皇及羲農以來十二代疊降生為仙師，文煩不具錄。）道家主元氣永存，釋氏談生死輪轉，因而精靈不滅，因報相尋，遂為流行信仰。輪迴報應，原出內典。浴神不死，取之道經。二者相得而彰，相資為用，釋李在漢代關係之密切，於此已可見之矣。

省欲去奢

《四十二章經》全書宗旨，在獎勵梵行。其開宗明義，即曰沙門常行二百五十戒，為四真道行，進志清淨。其餘各章，教人克伐愛欲，尤所常見。

　　使人愚蔽者，愛與欲也。

　　人懷愛欲，不見道。

　　心中本有三毒，踊沸在內，五蓋覆外，終不見道。

　　愛欲之於人，猶執炬火逆風而行。

　　人為道，去情欲，當如革見火[1]。

　　人從愛欲生憂，從憂生畏。

愛欲之大者為財色。

---

1 另有「當如草見火」一説。——編者註

財色之於人，譬如小兒貪刀刃之蜜。(此章亦見支謙《字經抄》，唯小兒作狗。)

人繫於妻子寶宅之患，甚於牢獄桎梏。

愛欲莫甚於色，色之為欲，其大無外。

因視財色為愛欲之根。故沙門去世資財，出家學道。《牟子》曰：「沙門棄妻子財貨，或終身不娶。」又曰：「佛道崇無為，樂施與，持眾戒，兢兢如臨深淵。」袁宏《後漢紀》亦曰：「沙門者，漢言息也。蓋息意去欲，而歸於無為也。」

「歸於無為」，見於《牟子》(道者導人致於無為)，亦見於襄楷之疏(「此道貴尚無為」)。無為乃涅槃之古譯，而其義實出於《老子》。所謂順乎自然也。順乎自然，則不溢其情，不淫其性(《牟子》)，歸真返樸，省欲去奢。黃老之學，本尚清淨無為。司馬談曰(《史記·太史公自序》)：

凡人所生者神也，所託者形也。神大用則竭，形大勞則敝，形神離則死。死者不可復生，離者不可復反，故聖人重之。

《漢書·藝文志》曰：

神仙者所以保性命之真，而遊求其於外者也。聊以蕩意平心，同死生之域，而無怵惕於胸中。

欲保性命之真，須精神內守，而不為外物所誘。《淮南·精神訓》曰：

五色亂目，使目不明。五聲嘩耳，使耳不聰。五味亂口，使口爽傷。趣舍滑心，使行飛揚。此四者，天下之所養性也。然皆人累也。故曰嗜欲者，使人之氣越，而好憎者使人之心勞。弗疾去，則志氣日耗。

人淫於嗜欲，則愚暗不明。(《四十二章經》，使人愚蔽者愛與欲也。)鑑明者塵

弗能薶,神清者嗜欲弗能亂。(見《俶真訓》。《四十二章》亦云,譬如磨鏡,垢去
明存。)故《精神訓》又曰:

> 使耳目精明玄達而無誘慕,氣志虛靜恬愉而省嗜欲,五藏
> 定寧充盈而不泄,精神內守形骸而不外越,則望於往世之前,
> 而視於來事之後,猶未足為也,豈直禍福之間哉。

又「精神盛而氣不散則理,理則均,均則通,通則神,神則以視無
不見,以聽無不聞」。有三明,則得六通。六通之一,為宿命通。
《四十二章》有曰:

> 有沙門問佛,以何緣得道,奈何知宿命。佛言,道無形
> 相,知之無益。要當守志行。譬如磨鏡,垢去明存,即自見
> 形。斷欲守空,即見道真,知宿命矣。

《淮南·原道訓》,又謂全身養性與道為一,則可謂有天下:

> 夫有天下者,豈必攝權恃勢操殺生之柄而以行其號令耶。
> 吾所謂有天下者,非此謂也,自得而已。

自得者則渾然而往,逯然而來,形若槁木,心若死灰。

> 是故視珍寶珠玉,猶石礫也。視至尊窮寵,猶行客也。視
> 毛嬙西施,猶顡醜也。(《精神訓》)

《四十二章》之末亦曰:

> 佛言,吾視諸侯之位如過客。視金玉之寶如礫石。視艷素
> 之好如弊帛。

行道者屏除嗜欲,其結果必至等富貴於朝露,見美人為髑髏,固亦中
外學説中所常有也。

案張衡《西京賦》,敍述長安多佳麗,而曰:「展季桑門,誰能不
營。」襄楷亦引佛視玉女為眾穢之言。蓋沙門不近女色,中國道術所
無(且漢時方士已有房中術)。當甚為時人所驚奇。但襄楷之諫桓帝,已云

陛下淫女豔婦極天下之麗,奈何欲如黃老乎。則當世黃老之徒,似亦以節淫欲見稱也。考漢代學人,僅張衡襄楷述及佛教。《後漢書 · 方技傳》,謂張衡為陰陽之宗,而襄楷亦擅術數之學,二人之知佛教,固又可證浮圖方技關係之密切也。

克欲方法,大別為二。一為禪定,一為戒律。《四十二章經》言,優婆塞有五事戒,沙門有二百五十戒。牟子亦曰:「沙門二百五十戒,日日齋,其戒非優婆塞所得聞也。」自漢以來,佛家恆聞大戒有二百五十。至東晉釋道安時,始知戒實不只此數。至若漢代沙門奉行戒律之詳情,當於下論及之。

禪法之流行

禪定一語,不見於《四十二章經》中。然經謂睹天地,念非常,是謂無常觀也。又言誦經比調琴,須緩急得中,此見於《雜阿含》卷九之二十億耳一段,所謂誦經者,實行禪之誤。又云,人愚以吾為不善,吾以四等慈護濟之。慈悲喜護(亦作捨),號曰四等。原文奪悲喜二字,即禪法之四無量也。而此外各章所謂行道(如謂為道如鍛鐵,又謂行道不為鬼神所遮,似指魔嬈亂),似即禪定之古譯。然在東漢,桓帝以前,史書闕載,佛教禪法未聞流行。及支讖譯《般舟三昧》《首楞嚴》二經,支曜出《成具光明定意經》。而漢晉間《般舟》有二譯,《首楞嚴》有七譯,《成具》有二譯。(均見《祐錄》二末)可見大乘禪法之漸盛也。而漢魏二代,安世高之禪法,則似尤為學佛者所風尚。世高特善禪數。大小《十二門》《修行道地》《明度五十計校》,均為禪經,悉安侯所出。而其譯大小《安般守意經》(以上諸經《祐錄》均著錄),尤為中夏最初盛傳之教法。漢末魏初,康僧會《安般守意經序》(《祐錄》六)曰:

　　余生末蹤，始能負薪，考妣殂落，三師凋喪，仰瞻雲日，悲無質受，睠言顧之，潸然出涕。宿祚未沒，會見南陽韓林，潁川皮業（皮一作文一作大），會稽陳慧。此三賢者，信道篤密，執德弘正，忞忞進進，志道不倦。余從之請問，規同矩合，義無乖異。陳慧注義，余助斟酌，非師不傳，不敢自由也。

按韓林、皮業、陳慧似均同學於世高。而所學者為禪法。陳慧且註《安般》。蓋與浮調之撰《十慧章句》，同為敷演《安般》者。而康僧會則似學於陳慧等，為世高之再傳也。（《高僧傳》謂，世高曾封一函，內言尊吾道者居士陳慧，傳禪經者比丘僧會。）而序中所謂「忞忞進進，規同矩合」，似指精進不懈悉依禪法。是世高僧教人習禪。而漢末韓林、皮業、陳慧，則以行禪知名者也。

　　蓋聞入佛法有二甘露門，一不淨觀，一持息念。觀不淨者，坐禪嘗以白骨死屍為對象。其法較為艱難。持息念者，即念安般，乃十念之一。安般者，出息入息也。禪心寄託於呼吸，與中國方士習吐納者相似。吐納之術，不知始於何時。（《莊子》外篇《刻意》有吐故納新等語）桓譚《仙賦》有云：「王喬赤松，呼則出故，翕則納新。」王充《論衡·道虛篇》云：「道家相誇曰，真人食氣，以氣而為食，故傳曰食氣者壽而不死。」又云：「道家或以導氣養性度世而不死。」《牟子》曰：「聖人云，食穀者智，食草者癡，食肉者悍，食氣者壽。」吐納之術，見於《參同契》。然（所言甚略）其詳則多賴後人之疏釋。《抱樸子·釋滯篇》，詳述胎息，但亦不能確定是否為漢世道家所行。但在漢末則有荀悅《申鑒》卷三敘治氣之術。略曰：

　　夫善養性者無常術，得其和而已矣。鄰臍二寸謂之關。關者所以關藏呼吸之氣，以稟授四氣也。故長氣者亦關息。氣短者，其息稍升，其脈稍促，其神稍越。至於以肩息而氣舒，其

神稍專，至於以關息而氣衍矣。故道者常致氣於關，是謂術。
長息短息亦見於《安般守意經》。道家之吐納，固不能僅據此而謂其必
因襲佛家之禪法。（按《抱樸子》謂吐納時數息，並注意鼻端，此與《安般》所言相
符。或實得之佛法，又《莊子·刻意篇》《論衡·道虛篇》，有吹呴呼吸吐故納新云云。《安
般》謂息有風氣息喘四事，二者亦類似。但其解釋各異，則實偶然之相合也。）但當世
《安般》禪法之流行，必因其與道術契合，則似無可疑也。

漢末向栩少為書生，性卓詭不群，恆讀《老子》《莊子》。（見《御覽》
引《范史》）博覽群籍，兼好黃老古（疑是玄字）虛。（見《群輔錄》）狀如學道，
又似狂生。好被髮，著絳綃頭。（《吳志·孫策傳注》引（江表傳）云，張津為交
州刺史，捨前聖典訓，廢漢家法律，常著絳帕頭，鼓琴焚香，讀邪俗道書，云以助化，
云云。絳帕頭非漢人常服。）常於灶北，坐板床上，如是積久，板乃有膝踝
足指之處。常入市行乞。後值張角之亂，宦官張讓讒栩，謂疑與角為
內應，伏誅。（上見《後漢書》本傳）栩蓋亦好道術之士。其久坐似係道家禪
法。栩為河北朝歌人，而安侯弟子有南陽韓林，潁川皮業。陳慧則南
方會稽人。康僧會在吳。而據道安《大十二門經序》，此經係嘉禾七年
在建業周司隸舍寫。（見《祐錄》六）則漢末魏初，河北、江南及中州一帶
固均有禪學也。而《太平經》中「守一」之法，固得之於佛家禪法，則
山東禪法之流行，亦可知也。（下詳）

仁慈好施

漢代佛教，特重屏除私欲。（《四十二章》特表明此義）而禪定則袪練神
明之方法。故漢末頗為流行。私欲之根，為貪瞋癡三毒。佛家勸人捐
財貨，樂施與，所以治貪。不殺伐，行仁慈，所以治瞋。戒殺樂施雖
為印度所常行，然在中國則罕見。故漢代常道及之。明帝詔云，楚王

英「尚浮屠之仁祠」。班勇記天竺事，列其「奉浮圖，不殺伐」。（《後漢書·西域傳》）襄楷曰：「此道好生惡殺」；袁彥伯《後漢紀》亦曰：「其教以修善慈心為主，不殺生。」此則其所謂仁慈者，以不殺最為世所稱道。又《四十二章經》曰：「佛道守大仁慈，以惡來，以善往。」此則以犯而不校，無瞋恚心，為大仁慈也。

《四十二章經》謂沙門「去世資財，乞求自足」，「為道務博愛」，「博哀施」，「德莫大施」。《牟子》謂「佛家以空財佈施為名」。而當時所謂佈施，特重以飯食給人。《四十二章經》，有飯善人一章。楚王英設伊蒲塞桑門之盛饌。明帝並還其所貢獻財帛佐助其事。則飯僧之制，最初即流行。漢末笮融，每浴佛，多設酒飯，佈於路，經數十里，任人就食，則其施飯規模甚大。亦可見漢代佈施功德首在此也。

漢代方士，不聞戒殺。武帝時謬忌奏泰一方，謂以太牢祭。（《史記·封禪書》）桓帝祭老子以三牲。（《東觀漢記》）至若佈施，則亦為治黃白術者所不言。武帝時，李少君以方術遊諸侯，人聞其能使物及不死，更饋遺之。常餘金錢衣食。人皆以為不治產業而饒給。（《封禪書》）楊王孫者，學黃老之術。家業千金，厚自奉養生，亡所不致。（《漢書》本傳）其行事均與重佈施之沙門異其趣。但後漢時，蜀中高士有折像者，幼有仁心，不殺昆蟲，不折萌芽。能通京氏《易》，好黃老家言。原有資財二億，僮八百人。像感多藏厚亡之義，謂盈滿之咎，道家所忌，乃散金帛資產，周施親疏。自知亡日，召賓客九族飲食辭訣，忽然而終。卒後家無餘貲。（《後漢書·方術傳》）則東漢奉黃老者，固亦有戒殺樂施者也。至若《太平經》常言樂施好生，則尤與佛家契合。此當於下及之。

《太平經》與佛教

《太平經》者，上接黃老圖讖之道術，下啟張角、張陵之鬼教[1]，與佛教有極密切之關係。茲分三事說之。(甲)《太平經》反對佛教；(乙)但亦頗竊取佛教之學說；(丙)襄楷上桓帝疏中所說。

(甲) 按東漢佛教流行於東海，而《太平經》出於琅琊，壤地相接，故平原濕陰之襄楷，得讀浮屠典籍，並于吉神書。則此經造者如知桑門優婆塞之道術，固亦不足異。經之卷百十七，言有「四毀之行，共污辱皇天之神道，不可以為化首，不可以為法師」，而此四種人者，乃「道之大瑕病所由起，大可憎惡」，名為「天咎」：一為不孝，棄其親。二曰捐妻子，不好生，無後世。三曰食糞，飲小便。四曰行乞丐。經中於此四行，斥駁之極詳。夫出家棄父母，不娶妻無後嗣，自指浮屠之教。而《論衡》謂楚王英曾食不清，則信佛者固亦嘗服用糞便也。至若求乞自足，中華道術亦所未聞。故《太平經》人，極不以此為然。其卷百十二有曰：

> 崑崙之墟，有真人上下有常。真人主有錄籍之人，姓名相次，高明得高，中得中，下得下。(《尚書帝驗期》云，王母之國在西荒，凡得道授書者，皆朝王母於崑崙之關。) 殊無搏頰乞丐者。

搏頰〔搏頰不知即《太平經》所言之叩頭自搏否。《弘明集》七宋釋僧愍《華戎論》斥道教云，搏頰叩齒者，倒惑之至也。唐法琳《辨正論》二引道教書《自然懺謝儀》，有九叩頭九搏頰之語。是搏頰之事，南北朝隋唐道士猶行之。又按支謙譯《梵志阿颰經》，有外道四方便，其第四中有搏頰求福之句。此經為《長阿含阿摩晝經》之異譯，巴利文 Ambattha Sutta 為其原本。二處所記之四方便中，均無此句。但康僧會之《舊雜譬喻經》卷八，亦

---

1 指二人分別創立的太平道和五斗米道，五斗米道又叫天師道。——編者註

言有搏頰人。又《六度集經》五有曰，或搏頰呻吟云，歸命佛，歸命法，歸命聖眾。據此豈中國佛教古用此法耶，抑僅譯經者借用中土名辭，以指佛教之膜拜耶。(參看《宋高僧傳·譯經篇》論中華言雅俗段。) 若漢代僧徒行此，則經所謂之搏頰與乞丐，均指佛教徒也〕乞丐等之道者，蓋不能與於有錄籍之列。疑在漢代沙門尚行乞，至後則因環境殊異，漸罕遵奉。蓋據今日所知，漢代以後傳記所載，沙門釋子未普行此事。(《高僧傳》所載最著者，為晉康僧淵乞丐自資，人未之識，及覺賢偕慧觀等乞食事。又《廣弘明集》沈約《述僧設會論》云，今既取足寺內，行乞事斷，或有持鉢到門，便呼為僧徒，鄙事下劣。既是眾所鄙恥，莫復行乞。悠悠後進，求理者寡，便謂求乞之業，不可復行，云云。據此則至少在齊梁之世，求乞即未普行也。) 而觀《弘明集》所錄護教之文，只聞對於沙門出家不孝無後，常有非難，而於求乞則竟無一言，亦可以知矣。

(乙)《太平經》卷九十一有文曰：

> 天師之書，乃拘校天地開闢以來，前後聖賢之文，河圖洛書神文之屬，下及凡民之辭語，下及奴婢，遠及夷狄，皆受其奇辭殊策，合以為一語，以明天道。

又卷八十八亦有曰：

> 今四境之界外內，或去帝王萬萬里，或有善書，其文少不足，乃遠持往到京師。或有奇文殊方妙術，大儒穴處之士，義不遠萬里，往謁帝王銜賣道德。(中略) 或有四境夷狄隱人，胡貊之屬，其善人深知秘道者，雖知中國有大明道德之君，不能遠 (疑有脫誤) 故齎其奇文善策殊方往也。

據此造《太平經》時，所摭採極雜，遠及夷狄之文。故其經中雖不似後來道書中佛教文句，連篇累紙。(唐玄嶷《甄正論》言《太平經》不甚苦錄佛經，多說帝王理國之法，陰陽生化事等。) 但亦間採浮屠家言。如本起 (本起為漢魏譯本所通用之名詞)、三界 (三界之意不明。然或係用佛語。參看商務本《太平經》卷

九十三之十五頁。又經乙之三，謂求道常苦，此義亦見《四十二章經》中），疑是採自佛經之名辭也。又《太平經鈔·甲部》敘李老誕降之異跡，頗似襲取釋迦傳記。（按《春秋元命苞》云，神農生辰而能言，五日而能行，七朝而齒具，三歲而知稼穡、般戲之事云云，所言與《太平經》敘老君事相類。）如謂李君生時有九龍吐水，此本為佛陀降生瑞應之一。（見《普耀經》卷二。此經西晉竺法護譯，但漢代或有釋迦傳記今已佚失。參看 1920 年《通報》伯希和《牟子序論》。）至若獎勵佈施，經中屢屢言及。又雖不戒殺，而言天道仁慈，好生不傷害。（《太平經》四十之六頁，按五十之八頁，五十三之二頁，《經鈔》丁十二頁。）似均受佛教之影響。（楚王英即已為桑門設盛饌，而襄楷謂黃老浮屠之道好生惡殺。）

　　《太平經》與佛教不同之點，以鬼魂之說，為最可注意。經中信人死為鬼，又有動物之精。（一一七之九[1]）又有邪怪可以中人。（七十一之六頁）其說與《論衡·論死》《紀妖》《訂鬼》諸篇所紀漢代之迷信相同。而人如養氣順天，則天定其錄籍，使在不死之中。或且可補為天上神吏。（見一一一及一一四諸卷中）否則下入黃泉。如無子孫奉祠，則飢餓困苦。（一一四之十六）絕無印度輪迴之學說。（如卷七十二云，夫天下人死亡非小事也。一死終古不得復見天地日月也。脈骨成塗土，死命重事也。人居天地之間，人人得一生，不得重生也。重生者，獨得道人死而復生，屍解者耳。是者天地所私，萬萬未有一人也。故凡人一死，不得復生也。又卷百十四有文略曰，天神促之使下入土，入土之後，何時復出生乎。）既無輪迴之說，自無佛家之所謂因果。但經中盛倡「承負」之說，為其根本義理之一。蓋謂祖宗作業之善惡，皆影響於其子孫。先人流惡，子孫受承負之災。帝王三萬歲相流，臣承負三千歲，民三百歲，

---

1 結合上下文，此處應是標識卷次和頁碼。湯用彤所依《太平經》版本，應是 20 世紀 20 年代商務印書館影印的道藏本。困於內容與版本不便核查，編者未敢擅自加上「頁」字而統一體例，故保留原文面貌。下文類似情況亦保留原文面貌。——編者註

皆承服相及，一伏一起，隨人政盛衰不絕。(乙之十一) 承負之最大，則至絕嗣。經中援用此義，以解釋顏夭跖壽等項不平等之事。如曰：

> 比若父母失道德，有過於鄉里，後子孫反為鄉里所害，是即明承負之驗也。(見《鈔》丙之一頁。反字原為必字，今依經三十七卷一頁改。)

如又有云：

> 力行善，反得惡者，是承負先人之過，流災前後積來害此人也。其行惡反得善者，是先人深有積蓄大功，來流及此人也。(乙之十一)

《易》曰：積善之家，必有餘慶；積不善之家，必有餘殃。承負之說，自本乎此。但佛家之因果，流及後身。《太平經》之報應，流及後世。說雖不同，而其義一也。經中言之不只一處，為中土典籍所不嘗有。吾疑其亦比附佛家因報相尋之義，故視之甚重，而言之詳且盡也。

(丙) 漢代佛教，歷史材料甚少，極為難言。但余極信佛教在漢代不過為道術之一。華人視之，其威儀義理，或有殊異，但論其性質，則視之與黃老固屬一類也。溯自楚王英尚黃老之微言，浮屠之仁祠，以至桓帝之並祭二氏，時人信仰，於道佛並不分別。襄楷上宮崇之神書，復曾讀佛經。其上桓帝疏雜引《老子》佛書，告桓帝以人主所應奉之正道。則在其心目中，二道實無多大差異。其言曰：

> 又聞宮中立黃老浮屠之祠。此道清虛，貴尚無為，好生惡殺，省欲去奢。

此舉黃老浮屠合言為「此道」。而清虛無為，亦《太平經》之所言。至若好生省欲，于吉神書，尤所注意。諸義均可與佛教相附會。則桓帝所奉之黃老，雖非于吉之教。然自襄楷之信念言之，浮屠與太平道可合而為一也。

襄疏又曰：

> 浮屠不三宿桑下，不欲久，生恩愛，精之至也。

浮屠不三宿桑下，原出《四十二章經》。至若「精之至也」一語，見於《老子》五千文。但《太平經》，固亦不缺此類語言。如曰「精思」（乙之十六），「精明」（乙之五），「不精之人」（七十一之二），又言「精進」（甲之三）。則稱賞「精之至」者，亦于吉之教所許也。（康僧會《六度集經》卷六，釋精進曰，精存道奧，進之無怠，此亦襲取道書旨意。）

襄疏又曰：

> 天神遺以好女。浮屠曰，此革囊盛血，遂不盼之。其守一如此，乃能成道。

天神以玉女試道者，兩見於《太平經》中。如言天常使邪神來試人，數試以玉女，審其能否持心堅密。（七十一之六以下）又謂賜以美人玉女之象，如意志不傾，則能成道，如生迷惑，則「道不成」。（此見一一四之六頁，此段及上段所引文，均難讀，茲但節引之。）于吉、襄楷皆用《四十二章經》之故事也。「守一」語似老子之抱一。但《太平經》中有守一之法，謂為長生久視之符。（壬之十九）守一者可以為忠臣孝子，百病自除可得度世。（九十六卷）謂有三百首（一〇二），茲已不詳。但其法疑竊取佛家禪法。如《經鈔》乙之五曰：

> 守一明之法，長壽之根也。萬神可御，出光明之門。守一精明之時，若火始生時，急守之勿失。始正赤，終正白，久久正青，洞明絕遠，還以理一，內無不明。（原文頗有誤字，此據《太平經聖君秘旨》校改。）

今按「守一」一語屢見於漢魏所譯佛經中。如吳維祇難 [1] 等所出之《法句經》云：

---

1 「維祇難」應為「維祇難」。——編者註

　　晝夜守一，心樂定意。

　　守一以正身，心樂居樹間。

《分別善惡所起經》（此經《長房錄》四謂為安世高譯，《祐錄》四在續失譯中）偈言
有曰：

　　篤信守一，戒於甕蔽。

《菩薩內習六波羅密經》（此經《長房錄》四謂為漢人嚴佛調譯，《祐錄》失載，但依其
文字可指為魏晉以前所出），解禪波羅密為「守一得度」。而《阿那律八念經》
（此經《長房錄》四謂為漢支曜譯，《祐錄》三安公失譯錄中著錄，亦當為晉以前所出）云：

　　何謂四禪，惟棄欲惡不善之法，意以歡喜，為一禪行。以
　捨惡念，專心守一，不用歡喜，為二禪行。（下略）

據此則「守一」蓋出於禪支之「一心」。（《太平經》九十六謂守一可以為孝子
忠臣云云。後漢支曜譯《成具光明定意經》云，孝事父母，則一其心，尊敬師友，則一其
心，云云，可與《太平經》所言參照。）而《太平經》之守一，蓋又源於印度之
禪觀也。

　　按一心謂之守一，「一心則不搖」（用《成具經》中語）。不搖故不懼女
色之試誘，不畏虎狼毒物。（詳一一四卷）因之襄楷謂浮屠不近女色，為
守一也。又據《真誥》卷十三論守玄白之道曰：

　　此道與守一相似，……忌房室甚於守一。

《抱樸子·地真篇》亦云：

　　守一存真，乃能通神，少欲約食，一乃留息。

襄楷之以節欲與守一並言，其故諒亦在此也。

　　復次，漢代佛教。既為道術之一，因之自亦常依附流行之學說。
自永平年中，下至桓帝約有百年，因西域交通之開闢，釋家之傳教
者，繼續東來。但譯事未興，多由口傳。中國人士，僅得其戒律禪法
之大端，以及釋迦行事教人之概略，於是乃持之與漢土道術相擬。而

信新來之教者，復借之自起信，用以推行其教。吾人今日檢點漢代殘留之史跡，頗得數事，可以證實此説。

一、如襄楷告桓帝曰：

又聞宮中立黃老浮屠之祠。……今陛下嗜欲不去，殺罰過理，既乖其道，豈獲其祚哉。

夫漢初黃老之道，本在治國。《太平經》亦有興國廣嗣之術。至若浮屠，則何與於平治之術，更胡能言豈獲其祚耶。然按牟子述《四十二章經》之翻譯，而有言曰：

時國豐民寧，遠夷慕義，學者由此而滋。

此言疑本於《四十二章經》序。《祐錄》載此序，其末段云：

於是道法流佈，處處修立佛寺，遠人伏化，願為臣妾者不可稱數，國內清寧，含識之類蒙恩受賴，於今不絕也。

此項言論，以臆度之，或當時之人，以黃老浮屠並談，於黃老視為君人之術，於浮屠遂以為延祚之方也。

二、《太平經》中頗重仁道，如謂道屬天，德屬地，而仁屬人，應中和之統。(三十五之二及一一九之七) 又天道好生，地亦好養，故仁愛有似天地。(三十五之三) 而佛法守大仁慈 (《四十二章經》語)，不殺伐 (《後漢書》引班勇語)，釋迦牟尼一語，譯為「能仁」，亦始於漢代。(康孟詳《修行本起經》釋迦文下註云，漢言能仁。按牟尼在印度原文，並不可訓為仁。支謙《瑞應本起經》有註，謂應譯能儒。) 漢明帝即已號浮屠為仁祠。漢魏佛經，發揮仁術者極多。如《六度集經》卷五云：「道士仁如天地。」卷七曰：「大仁為天，小仁為人。」凡此諸義，均與《太平經》義契合也。

三、「大仁為天，小仁為人」之文，出於《六度集經》中之《察微王經》。此經以五陰為元氣。元氣之説，在《太平經》中極重要，亦當時佛家所竊取，而為其根本義。(參看下章)《察微王經》有曰：

　　　　元氣強者為地，軟者為水，暖者為火，動者為風。四者和
　　焉，識神生焉。

此顯因人為中和之氣所生，故云四者和而識神生。又仁屬於人，應中
和之統。因此「仁」者乃元氣調和之表現。而人之高下，悉依調和之程
度為準。故此經復曰，「神依四立，大仁為天，小仁為人」也。依此以
推，則仁之最大者為神聖，神聖為中和之至極。故《太平經》謂得道之
人，居於崑崙，崑崙者中極也。(百十二之二十一及庚之十四) 而《後漢書·
西域傳論》，敘浮屠之化，亦曰：

　　　　余聞之後說也，其國則殷乎中土，玉燭和氣，聖靈之所降
　　集，賢懿之所挺生。

范氏所述，疑採自漢代之傳記。又牟子《理惑論》，敘佛陀之誕生曰：

　　　　所以孟夏之月生者，不寒不熱，草木華英，釋狐裘，衣絺
　　綌，中呂之時也。所以生天竺者，天地之中，處其中和也。

夫佛經固謂佛生於中國，但此乃天竺之中，而非天地之中也。謂為天
地之中，乃謂神靈必降生於「玉燭和氣」之境故也。實襲取支那 [1] 流行之
學說也。

漢晉講經與註經

　　漢世笮融立寺，讀佛經，令界內及旁郡人好佛者聽受。此為誦經
或講經，文略不能斷定。至若講經，則知始自桓帝世之安清、安玄。
蓋外國釋子，恆專精一經，或數經。其善《阿含》者，謂之《阿含》

---

1 古代印度、希臘和羅馬文獻稱中國為 Cina、Tina、Sinae；後在漢文佛經和史籍中譯
　作「支那」等。——編者註

師。善戒律者，曰《鼻奈耶》師。(道安《鼻奈耶序》有罽賓鼻奈) 善對法者，曰《毗曇》師。其人不但誦諷通利，稀有忘失，抑且了解義理，兼能講說。故來華諸師，於口出經文時，類常講其意旨。故安玄所講，當世稱為都尉玄。想謂於經文能闡明其玄致也。安世高為阿毗曇師。《毗曇》恆依法數分列，綱目條然。世高譯時便講，遂必逐條論說，取經中事數，如七法、五法、十報法、十二因緣、四諦、十四意、九十八結等，一一為之分疏。而於四諦十四意九十八結，安侯並自有撰述。嚴浮調復因其未詳《十慧》，乃作《沙彌十慧章句》。(均詳見上章)《章句》者，疑係摘取《十慧經》文，而分章句，具文飾說。(語用《漢書·夏侯勝傳》) 其書用以教初學 (原序末曰，未升堂者，可以啟蒙焉)，故曰《沙彌十慧章句》也。

安世高善《毗曇》學，譯經時並隨文講說。其後浮調依其規模，分章句疏釋。此種體裁，於後來註疏，至有影響。《祐錄》九晉道安《四阿含暮抄序》云：

又有懸數懸事，皆訪其人，為注其下。

《祐錄》七道安《道行經序》云：

余集所見為解句下。

此均隨事數文句，作為疏解。道安所用體裁，實出於嚴浮調。《祐錄》十載其《十法句義序》曰：

昔嚴浮調撰《十慧章句》，康僧會集《六度要目》，每尋其跡，欣有寤焉。然猶有闕文行未錄者，今鈔而第之，名曰《十法句義》。若其常行之註解，若昔未集之貽後，同我之倫，儻可察焉。

釋道安師浮調之遺法，續取前人已註解或未集之事數 (原序有「明白莫過於辯數」之語)，釋其義旨。曰「鈔而第之」者，亦逐條註釋之謂也。同時

（晉泰元二十一年）竺曇無蘭次列三十七品，採輯各經不同文字，而以止觀、三三昧、四禪、四諦，繫之於後。《祐錄》卷十，載其序文曰：

> 序二百六十五字，本二千六百八十五字，子二千九百七十字，凡五千九百二十字，除後六行八十字不在計中。

此書合列經文，有似會譯。而分列事數，取一經文為母，其他經事數列為子。雖非註疏，然亦係師嚴氏之意。後世之會譯子註，蓋均原出於此。而其最初則似由於漢代講經之法也。按安世高如不能用漢文撰述，道安謂其所撰《四諦口解》諸書，則必係聽者所筆錄。安侯譯經，兼依事數，條述其義。弟子因先記事數譯文，下列其口義，故已有本末母子之分。嚴浮調《十慧章句》，康僧會《六度要目》，道安《十法句義》，等均從之。而其後經典異譯頗多，有會合諸本比較之必要。因亦仿其法，是曰會譯。但會譯源流，將於下另論之。

又按西晉竺法雅，創立格義，以經中事數，擬配外書，以訓門徒。（《高僧傳》本傳）可知至西晉時，講經猶沿用漢代安侯方法，先出事數，再分條釋其義。而法雅復用外書相比擬，使學者易於了悟。由此可見，不僅嚴浮調等之撰述，以及後代之子註會譯，同由最初所採講經方式演進，即格義亦與此有關。至若格義之意義與重要，亦當於下另詳之。

又漢代儒家講經立都講。（《後漢書·侯霸傳》與《楊震傳》）晉時佛家講經，亦聞有都講。（《世說·文學篇》許詢為支道林都講）似係採漢人經師講經成法。但此制自亦有釋典之根據，未必是因襲儒家法度。按康僧會《安般守意經序》曰：

> 世尊初欲說斯經時，大千震動，人天易色，三日安般，無能質者。於是世尊化為兩身，一白（亦作曰）何等，一尊主演，於斯義出矣。大士上人六雙十二輩，靡不執行。

世尊所化之一身，就安般事數分條問曰，何等。另一尊身答之，而敷
演其義。前者當中國佛家講經之都講，後者乃所謂法師。按佛教傳
說，結集三藏時，本係一人發問，一人唱演佛語。如此往復，以至終
了，集為一經。故佛經文體，亦多取斯式。如安世高所譯之《陰持入
經》（此經實屬《阿毗曇》），是矣。茲節其開首數句於下：

> 佛經所行示教誡，皆在三部，為合行。何等為三。一為五
> 陰，二為六本，三為從所入。五陰為何等。一為色，二為痛，
> 三為想，四為行，五為識，是為五陰。

又沙門受戒時，說戒亦一師發問，一人對答。此皆都講制度之根源。
按此制最適用於講《阿毗曇》。想當日講《陰持入經》時，法師先提示
佛之教誡皆在三部，次有一人唱問，何等為三。法師乃出陰持入三
事。彼人復問五陰為何等，師乃出陰之五事。如是往復問答，以至終
卷。此等條目分析之文體，自恰可用都講。若行文連篇累牘，不分條
款，如用都講，必較不便。按安侯擅長《毗曇》，且又講之。依其弟子
嚴浮調，及其後道安所著書觀之，其講經時必亦據事數，逐條演義。
而佛家都講之說，在中國最早見於《安般守意經序》。此經世高所譯，
而作序之康僧會，則其再傳弟子。然則序中所說佛化二身說經，或出
於世高。而世高講經，或已有都講也。

又吳支謙譯《大明度無極經·第一品》有曰，「善業為法都講」；又
曰，諸佛弟子所問應答，其文下原有註曰：

> 善業（謂須菩提）於此清淨法中為都講。秋露子（謂舍利弗）於無
> 比法中為都講。

據此則都講之制，出於佛書之問答，至為明晰。按支謙經原註，疑係
其所自註。（說見後）若然，則佛教在三國之初，似已有都講之制。而
漢末之有都講，亦意中事也。又按《後漢書·楊震傳》云：「有冠雀三

鱣魚飛集講堂前，都講取魚進。」是都講為經師執役。至於儒家都講誦讀經文，則見於《魏書·祖瑩傳》。漢代都講是否誦經，實無明文。而據上述之《安般序》及《明度經》佛家在漢魏間已有都講，則都講誦經發問之制，疑始於佛徒也。又《廣弘明集》載梁武帝講《般若經》，枳園寺法彪為都講。又東晉支道林為法師，許詢為都講。「支通一義，四座莫不厭心，許送一難，眾人莫不抃舞。」（《世說·文學篇》）此則一係講經，而非講《毗曇》。一則都講，似可依己意發難，是皆此制之推廣。但其最初或出於安世高講《毗曇》法數也。

　　又按謝靈運《山居賦》有曰：

　　　　安居二時，冬夏三月，遠僧有來，近眾無闕。法鼓即響，頌偈清發。散華霏蕤，流香飛越。析曠劫之微言，說像法之遺旨。乘此心之一豪，濟彼生之萬理。啟善趣於南倡，歸清暢於北機。非獨愜於予情，諒僉感於君子。

按康樂自註云：

　　　　眾僧冬夏二時坐，謂之安居，輒九十日。眾遠近集，萃法鼓頌偈華香四種，是齋講之事。析說是齋講之議。乘此之心，可濟彼之生。南倡者都講，北居者法師。

此於晉宋講經之情，敘之頗詳，故廣引之如上。

總結

　　佛教在漢世，本視為道術之一種。其流行之教理行為，與當時中國黃老方技相通。其教因西域使臣商賈以及熱誠傳教之人，漸佈中夏，流行於民間。上流社會，偶因好黃老之術，兼及浮屠，如楚王英、明帝及桓帝皆是也。至若文人學士，僅襄楷、張衡略為述及，而

二人亦擅長陰陽術數之言也。此外則無重視佛教者。故牟子《理惑論》云:「世人學士,多譏毀之。」又云:「俊士之所規,儒林之所論,未聞修佛道以為貴,自損容以為上。」及至魏晉,玄學清談漸盛,中華學術之面目為之一變。而佛教則更依附玄理,大為士大夫所激賞。因是學術大柄,為此外來之教所篡奪。而佛學演進已入另一時期矣。吾之視漢代佛教自成一時期者,其理由在此。

釋道安
（節選）

高僧與名僧

　　梁慧皎《高僧傳序錄》曰：「自前代所撰，多曰名僧。然名者本實之賓也。若實行潛光，則高而不名。寡德適時，則名而不高。」蓋名僧者和同風氣，依傍時代以步趨，往往只使佛法燦爛於當時。高僧者特立獨行，釋迦精神之所寄，每每能使教澤繼被於來世。至若高僧之特出者，則其德行，其學識，獨步一世，而又能為釋教開闢一新世紀。然佛教全史上不數見也。郄嘉賓譽支道林，謂「數百年來，紹明大法，使真理不絕，一人而已」。其實東晉之初，能使佛教有獨立之建設，堅苦卓絕，真能發揮佛陀之精神，而不全借清談之浮華者，實在彌天釋道安法師。道安之在僧史，蓋幾可與於特出高僧之數矣。

　　釋道安生於晉永嘉六年（公元 312 年），卒於太元十年（公元 385 年）。在其生前四年，竺法護在天水寺譯經。道安約與竺法深支道林同時。其生後於深公二十六歲，長於支公兩歲。其死時支卒已十九年，深公逝世亦已十年矣。在安公之出世，《般若大品》恰已譯出。在其幼時，永嘉名士，相率渡江，佛教玄風，亦漸南播。方支竺野逸於東山，安公行化於河北。約當支竺重蒞建業，安公將南下襄陽。及支竺遷神，

安公西入長安譯經，孜孜不倦，以及命終。其風骨堅挺，弘法殷勤，非支竺二公所能望也。余故於兩晉之際特詳述關於道安事跡，而以晉末佛教史實附焉。

綜論魏晉佛法興盛之原因

自漢通西域，佛教入華以來，其始持精靈報應之說，行齋戒祠祀之方。依傍方術之勢，以漸深入民間。漢末魏初，洛陽有寺。徐州廣陵許昌有寺。倉垣水南北二寺，亦當建於是時。漢人嚴浮調、朱士行已出家為沙門。晉世洛中有寺四十二所，今可知者亦已及十。他處雖少可考見，然其時奉佛以求福祥，民間當更流行。而自漢末世亂，以至五胡之禍[1]，民生凋敝，驗休咎報應，求福田饒益，當更為平民之風尚。後趙時安定人侯子光 (《御覽》三七九引《十六國春秋‧後趙錄》作劉光。又法琳《破邪論》引傅奕云，後趙沙門張光等並皆反亂云，張光當即劉光) 自稱佛太子，從大秦國來，當王小秦國，聚眾數千人於杜南山，稱大黃帝。(《晉書》一○六) 可見西晉佛教，在民間煽惑力已甚強。晉道恆《釋駁論》有曰：

> 且世有五橫，而沙門處其一焉。何以明之。乃大設方便，鼓動愚俗。一則誘喻，一則迫脅。云行惡必有累劫之殃，修善便有無窮之慶。論罪則有幽冥之伺，語福則有神明之祐。敦屬引導，勸行人所不能行。逼強切勒，勉為人所不能為。

《釋駁論》雖東晉末葉所作，然據《後漢書紀》，禍福報應固早已為佛法起信之要端。而亂世禍福，至無定軌，人民常存僥倖之心，占卜之

---

1 五胡是歷史上對起兵反晉的匈奴、鮮卑、羯、氐、羌等五個少數民族的舊稱。兩晉之際，各民族在中原互相爭戰，使中原地帶長期處於戰亂之中。——編者註

術，易於動聽。竺佛圖澄者，道安之師也。其行化時，五胡之亂最烈，石勒殘暴，實為流寇。澄憫念蒼生，以方術欣動二石，以報應之說戒其兇殺。蒙其益者十有八九。（語見《僧傳》）於是中州晉胡，略皆奉佛。是則釋氏饒益即未驗於來生，而由澄公已有徵於今世。《高僧傳》詳述澄術之神異，又記其立寺八百九十三所，雖不盡可信，然佛教之傳播民間，報應而外，必亦借方術以推進，此大法之所以興起於魏晉，原因一也。

西晉天下騷動，士人承漢末談論之風，三國曠達之習，何晏、王弼之老莊，阮籍、嵇康之荒放，均為世所樂尚。約言析理，發明奇趣，此釋氏智慧之所以能弘也。祖尚浮虛，佯狂遁世，此僧徒出家之所以日眾也。故沙門支遁以具正始遺風，幾執名士界之牛耳。而東晉孫綽，且以竺法護等七道人匹竹林七賢。至若貴人達官，浮沉亂世，或結名士以自炫，或禮佛陀以自慰，則尤古今之所同。（《世說》謂殷浩被黜，始看佛經。）晉時最重世族。西晉時阮瞻、庾敳已與僧遊。東晉時王謝子弟常與沙門交友。史謂竺法汰北來未知名，王領車（王導之子名洽）供養之，每與周旋，行來往名勝許，輒與俱。不得汰，便停車不行，因此名遂重。（見《世說·賞譽篇》。按王洽卒於法汰到京之前，此當別一人事。）蓋世尚談客，飛沉出其指顧，榮辱定其一言。貴介子弟，依附風雅，常為能談玄理之名俊，其賞譽僧人，亦固其所。此則佛法之興得助於魏晉之清談，原因二也。

西晉初，郭欽上疏，謂魏初人寡，西北諸郡，皆為戎居。江統《徙戎論》，亦歷敘東漢前魏，氐羌雜居於關中，將為禍滋蔓，暴害不測。當時晉帝未能用其忠言，遂召五胡之禍。而方中原異族錯居時，佛教本來自外域，信仰歸依，應早已被中國內地之戎狄。王謐答桓玄難云（《全晉文》卷二十）：「曩者晉人略無奉佛，沙門徒眾，皆是諸胡，且王者

不與之接。」《高僧傳‧佛圖澄傳》曰，澄道化既行，民多奉佛，營造寺廟，相競出家，真偽混淆，多生愆過。石虎下詔令中書料簡，詳議真偽。中書令著作郎王度奏略曰，「夫王者郊祀天地，祭奉百神。載在祀典，禮有常饗。佛出西域，外國之神，功不施民，非天子諸華所應祀奉。往漢明感夢，初傳其道，唯聽西域人得立寺都邑，以奉其神，其漢人皆不得出家。魏承漢制，亦循前軌」云云。謂「宜斷趙人不得詣寺燒香禮拜」。中書王波亦同度所奏。石虎下書曰：「度議云，佛是外國之神，非天子諸華所可宜奉。朕生自邊壤，忝當期運，君臨諸夏。至於饗祀，應兼從本俗。佛是戎神，正所應奉。」據此漢魏之後，西北戎狄雜居。西晉傾覆，胡人統治。外來之教益以風行，原因三也。

自漢以來，佛教之大事，一為禪法，安世高譯之最多，道安註釋之甚勤。一為《般若》，支讖竺叔蘭譯大小品，安公研講之最久。一為竺法護之譯大乘經，道安為之表張備至。而在兩晉之際，安公實為佛教中心。初則北方有佛圖澄，道安從之受業。南如支道林，皆宗其理。(《世說‧雅量篇》註) 後則北方鳩摩羅什，遙欽風德。(見《僧傳》) 南方慧遠，實為其弟子。蓋安法師於傳教譯經，於發明教理，於釐定佛規，於保存經典，均有甚大之功績。而其譯經之規模，及人材之培養，為後來羅什作預備，則事尤重要。是則晉時佛教之興盛，奠定基礎，實由道安，原因四也。

竺佛圖澄

竺佛圖澄者，西域人也。《高僧傳》謂本姓帛氏 (《世說注》引《澄別傳》曰，不知何許人)，似為龜茲人。(近人如王靜安先生嘗引《封氏聞見記》所引光初五年碑而謂澄為罽賓王子。唯據趙明誠《金石錄》二十所記，此碑原文，作「天竺大國附庸

小國之元子也」。合校《聞見記》各種版本庸字先誤為賓字，而附字尚不誤。最後乃有人將附字改為闐。故澄為闐賓人本因字之訛誤也。）清真務學，誦經數百萬言，善解文義。雖未讀此土儒史，而與諸學士論辯疑滯，皆暗若符契，無能屈者。自云，再到闐賓，受誨名師。（《釋老志》云，少於烏萇國就羅漢入道。）志弘大法，善誦神咒。既善方技，又解深經。於晉懷帝永嘉四年（公元310 年）來適洛陽，欲立寺，以亂不果。於石勒屯兵葛陂之歲（公元 311 年或 312 年），觀勒之殘暴，憫念蒼生，欲以道化勒。乃仗策詣軍門，因大將郭黑略（黑亦作默）見勒，大為敬禮。及石虎在位，尤傾心事澄。曾下詔書曰，和尚國之大寶，榮爵不加，高祿不受，榮祿匪顧，何以旌德。從此以往，宜衣以綾錦，乘以雕輦。朝會之日，和尚升殿，常侍以下，悉助舉輿，太子諸公扶翼而上，主者唱大和尚，眾坐皆起，以彰其尊。又敕司空李農旦夕親問，太子諸公五日一朝，表朕敬焉。據《高僧傳》所載，澄常以道術欣動二石。（《釋老志》曰，劉曜時到襄國，後為石勒所宗信，號為大和尚，軍國規模，頗訪之，所言多驗。《晉書》載記謂冉閔亦訪於道士法饒，不驗被殺。）慈洽蒼生，拯救危苦，其弘法之盛，莫之與先。考其聲教所及，河北中州（此據《僧傳》）之外，江南名僧，亦相欽敬。（支道林謂澄公以石虎為海鷗鳥，見《世說》。）於石虎建武末年（即晉穆帝永和四年，公元348 年），歲在戊申（《晉書‧藝術傳》作寅，誤），卒於鄴宮寺。澄風姿詳雅，講說之日，止標宗致，使始末文言，昭然可了。佛調須菩提等數十名僧，遠自天竺、康居來受學。中土弟子之知名者，有法首、法祚、法常、法佐、僧慧、道進、道安、法雅（又有法牙，或即法雅之誤耶）、法汰、法和、僧朗（即泰山僧朗，《水經注》稱為澄弟子）、安令首尼等。此中道進學通內外。法雅創立格義。法汰弘教江南。法和授徒西北。《比丘尼傳》謂安令首尼，博覽群籍，弘教頗力（因其出家者二百餘人，又立寺五），一時所宗，先亦從澄出家。《水經注》謂朗公少事佛圖澄，碩學淵通，尤明

氣緯。而釋道安者，尤為後來南北人望。其《道地經》序，歎「師殞友折」。《僧伽羅刹經序》曰：「窮通不改其恬，非先師之故跡乎。」《比丘大戒》序，謂至澄和上，戒律始多所正焉。而據《四阿含暮抄序》，安公以八九之年，曾自長安東省其先師寺廟。安公造詣極深，而於澄公深致眷念，亦必其學問德行之足感人也。然據史書（《僧傳》與《晉書》等）澄公黨徒之眾，必常多為其方術所歆動。雖其弟子頗多學人、名僧，然道安、法雅輩之博洽、之文學，當非得之於佛圖澄。而澄之勢力所及，必更多在智識階級以外。二石崇佛甚至（參考《鄴中記》敘其時奉佛之奢侈），朝臣亦事佛起大塔（《僧傳》，及《御覽》六五八《佛圖澄傳》曰，尚書張離張良家富，事佛起大塔），鄴中佛寺可考者，亦有多所。（《僧傳》《晉書》佛圖澄、單道開等傳）相台為六朝佛法重鎮，蓋始於佛圖澄之世。河北佛法之盛，亦起自澄和尚。而其弟子道安初亦在河北行化多年也。

道安年曆

《高僧傳》謂道安卒於晉太元十年二月八日（即苻堅建元二十一年），年七十二。（此據麗本。宋元明三本均無此四字。《太平御覽》卷六五五引《高僧傳》，及《名僧傳抄》，均有此四字。）此言不知何所本。然據《中阿含經序》，道安實約死於苻堅末年（建元二十一年）。而道安作《四阿含暮抄序》，及《毗婆沙序》，均有「八九之年」（即年七十二歲）之語。考二經之出也，其時約為自建元十八年八月至十九年八月。二序之作，或均在建元十九年中，皆自言七十二歲。如安公死於二十一年二月，則實七十四歲。

《僧傳》謂安公先避難濩澤，遇竺法濟、支曇講。（《僧傳》曰，大陽竺法濟、并州支曇講《陰持入經》，道安從之受業。然據安公《陰持入經序》及《道地經序》，支曇講乃人名，并州雁門人。講字不得作動字讀。而《陰持入經序》，亦僅言二沙門冒寇

遠集，誨人不倦，遂與折槃暢礙，造茲註解，云云。安公實不能謂為從之受業。）頃之
與法汰隱飛龍山。僧光（一作先）道護亦在彼山。後又至太行恆山。且
至武邑。年四十五復還冀部[1]。其後石虎死，石遵請其入鄴。未久而石
氏國亂，安公乃西去牽口山王屋女林山，等語。慧皎似謂安公避難濩
澤，隱居恆山，在石虎去世之前，實大訛誤。道安《大十二門經序》，
言《大十二門》乃漢桓帝世安世高所出，安公所得之本，乃嘉禾七年在
建鄴周司隸舍寫，緘在篋匱，蓋二百年矣。（《祐錄》六）查漢桓帝即位之
初年，至石虎死年亦不過二百有二歲。（如自吳嘉禾至石虎死時，則只百一十
餘年。）石虎死於晉永和五年，安公在濩澤至早亦在永和三年。而《道
地經序》則謂在濩澤時「師殞友折」。按佛圖澄死於永和四年。則安在
濩澤已在永和四年以後。又慧遠見安公於太行恆山，從之出家，時石
虎已死（《慧遠傳》語），且當為永和十年。（說見後）又若還冀都後，石虎乃
死，則永和五年安公僅年三十七歲，亦與還冀部年四十五之說不合。
又據《僧光傳》，謂因石氏之亂，隱于飛龍山，後乃南遊，卒於襄陽。
則石氏之亂，顯係石虎死後之亂。（《法和傳》謂石氏之亂，率徒入蜀，乃指道安
南趣襄陽時事，可證。）故飛龍山隱居，濩澤避難，太行立寺，均當在石虎
死後。而其所謂避難，實避冉閔之難也。（按《道地經序》有「皇綱絕紐，獷狁
猾夏，山左蕩沒，避難濩澤」諸語。如指劉淵石勒亂河北，並執二帝事，則時安公年僅數
歲。故所言係泛指東晉偏安後北方情形。）

　　茲依上說，作安公年曆如下：

　　晉懷帝永嘉六年（公元 312 年），道安生於常山扶柳縣。

　　晉成帝咸康元年（公元 335 年），年二十四，石虎遷都於鄴，佛圖澄
隨至鄴。其後道安入鄴師事澄。

---

1 疑為冀都之誤，見 109 頁隨文註。——編者註

晉穆帝永和五年（公元349年），年三十七，石遵請入居華林園，其後避難，疑先居濩澤（晉縣，屬平陽郡），後北往飛龍山（一名封龍山）。

晉穆帝永和十年（公元354年），安公年四十二，慧遠就安公出家。時安公在太行恆山立寺。後應招至武邑（晉郡）。

晉穆帝昇平元年（公元357年），年四十五，還冀部，住受都寺。（冀部疑冀都之誤。按石虎時，冀州治於鄴。慕容儁平冉閔，冀州又徙理信都。安公未曾至信都。此云還冀部，疑即再至鄴都也。）疑此後又西適牽口山（《水經·濁漳水篇》白渠水出欽口山，即此，在鄴西北），又至王屋女林山（一作女休或女機。應在王屋附近。又按濩澤與王屋甚近。《僧傳》述安公自濩澤，北至飛龍山，最後又至王屋，事雖可能。但依地望言之，則似由濩澤至王屋為較合。今無確證。僅列石虎死事於前，餘均依《僧傳》所述次序）。復渡河居陸渾（洛陽之南）。

晉哀帝興寧三年（公元365年），年五十三，慕容氏略河南，安公南投襄陽。〔查《僧傳》及《世說注》均言事在慕容儁（原作俊）時。計之，當在再前十餘年。與安公在襄陽十五年之說不合。又《名僧傳抄》云，安公在襄陽立檀溪寺，年五十二，疑係指其到襄陽時，五十二乃五十三之誤。〕

晉孝武帝太元四年（公元379年），己卯，年六十七，時已在襄陽十有五載（《祐錄》八道安《般若抄序》）二月，苻丕克襄陽，道安遂赴長安。（《祐錄》十一道安《比丘大戒序》云，歲在鶉火自襄陽至關右，見曇摩侍，令其譯比丘戒本，至冬乃訖。同卷《關中近出尼壇文記》云，太歲己卯，鶉尾之歲，十一月十一日，曇摩侍譯比丘尼戒本。蓋安公是年春末夏初，至長安，曇摩侍先譯比丘戒，至冬訖。又譯尼戒。唯據汪日楨超辰表計算，太元四年，歲星鶉首，上引二文所記歲星均誤也。）

晉孝武帝太元七年（公元382年），壬午，年七十一，八月東赴鄴視佛圖澄寺廟。（明年《毗婆沙》譯出，道安作序，有八九之年之語。）

晉孝武帝太元之十年（公元385年），二月八日，卒於長安，年七十四。八月苻堅被殺，即秦建元二十一年也。安公卒年月日，《祐

錄》《僧傳》及《名僧傳抄》均同。據近人考訂，道安死時，不應在二月
八日。蓋《祐錄》十《僧伽羅剎集經後記》云，此經於建元二十年十一
月三十日譯訖，「秦言未精。沙門釋道安朝賢趙文業研核理趣，每存妙
畫，遂至留連，至二十一年二月九日方訖」。此記明說二月九日，而不
言道安之死。倘安卒於二月八日豈得不提及。此可疑之點一。又《祐
錄》九，道安《增一阿含序》云：「歲在甲申（建元二十）夏出，至來年春
乃訖。……余與法和共考正之，僧略僧茂助校漏失，四十日乃訖。」此
似謂經於二十一年春譯訖後，安公等校定又經四十日。則自正月初一
起算，校定完畢已在二月八日之後。此可疑之點二。據此二證，安公
之死，當在二月八日以後也。（按二月八日為佛教聖日之一，道安死時《祐錄》等
均載其瑞相。疑後人故神其說，遂以此日為其入滅之時。）

道安居河北

釋道安，本姓衛氏，常山扶柳人也。（扶柳《晉書·地理志》屬安平國。
《名僧傳抄·道安傳》云，諸偽秦書並云常山扶柳人也。又《比丘尼傳》，智賢尼，姓趙，
常山人也。父珍，扶柳縣令。賢出家後，太守杜霸因篤信黃老，憎疾釋種，符下諸寺，克
日簡汰云云，常山扶柳一帶，已稱有諸寺，則其地佛法已興。又《晉書·載記》石季龍納
諸比丘尼有姿色者，與其交褻，而殺之。是亦當時河北已有尼之證。）家世英儒（《高
僧傳》）。嬰世亂（《名僧傳抄》）。早失覆蔭（《僧傳》）。蓋安公生於永嘉之
世，大河以北，疊遭兵禍，故其《陰持入經序》（《祐錄》六）云，「生逢
百罹」也。幼為外兄孔氏所養，年七歲，讀書再覽能誦，鄉鄰嗟異。
至年十二（《世說·雅量篇》註引《安和上傳》曰，年十二作沙門。《珠林·彌勒部》引
作十三）出家。神性聰敏，而形貌甚陋，不為師之所重。驅役田舍。至
於三年，執勤就勞，曾無怨色。篤性精進，齋戒無闕。數歲之後，方

啟師求經。師與《辨意經》一卷（即《辨意長者經》。《祐錄》三云，安公入失譯。
參看《開元錄·北魏法場傳》），可五千言。安齎經入田，因息就覽，暮歸以
經還師。更求餘者。師曰，昨經未讀，今復求耶。答曰，即已暗誦。
師雖異之，而未信也。復與《成具光明經》一卷（漢支曜譯），減一萬言。
齎之如初，暮復還師。執經復之，不差一字。師大驚嗟，而敬異之。
後為受具戒，恣其遊學。至鄴入中寺，遇佛圖澄。澄見而嗟歎，與語
終日。眾見形貌不稱，咸共輕怪。澄曰：「此人遠識，非爾儔也。」因
事澄為師。澄講，安每複述，眾未之愜。咸言須待後次，當難殺崑崙
子。即安後更復講，疑難鋒起，安挫銳解紛，行有餘力。時人語曰：
「漆道人，驚四鄰。」（上見《僧傳》）

　　按石虎於晉成帝咸康元年（公元 335 年）遷都於鄴。道安約二十四
歲。以佛圖澄之弟子所學言之，則澄之學，仍為《般若》《方等》。安
公曾讀支曜之《成具光明經》。自言中山支和上寫《放光》至中山（《祐
錄》七），又為慧遠講般若。則其於漢末以來洛陽倉垣所傳之佛學，已備
加研尋。而其《漸備經敘》（《祐錄》九原題未詳作者，但按其文體，及所記事，決
為安公手筆）云，在鄴得見博學道士帛法巨。此應即在天水為竺法護筆受
者（《祐錄》七），並言遇涼州二道士，皆博學，以經法為意。（二人姓名文有
訛字，不可考。）其一人名「彥」，曾言及護公所出經，則二人疑亦為護公
之徒。敘又云，得《光贊》一卷。則其在河北，已注意及竺法護所傳之
大乘經矣。其在濩澤，見大陽（一作太陽，誤。大陽晉屬河東郡，今山西平陸縣
境）竺法濟，并州雁門支曇講，與折槃暢礙，作《陰持入經注》。又與
支曇講鄴都沙門竺僧輔註《道地經》。又冀州沙門竺道護，於東垣界得
《大十二門經》，送至濩澤。安公為之筌次作註。三經均安世高所譯之
禪經。此外《安般守意》《人本欲生》《十二門》等之經，均有關禪數，
世高所譯，安公各為之作註。疑均在河北。則安公早年學問，特有得

於安世高之禪法也。（按與安共在飛龍山之僧光。遊想岩壑，得志禪慧，安公居山，想亦行禪法。）

道安在河北，已有令譽。（《僧傳》曰，安於太行恆山立寺，改服從化者，中分河北。）武邑太守盧歆，聞安清秀，使沙門敏見苦要之。安辭不獲免，乃受請開講。名實既符，道俗欣慕。彭城王石遵即位，遣中使竺昌蒲請入華林園。而其在受都寺，則已徒眾數百。觀乎安公南下，從行之眾，《僧傳》所言，並未嘗過於揄揚。蓋安公內外俱贍，恰逢世亂。其在河北，移居九次，其顛沛流離不遑寧處之情，可以想見。然其齋講不斷，註經甚勤，比較同時潛遁剡東，悠然自得之竺道潛支遁，其以道自任，堅苦卓絕，實已截然殊途矣。又道安在飛龍山與僧光（一作先）道護（已見前）竺法汰同遊。僧光冀州人，少遇道安，臨別相謂曰，若俱長大，勿忘同遊。後值石氏之亂，隱于飛龍山，安往從之。相會欣喜，謂昔誓始從。

因共披文屬思，新悟尤多。安曰，先舊格義，於理多違。光曰，且當分析逍遙，何容是非先達。安曰，弘贊理教，且令允愜。法鼓競鳴，何先何後。（上見《高僧傳》）

格義乃竺法雅創立，以外書比擬內學之法。道安、法汰舊所同用。（見《竺法雅傳》）及至飛龍山時，安公已有新悟，知弘贊理教，附會外書（如《莊》《老》等），則不能允愜。而僧光謂先達不可非議，仍主拘守舊法。二人精神迥然不同。即在同時，竺法深優遊講席或暢《方等》或釋《老》《莊》（《僧傳》語），支道林尤以善《莊子》見賞。比之安公反對格義，志在弘贊真實教理，其不依傍時流，為佛教謀獨立之建樹，則尤與竺支等截然殊途也。

道安南行分張徒眾

安公於冉閔亂後潛遁山澤多年，後復渡河居陸渾。山棲木食修學。《魏志·管寧傳》，胡昭先在常山講學，後遁居陸渾。《水經·伊水篇》註云，尋郭文之故居，訪胡昭之遺像。(郭文，字文舉，見《晉書·隱逸傳》。文奉佛，見《弘明集》，宗炳《難白黑論》。) 則此山原係高人隱居之地。道安偕其徒眾，或居此積年。至晉哀帝興寧三年 (公元 365 年) 慕容恪略河南，晉將陳祐率眾奔陸渾。(《晉書》百十一) 道安當因此率其徒眾南奔。(《僧傳》謂有四百餘人)《世說·賞譽篇》註引車頻《秦書》曰：

> 釋道安為慕容晉 (沈寶研本作俊，按均非是) 所掠，欲投襄陽。行至新野，集眾議曰，今遭凶年，不依國主，則法事難舉。(《高僧傳》多「又教化之體，宜令廣佈」九字。) 乃 (沈本作仍) 分僧眾。使竺法汰詣揚州，曰，「彼多君子，上勝可投。」法汰遂渡江至揚土焉。

《高僧傳·慧遠傳》云：

> 後隨安公，南遊樊沔。偽秦建元九年 (實為建元十四年)，秦將符丕寇斥襄陽，道安為朱序所拘，不能得去。乃分張徒眾，各隨所之。臨路諸長德皆被誨約。遠不蒙一言。遠乃跪曰，「獨無訓勖，懼非人例。」安曰，「如汝者，豈復相憂。」遠於是與弟子數十人，南適荊州，住上明寺。

據此則安法師分張徒眾，前後二次。一在新野，一在襄陽。於危難之際 (《僧傳》敘安南行渡河，值雷雨逢林伯升事，頗怪誕。據習鑿齒與謝安書，謂安法師無變化技術可以惑人。則此等事即確，亦不過偶然之符合，非法師有意眩惑也)，因勢利導，使教化廣佈，用心之深，殊可欽仰。比之遭逢世亂，嘉遁山澤，其在佛教推行上之影響，實不啻天壤。冀州沙門竺道護，隱於飛龍山。《僧傳》云：

　　與安等相遇，乃共言曰，「居靜離俗，每欲匡正大法。豈可獨步山門，使法輪輟軫。宜各隨力所被，以報佛恩。」眾僉曰，「善。」遂各行化，後不知所終。

則安公在河北飛龍山時，早已有分地行化之決心。而共相贊成其弘願，則有同居之道護、僧光、法汰也。茲故於道安使教化廣被之偉跡，綜述之如下。

《高僧傳·僧光傳》云：

　　光乃與安汰等（麗本作汰等。宋元明宮本均作安汰等）南遊晉平（平字疑係土字），講道弘化，後還襄陽，遇疾而卒。

僧光蓋亦與道安、法汰南下至襄陽後，曾在他處行化，後還卒於襄陽。《僧傳》又謂竺道護與光等在飛龍山，後各行化，不知所終。（已見上引）則護或亦同行南下，而亦為安公所分徒眾之一人也。（按與安共在濩澤有竺法濟，而《高僧傳·竺道潛傳》，剡東有竺法濟，作《高逸沙門傳》。如為同一人，則亦南下行化者之一。）

　　安公同學又有竺法朗，京兆人。少遊學長安，蔬食布衣，志耽人外。後居泰山，與隱士張忠（字巨和，《晉書》有傳）遊處。於金輿谷琨瑞山（《僧傳》作崑崙山，此據《水經·濟水注》）設立精舍。聞風而造者百有餘人。前秦苻堅，後秦姚興，燕主慕容德，均加欽敬。後人遂呼金輿谷為朗公谷。後卒於山中，年八十有五。按《僧傳》謂朗公以偽秦皇始元年（公元351年）移卜泰山，是年適值冉閔與石祗相殘。其前一年石鑑死，再前一年石遵死。安公蓋於石遵在位之後離鄴。竺法朗之東趣泰山時，亦相去不遠。又《高僧傳·法和傳》云：

　　後於金輿谷設會，與安公共登山嶺，極目周睇。既而悲曰，「此山高聳，遊望者多，一從此化，竟測何之。」安曰，「法師持心有在，何懼後生。若慧心不萌，斯可悲矣。」

金輿谷之會，在道安、法和居長安之時。(按太元四年冬曇摩侍譯戒本
訖，安公為之作序。太元七年後安譯經極忙。此會應在太元五六年時。)其東下或應
朗公之招請。若然，則法朗雖非相偕南行之一人。但其與安公隨方行
化聲氣相通也。

釋法和，滎陽人。少與安公同學。(法和應係師佛圖澄，應姓竺。但《祐
錄》九晉道慈《中阿含序》亦稱為冀州道人釋法和。實依安公意改姓釋。冀州道人者，和
原遊學河北也。)以恭讓知名。善能標明論總，解悟疑滯。隨安公南行至
新野。安使其入蜀。並曰，山水可以修閒。(見《道安傳》)《僧傳》曰：

> 因石氏之亂，率徒入蜀。巴漢之士，慕德成群。聞襄陽陷
> 沒，自蜀入關，住陽平寺。

法和蓋係聞襄陽陷沒，安公至長安，故亦入關。其後佐安譯經(《僧傳》
本傳)，直至安公歿後，猶東下洛陽，與僧伽提婆修改昔所出經。(《祐
錄》九《中阿含序》)及姚興在關中弘法，法和乃復入關。(《僧傳‧僧伽提婆
傳》)鳩摩羅什曾作頌贈之。(《羅什傳》)後晉王姚緒請居薄坂，年八十卒
於彼處。(見本傳)

綜觀《僧傳》，法和以前，蜀中少聞佛法。東晉時益州名僧，多為
道安徒黨。法和以外，有曇翼、慧持。曇翼，姓姚，羌人，或云冀州
人。年十六出家，事安公為師。隨至襄陽，會長沙太守滕含之(《晉書‧
滕修傳》，子含，但未言其為長沙太守。麗本作騰含，無之字。宋元明本滕含之，《名僧傳
抄》作長沙太守荊洲勝舍，《珠林‧彌陀部》一作滕畯)於江陵捨宅立長沙寺。告安
求一僧為綱領。安謂翼曰：「荊楚士庶，始欲歸宗。(《高僧傳》作師宗，此
據《名僧傳抄》。)成其化者，非爾而誰。」翼遂南下。後遭苻丕寇亂(《高
僧傳》謂係丘賊之亂。按丘沈之亂，在西晉時，傳言實誤。今從《珠林‧伽藍篇》引《宣
律師感應記》所載。參看《曇徽傳》)，江陵闍邑，避難上明(江陵之西，在大江之
南)。翼又於此造東西二寺。(《僧傳》只言造東寺。此據《珠林‧伽藍篇》。)至

唐時稱為中土大寺之一。翼曾西遊蜀部，益州刺史毛璩重之。(《名僧傳抄》敘翼至蜀在居荊州之前。立寺上明之後。《高僧傳》敘翼遊蜀於居襄陽之前。但毛璩實在苻堅淝水戰後為益州刺史。) 時釋慧持 (遠公之弟，安公弟子，以隆安三年入蜀) 亦至蜀。毛璩亦相崇挹，卒於蜀中。《僧傳》謂翼在江陵，感得佛像。有罽賓禪師僧伽難陀識謂為阿育王所造。此罽賓僧人，蓋自蜀至荊州。按晉世，涼州與江南交通，常經益部，故西域僧人頗止蜀中。此亦晉以後，蜀土佛教興盛之原因。然道安徒眾開創之功，亦不可沒也。

　　安公使其徒眾傳教四方之最知名者，為竺法汰。東莞人。少與安同學。與道安避難，行至新野。安分張徒眾。命汰下京。臨別謂安曰：「法師儀軌西北，下座弘教東南。江湖道術，此焉相忘矣。至於高會淨國，當期之歲寒耳。」於是分手泣涕而別。乃與弟子曇壹、曇貳等四十餘人，沿沔 (諸本俱作江，此依元本) 東下。遇疾停陽口 (《水經·沔水注》揚水又北注於沔謂之揚口)。時桓豁鎮荊州 (《僧傳·汰傳》作桓溫。但安公到襄陽時，桓溫已去。《道安傳》亦只言及桓朗子，豁字朗子)，遣使要過，供事湯藥。安公又遣弟子慧遠下荊問疾。後汰使弟子曇壹與道恆辯心無義，遠公亦在座，事見下章。汰後下都，止瓦官寺。晉簡文帝深相敬重。請講《放光經》，開題大會，帝親臨幸。王侯公卿，莫不畢集。流名四遠，士庶成群。汰撰有義疏。並與郗超書，辯本無義。太元十二年，六十八歲，卒於建業。弟子曇壹、曇貳，並博綜經義，又善《老》《易》。弟子竺道壹立幻化義，亦詳下章。晉宋間名僧竺道生，大明涅槃理趣，在佛教史上起一壯闊波瀾。亦為汰公弟子。是則孝武詔書云，汰法師「道播八方，澤流後裔」(上多採《僧傳》)，實非空譽也。然汰公行道江南，固亦道安之所遣也。

　　荊襄佛教之盛，蓋亦始於道安。道安居襄陽，從之者數百。中有竺僧輔、曇翼、法遇、曇徽、慧遠、慧持、慧永等。至晉太元二年 (公

元 377 年），桓豁表朱序為梁州刺史，鎮襄陽。豁旋卒，桓沖繼之。以秦人強盛，奏自江陵徙鎮上明。（《通鑑》）據《名僧傳抄‧法遇傳》云，太元三年（原文作二年，茲依《通鑑》改），秦苻丕（原本作寺苟本，三字均誤）圍襄陽，與曇徽（原作微）、曇翼（翼下江陵，似在苻丕圍襄陽之前，如上文所述）、慧遠（原文作遠惠）等下集江陵長沙寺（原文作等）。據《高僧傳‧慧遠傳》，苻丕寇襄陽，道安為太守朱序所拘（謂留止不聽去也），乃分張徒眾。因是法遇等南下。其曾住長沙寺者，曇翼、法遇、曇戒。其在上明東寺者，竺僧輔、曇徽、慧遠、慧持。（依《珠林‧伽藍篇》所載，上明東寺，本為長沙寺僧避寇而立。）釋慧永先已東下，止於匡廬。慧遠與弟慧持後亦停留廬阜，而遠公尤為晉末僧伽之重鎮。道安法師分張徒眾之流澤廣且久也。（慧遠事待下詳）

鳩摩羅什及其門下
（節選）

　　鳩摩羅什以姚秦弘始三年（公元 401 年）冬至長安，十五年（公元 413 年）四月遷化。十餘年中，敷揚至教，廣出妙典，遂使「法鼓重震於閻浮，梵輪再轉於天北」。（僧肇《什法師誄文》）法筵之盛，今古罕匹。雖云有彌天法師為之先導，慧遠、僧肇等為其羽翼，然亦法師之博大精微，有以致之也。

鳩摩羅什之學歷

　　鳩摩羅什（《祐錄》十四、《高僧傳》，及《晉書·藝術傳》均有傳，於法師之名並作鳩摩羅什。《祐錄》所載諸經序多同。唯有時稱為鳩摩羅耆婆，如《十住經序》。或作拘摩羅耆婆，如《成實論記》。或作究摩羅耆婆，如《大智論記》。或稱鳩摩羅，如《小品經序》。或作究摩羅，如《法華經後序》。或稱鳩什，如《新出首楞嚴經序》。或作耆婆，如《菩提經注序》）法師約於晉康帝之世（公元 343 年或 344 年）生於龜茲。（關於什公年歲，係依《廣弘明集》僧肇《什法師誄文》推算。此下所記，多以《祐錄》之傳為本。按麗本《祐錄》傳云，鳩摩羅什，齊言童壽，此傳原作於南齊之世也。）本天竺人，家世國相。（《大乘大義章》引苻書謂其係出婆羅門種姓。）什祖父達多，偘儻不群，名重於國。父鳩摩羅炎（《晉書》及《大義章》引苻書均作鳩摩羅炎，《祐

錄》《僧傳》作鳩摩炎）聰明有懿節，棄相位出家。（《祐錄》云，將嗣相位，辭避
出家。吉藏《百論疏》云，國破遠投龜茲。）東度蔥嶺，投止龜茲。（《祐錄》云龜茲
王聞其棄榮，甚敬慕之，自出郊迎，請為國師。）王有妹名耆婆，年始二十，才
悟明敏，過目必解，一聞則誦。且體有赤黶，法生智子。諸國娉之，
並不肯行。及見鳩摩羅炎，心欲當之。王乃逼以妻焉。既而懷什。什
在胎時，其母慧解倍常，聞雀梨大寺（《水經注》引道安《西域記》云，龜茲國北
四十里山上有寺名雀離大清寺。《祐錄》十一《比丘尼戒本本末序》[1]言，龜茲北山寺名致隸
藍，六十僧，當即此）名德既多，又有得道之僧，即與王族貴女德行諸尼，
彌日設供，請齋聽法。什母忽自通天竺語。（《僧傳》云，時有羅漢達摩瞿沙
曰，此必懷智子，為說舍利弗在胎之證。按吉藏《無量壽疏》言舍利弗在胎，其母善辯
論。窺基《阿彌陀經通贊疏》上亦云，舍利弗在胎，其母言辭辯捷。）及什生之後，還
忘前語。後什母欲出家，夫未之許，遂更產一男，名弗沙提婆。復因
見枯骨生感，絕食求出家。受戒後，業禪法，學得初果。

　　龜茲之有佛教，不知始於何時。（《阿育王太子壞目因緣經》記阿育王給其
子法益之領土中，即有龜茲在內。）中土凡龜茲僧人，類姓帛（或作白）。《開元
錄》謂曹魏譯經者有白延。（然此實晉涼州之白延，不在魏世，《開元錄》誤。）西
晉武帝時竺法護譯《阿維越致遮經》，其胡本乃於敦煌得自龜茲副使美
子侯。（《祐錄》七）而譯《正法華》時，參校者有帛元信。（《祐錄》八）懷
帝時法護譯《普曜經》，筆受者有帛法巨。（《祐錄》七）而《祐錄》九《漸
備經十住胡名敘》，言有帛法巨，亦是博學道士。（《開元錄》惠帝時有法炬
曾譯經，未悉即帛法巨否。）而白法祖法祚昆季，為一時名僧，原姓萬，河
內人，則顯係受業於龜茲人，而從師改姓者。東晉渡江者，有高座道
人帛尸黎密多羅。涼州有助支施侖譯經之白延。（為龜茲王世子。《開元錄》

---

1 與後文中《比丘尼戒本所出本末序》為同一內容。——編者註

所記魏世白延，即此人之誤。）據此則西晉以來，龜茲有佛教流行，蓋無疑也。

　　龜茲所流行之佛教，多小乘學。（《祐錄‧曇無讖傳》）苻秦時有僧純等，曾遊龜茲。歸來曾述其地佛教情形。《祐錄》十一之《比丘尼戒本所出本末序》猶存其大略。（此序原失作者之名。但審之當是道安親聞僧純所言，而記出者。）其文與原註如下：

　　　　拘夷國寺甚多，修飾至麗。王宮雕鏤，立寺形像，與佛無異。有寺名達慕藍（百七十僧），北山寺名致隸藍（六十僧），劍慕王新藍（五十僧），溫宿王藍（七十僧）。右四寺佛圖舌彌所統。寺僧皆三月一易屋床座，或易藍者。未滿五臘，一宿不得無依止。王新僧伽藍（九十僧），有年少沙門字鳩摩羅什，才大高，明大乘學，與舌彌是師徒而舌彌《阿含》學者也。

據此龜茲之戒法極謹嚴。而小乘《阿含》學者佛圖舌彌，則為當時之大師。《祐錄》十一《關中近出尼壇文記》云：「僧純曇充拘夷國來，從雲慕藍寺，於高德沙門佛圖舌彌許，得此《比丘尼大戒》，及授戒法，受坐以下至劍慕法。」云云。雲慕藍蓋即上述之達慕藍，雲字乃曇字之訛也。（劍慕法即雜法。劍慕即羯摩。而上文中之劍慕王，似同為一字。）致隸藍者，即雀離大寺（《後漢書‧班勇傳》，「焉耆有雀離關」），即鳩摩羅什之母聽法之所。（見上文）《祐錄》《僧傳》，均謂羅什於遊學還龜茲之後，住於新寺，蓋即上文之王新僧伽藍。羅什師佛圖舌彌，原奉小乘。僧純等見彼時，已改信大乘。僧純得《尼戒本》等歸，在建元十五年（公元379年）譯之，時羅什年三十有六矣。

　　《比丘尼戒本所出本末序》，復記龜茲之尼寺云：

　　　　阿麗藍（百八十比丘尼），輪若干藍（五十比丘尼），阿麗跋藍（三十尼道），右三寺比丘尼統。依舌彌受法戒。比丘尼外國法不得獨立

也。此三寺尼，多是蔥嶺以東王侯婦女，為道遠集斯寺。用法自整，大有檢制。亦三月一易房，或易寺。出行非大尼三人不行。多持五百戒，亦無師一宿者，輒彈之。今所出《比丘尼大戒本》，此寺所常用者也。

據此龜茲僧尼戒律謹嚴，尤可想見。按龜茲有溫宿王藍。(溫宿自曹魏至元魏臣屬龜茲。)而蔥嶺東，王侯婦女，常來集諸尼寺。可見此國為西域佛教之一中心。而羅什之母以王妹而出家學道，亦當時之風氣如此也。

據《祐錄》所記，羅什年七歲 (約在晉穆帝永和六年) 亦隨母俱出家。從師 (或即佛圖舌彌) 受經，日誦千偈。(原文云，偈有三十二字，凡三萬二千字。) 誦《毗曇》既過，師授其義，即自通解，無幽不暢。(疑什所首誦之經，即小乘《阿毗曇》。西方教學，或首授《阿毗曇》也。) 時龜茲國人，以其母乃王女，故利養甚多。乃攜什避之。什年九歲，隨母渡辛頭河至罽賓。遇名德法師盤頭達多，即罽賓王之從弟也，淵粹有大量，才明博識，獨步當時，三藏九部，莫不該博，從旦至中手寫千偈，從中至暮亦誦千偈，名播諸國，遠近師之。什至，即崇以師禮。從受雜藏中長二《阿含》凡四百萬言。達多每稱什神俊，遂聲徹於王。王即請入，集外道論師共相攻難。言氣始交，外道輕其年幼，言頗不遜，什乘隙而挫之。外道悔伏。王及僧眾敬之逾恆。(詳原書) 至年十二，其母攜還龜茲。(約在晉穆帝永和十一年)

歸程中什母將什至月氏北山。有一羅漢見而異之。謂其母曰，常當守護此沙彌。若至年三十五不破戒者，當大興佛法，度無數人，與漚波掬多無異。(《僧傳》作優波毱多。據《祐錄》三所記，優波掘為釋迦後之第五代師，改治律藏為《十誦律》。玄奘《西域記》卷四記鄔波毱多每度一夫婦置一籌，積籌滿石室。卷八記其勸阿育王建塔事。) 什進到沙勒國，曾頂戴佛缽。(《僧傳》謂智猛曾在奇沙見佛缽，《佛國記》謂弗樓沙國有佛缽，而什所頂戴者在沙勒國。) 遂停沙勒一年。其冬誦《阿毗曇》(此指一切有部根本論之《發智論》)，於《十門》《修

論挫一有名道士，聲譽揚溢。(事詳《僧傳》)龜茲王躬往溫宿迎之歸國。廣說諸經，四遠學宗莫之能抗。時王女為尼，字阿竭耶末帝，博覽群經，特深禪要，云已證二果。(此當即指羅什之母，因母係王女，而前言出家業禪並已證初果也。)聞法喜踊，乃更設大集，請開《方等》經奧。什為推辯諸法皆空無我，分別陰界假名非實。聽者莫不悲感追悼，恨悟之晚也。至年二十受戒於王宮。(約為晉哀帝興寧元年)從卑摩羅叉學《十誦律》。(《祐錄》未載什在溫宿及受戒事，此從《僧傳》。)有頃，什母辭往天竺，謂龜茲王白純[1]曰：「汝國尋衰，吾其去矣。」行至天竺，進登三果。什母臨去謂什曰：「《方等》深教，應大闡真丹。傳之東土，唯汝之力。但於自身無利，其可如何。」什曰：「大士之道，利彼忘軀。若必使大化流傳，能洗悟矇俗。雖復身當爐鑊，苦而無恨。」於是留住龜茲，止於新寺。(上見《僧傳》)

　　《祐錄》言羅什於龜茲帛純王新寺得《放光經》讀之。後於雀離大寺讀大乘經。二次均有魔擾。(《僧傳》則只敘其讀《放光》為魔所擾)停住二年(《祐錄》似係指在雀離住二年，《僧傳》似係指新寺)，廣誦大乘經論，洞其秘奧。按羅什停沙勒年約十三。至溫宿或年十四。其後當不久即返龜茲。及後呂光破龜茲，則什年已四十一。則自其返國後停住者，約二十六年。此中何時住於帛純所造之新寺，何時住於雀離大寺，已不可考。唯依龜茲僧人規律，三月易一寺言之(已見上文)，則什公住寺，或常變更也。

　　《僧傳》言羅什因其師盤陀達多未悟大乘，欲往化之。俄而達多因遙聞什之聲名，及龜茲王之弘法，自遠而至。(《祐錄》則謂什自往罽賓化其師)什得師至，欣遂本懷，即為師說《德女問經》(《祐錄》四失譯闕本錄中著

----

1 白純即帛純。——編者註

錄一卷），多明因緣空假。（《祐錄》只言為師説一乘妙義，未言經名。）昔與師俱所不信，故先説也。師謂什曰：「汝於大乘，見何異相，而欲尚之。」什曰：「大乘深淨，明有法皆空。小乘偏局，多滯名相。」師曰：「汝説一切皆空，甚可畏也。安捨有法，而愛空乎。如昔狂人，令績師績綿，極令細好。績師加意，細若微塵。狂人猶恨其粗，績師大怒，乃指空示曰，此是細縷。狂人曰，何以不見。師曰，此縷極細，我工之良匠，猶且不見，況他人耶。狂人大喜，以付績師。師亦效焉，皆蒙上賞，而實無物。汝之空法，亦由此也。」什乃連類而陳之，往復苦至。終一月餘日，方乃信服。師歎曰：「師不能達，反啟其志(乃《瑞應本起經》敘太子七歲學書時語)，驗於今矣。」於是禮什為師。言「和尚是我大乘師，我是和尚小乘師」矣。西域諸國，咸伏什神儁。每至講説，諸王皆長跪座側，令什踐而登焉。其見重如此。什由是「道流西域，名被東國」(《僧傳》語)。

當苻秦建元十五年 (公元 379 年) 有僧純曇充等自龜玆還，述此國佛教之盛。並言及「王新僧伽藍」「有年少沙門字鳩摩羅，才大高，明大乘學」。其所述載於《祐錄》十一《比丘尼戒本所出本末序》中。此序當出道安手筆。是時安公恰到長安 (查《戒本》於十一月譯出，道安赴長安，則在二月苻丕克襄陽之後)，而即聞羅什之聲。《名僧傳·道安傳》，謂安先聞羅什在西國，每勸苻堅取之。而《慧遠傳》載其致什公書有曰：「仁者曩絕殊域，越自外境，於時音譯未交，聞風而悦。」又什公在涼州，僧肇不遠而至。及到長安，四方學者雲集。《僧傳》謂其「道流西域，名被東國」，蓋非虛語也。

羅什至涼州

苻堅在關中，以晉昇平元年 (公元 357 年) 僭稱大秦天王，改元永

興。其時羅什約十餘歲。其後二十二年（公元 379 年），而僧純至長安，述及羅什之聲名。但《祐錄》云：

> 符氏建元十三年，歲次丁丑正月，太史奏有星見外國分野，當有大德智人，入輔中國。堅素聞什名，乃悟曰，朕聞西域有鳩摩羅什（《僧傳》多「襄陽有沙門道安」七字。道安係於此後二年乃至長安），將非此耶。（《僧傳》下多「即遣使求之」五字。）

據此則在僧純東歸之前二年，符堅已素聞什名。其事恐未確也。是時符氏已平山東，士馬強盛，遂有圖西域之志。（語見《晉書》百二十二）約在建元十四年（公元 378 年），梁熙已遣使西域，稱揚堅之盛德，於是朝獻者多國。（《通鑑》一〇四及《十六國春秋輯補》三十五）符堅屢勝而驕，欲垂芳千載。（堅答符融語，見《晉書》百十四。）而西域來人亦頗有勸其出兵者。《僧傳》曰：

> 時符堅僭號關中，有外國前部王及龜茲王弟（或即帛震），並來朝堅。堅於正殿引見。二王因說堅云，「西域多產珍奇」，乃請兵往定，以求內附。

《僧傳》又曰：

> 至十七年二月，鄯善王前部王等又說堅請兵西伐。（《晉書·載記》車師前部王彌寘，鄯善王休密馱來朝，請西伐，在建元十八年，不在十七年。又據《祐錄》道安《般若抄序》，二王朝堅事，亦似在十八年。《僧傳》實誤。）十八年（《祐錄》作十九年，誤）九月，堅遣驍騎將軍呂光，陵江將軍姜飛等將前部王及車師王等，率兵七萬，西伐龜茲及烏耆諸國。臨發，堅餞光於建章宮。謂光曰，「夫帝王應天而治，以子愛蒼生為本。豈貪其地而伐之，正以懷道之人故也。（若依此則堅出兵之動機，專為迎什，恐不確。《祐錄》本無此諸語。）朕聞西國有鳩摩羅什，深解法相，善閒陰陽，為後學之宗。朕甚思之。賢哲

者，國之大寶。若克龜茲，即馳驛送什。」光軍未到，什謂龜茲王白純曰，「國運衰矣，當有勍敵。日下人從東方來，宜恭承之，勿抗其鋒。」純不從而戰。光遂破龜茲，殺純。立純弟震為主。

按僧肇《什法師誄》云：「大秦姚苻二天王，師旅以迎之。」(《廣弘明集》) 可見苻氏出師，本亦在求什。但堅好大喜功，欲如漢帝之開通西域置都護。(詳《晉書》) 又得車師前部王等之誘勸，因以興師。則其動機固非專為迎什也。《僧傳》繼曰：

> 光既獲什，未測其智量，見年齒尚少，乃凡人戲之。強妻以龜茲王女。什拒而不受，辭甚苦到。光曰，「道士之操，不逾先父，何所固辭。」乃飲以醇酒，同閉密室。什被逼既至，遂虧其節。或令騎牛及乘惡馬，欲使墮落。什常懷忍辱，曾無異色。光慚愧而止。

按呂光於晉太元九年 (公元384年) 破龜茲。苻堅於明年被殺。若光果依堅命馳驛送什，則什公於苻秦時已到長安。觀光對什公之逼辱，光固非敬奉佛徒者。什公於涼州未能弘道，其故在此也。

什公通陰陽術數，其隨呂光父子至涼州，所言無不驗。(一) 呂光回師置軍山下，什言不可，必致狼狽。至夜大雨，死者數千。(二) 預言光歸當於中路得福地以居。後光果在涼州，僭號。(改元太安，在晉太元十一年。) (三) 太安元年 (太元十一年。元亦作二。) 正月，姑臧大風，什曰，不祥之風，當有奸叛，然不勞而自定也。俄而梁謙、彭晃相繼而反，尋皆殄滅。(晃於是年十二月叛。梁謙事失考。) (四) 什預言呂纂討段業必敗。後纂果敗於合梨。(在呂光飛龍二年，晉隆安元年五月。) 俄而又敗於郭黁。(《僧傳》作䂮，誤。事在同年八月。) (五) 中書監張資病。外國道人羅叉云能差資疾。什作法證其治必無效。後資果死。(六) 及呂纂即位之二

年 (隆安四年 [1])，什公因妖異屢見，而言必有下人謀上之事。後呂超果殺
纂而立呂隆。(隆安五年)

　　按什公於晉太元十年 (公元 385 年) 隨呂光至涼州。同年而姚萇即
皇帝位於長安。其後九年而姚興即位，改元皇初。又七年為姚興之弘
治 [2] 三年 (隆安五年，公元 401 年)，而呂隆為涼主。什公在涼前後已十七年
(《百論疏》作十八年)。《高僧傳》曰：

　　　　什停涼積年，呂光父子既不弘道，故蘊其深解 (《祐錄》作經
　　法)，無所宣化。苻堅已亡，竟不相見。及姚萇僭有關中，聞其
　　高名，虛心要請。諸呂以什智計多解，恐為姚謀，不許束入。
　　(《祐錄》所載與此異，但不可據。) 及萇卒，子興襲位。復遣敦請。興
　　弘治三年三月，有樹連理生於廟庭，逍遙園蔥變為茝，以為美
　　瑞。謂智人應入。至五月，興遣隴西公碩德西伐呂隆。隆軍大
　　破。至九月，隆上表歸降。方得迎什入關。以其年十二月二十
　　日至於長安。(《祐錄》僧叡《大品經序》《關中出禪經序》《大智釋論序》及《大
　　智論記》所記年月日均同。)

羅什在長安

　　什公於姚興弘治三年 (公元 401 年) 至長安，於十五年癸丑 (公元 413
年) 四月十三日薨於大寺，時年七十。(此據僧肇誄文) 長安西晉已有竺法
護譯經。而帛法祖講習，弟子幾且千人。可見其時長安佛法已甚盛。
及至苻堅建都關中，因釋道安趙文業之努力，長安譯經遂稱重鎮。而

1　公元 400 年。──編者註
2　「弘治」應為「弘始」，下同。──編者註

當時名僧法和 (安公同學)、慧常 (涼州沙門至遊西域)、竺佛念 (據《名僧傳》曾遊外域，且為譯家)、僧䂮、僧導、僧叡咸集西京。而僧䂮、僧叡至什公時大著功績。安公時曇景 (即曇影) 助譯《鼻奈耶》，僧導為《四阿含暮抄》筆受者，後均為羅什門下名僧。(什公曾作頌贈法和，見《僧傳》。) 故知羅什時法會之盛，實大得力於安公。而且姚子略之奉佛，更甚於符永固。其朝廷之信法者有姚旻 (延曇摩難提譯《王子法益壞目因緣經》，見《祐錄》七竺佛念序文)、姚嵩、姚顯、姚泓 (太子)。義學沙門群集長安。外國沙門之來者亦有多人。僧肇至歎言謂遇茲盛化，「自不睹祇洹之集，余復何恨」。慧叡《喻疑論》亦曰：

> 義不遠宗，言不乖實，起之於亡師 (指道安)。及至符併龜茲，三王來朝。持法之宗，亦併與經俱集。究摩羅法師至自龜茲。持律三藏集自罽賓。禪師徒眾，尋亦並集。關中洋洋十數年中，當是大法後興之盛也。

什至長安，姚興待以國師之禮，甚見優寵。晤言相對，則淹留終日。研微造盡，則窮年忘倦。(此引《僧傳》)《晉書·載記》敘姚子略敬禮什公事，曰：

> 興如逍遙園，引諸沙門於澄玄堂，聽鳩摩羅什演說佛經。羅什通辯夏言，尋覽舊經，多有乖謬，不與胡本相應。興與羅什及沙門僧略 (與䂮字通)、僧遷、道樹 (標字之誤，即道標)、僧叡、道坦 (恆之誤)、僧肇、曇順等八百餘人更出《大品》。(據僧叡《大品序》言譯時沙門五百餘人。《僧傳》亦言八百餘人。三處所記僧名各有不同。) 羅什持胡本，與執舊經，以相考校。其新文異舊者，皆會於理義。續出諸經並諸論三百餘卷。今之新經，皆羅什所譯。興既託意於佛道。公卿已下，莫不欽附沙門。自遠而至者五千餘人。起浮圖於永貴里，立波若台於中宮。沙門坐禪者恆有千數，州郡

化之，事佛者十室而九矣。

姚興能講論經籍（《晉書‧載記》）。於佛法亦通摩訶衍（大乘）阿毗曇（小乘）義。（《僧傳》謂興託意九經，遊心十二。）曾以其所懷，疏條摩訶衍諸義，欲與什公詳定。其最知名者，為《通三世論》。破斥阿毗曇之說，而謂三世一統，循環為用，過去雖滅，其理常在。什公答書亦頗許之。姚氏所疏諸條，又有曰：

> 眾生之所以不階道者，有著故也。是以聖人之教，恆以去著為事。故言以不住般若。雖復大聖玄鑑，應照無際，亦不可著。著亦成患。欲使行人忘彼我，遣所寄，泛若不繫之舟，無所倚薄，則當於理矣。

其言雖無甚深致。但頗襲當時玄學家之窠臼（興稱佛教為玄法），此亦可見當時之風氣也。（以上所引均見《廣弘明集》姚興與姚嵩往來書中，參看《僧傳‧什傳》。）

盧山慧遠聞什入關，即遣書通好（書見《遠傳》），並贈以衣裁法物。什公答書，勉勵備至，並遺偈一章。後有法識道人自關中至匡阜，遠聞什公欲返本國，乃復作書，報偈一章。（均見《遠傳》）並條具經中難問數十事，請其解釋。又晉王謐（字稚遠）亦以二十四事咨問，什亦有答。今並多零落，所存者無幾。（下詳）

通佛法有二難，一名相辨析難，二微義證解難。中華佛教，進至什公之時，一方經譯既繁，佛理之名相條目，各經所詮不一，取捨會通，難知所據。遠公問什數十事，大概屬於此類。故什公答書，亦只往往取經論所言，互為解譬。故佛法之深義大旨，不能由之而顯。又一方魏晉以來，佛玄合流，中國學人，僅就其所見以臆解佛義。或所見本不真切，所解自無是處。或雖確有所悟，然學問之事，失之毫釐，謬之千里。此則什公欲大乘之微言大義，為華人證知，自又甚

難。什論西方偈體有曰:「改梵為秦,失其藻蔚。雖得大意,殊隔文體。有似嚼飯與人,非徒失味,乃令嘔噦也。」由此可知傳譯梵典,文字上之領會已甚難。而什《贈法和頌》有曰:「心山育明德,流薰萬由延。哀鸞孤桐上,清音徹九天。」哀鸞孤桐什公亦以自況,蓋玄旨幽賾,契悟者尤少也。《僧傳·慧遠傳》謂,什公欲返本國,恐亦因門人雖五千,而解人實少,故知難而退歟。《僧傳》又曰:

> 什雅好大乘,志存敷廣。常歎曰:「吾若著筆作大乘阿毗曇,非迦旃延子比也。今在秦地,深識者寡,折翮於此,將何所論。」乃淒然而止。唯為姚興著《實相論》二卷,並注《維摩》,出言成章,無所刪改。辭喻婉約,莫非玄奧。什為人神情鑑徹,傲岸出群,應機領會,鮮有其匹。且篤性仁厚,泛愛為心,虛己善誘,終日無倦。姚主常謂什曰:「大師聰明超悟,天下莫二。若一旦後世,何可使法種無嗣。」遂以伎女十人,逼令受之。自爾已來,不住僧坊。別立廨舍,供給豐盈。每至講說,常先自說,譬如臭泥中生蓮花,但採蓮花,勿取臭泥也。
>
> (《晉書·羅什傳》謂什生二子。吉藏《百論疏》謂長安猶有其孫。《北山錄》三曰,魏孝文詔求什後,既得而祿之。《魏書·釋老志》載孝文太和二十一年詔於羅什故寺〔名常住〕建浮圖,並訪其子胤。)

什譯《大品經》時,僧叡敘稱有五百餘人。譯《法華》時,慧觀謂集四方義學沙門二千餘人,僧叡謂聽受領悟之僧八百餘人,皆諸方英秀一時之傑。譯《思益經》時,僧叡謂咨悟之僧二千餘人。譯《維摩經》時,僧叡謂有千二百人。《祐錄》云,於時四方義學沙門,不遠萬里。名德秀拔者,才暢二公 (二公不知何人) 乃至道恆、僧摽 (即道標)、慧叡、僧敦 (未詳)、僧弼、僧肇等三千餘僧,稟訪精研,務窮幽旨。《魏書·釋老志》云,時沙門道彤 (未詳)、僧略 (與叡通)、道恆、道禠 (即道標)、僧肇、

曇影等與羅什共相提挈，發明幽致。計現在所知義學沙門之在長安者，不過數十人。（甲）其原在關中者為法和（安公同學，並助其校經。滎陽人，原自蜀至長安）、僧叡（魏郡長樂人，道安弟子，並曾助譯）、曇影（助安譯《鼻奈耶》，什譯《成實論》之正寫者，北人）、僧䂮（見《大品經序》。安公時參與譯《增一》。原住長安大寺）、慧精（即曇戒，見《僧傳》五。原為安公之弟子，與安同住長安太后寺，見《名僧傳抄》）、法欽、慧斌（上四人姚興命為僧官。均長安僧人）、道恆（藍田人，如為執心無義者，則見什之前，曾在荊州）、道標（恆之同學，姚興曾勸二人還俗，見《僧傳》及《弘明集》所載姚與二人書）、僧導（京兆人，《四阿含暮抄》筆受者）、僧苞（長安人）、僧肇（京兆人）、曇邕（安弟子，原在長安，後事遠公，常為送書致羅什）、佛念（助佛陀耶舍譯《長阿含》者，序稱為涼州沙門，豈即安公時之竺佛念耶）、道含（助譯《長阿含》者，序稱秦國道士，或原在關中）。（乙）原從北方來者為道融（汲郡林慮人）、慧嚴（豫州人，與覺賢入關）、曇鑑（冀州人，後住荊州）、曇無成（家在黃龍）、曇順（黃龍人，有弟子僧馥，醴泉人，作《菩提經注序》，今存。順從什後，復師慧遠）、僧業（河內人）、慧詢（趙郡人）。（丙）原從廬山來者，有道生（法汰弟子，彭城人，曾在建業，後至廬山，乃往關中）、慧叡（冀州人，原為道安弟子，曾西行求法。歸後至廬山。後與道生同往見什）、慧觀（遠弟子，廬山僧）、慧安（廬山凌雲寺寺僧）、道溫（安定朝那人，廬山慧遠弟子）、曇翼（遠弟子。後師什公，晚在會稽）、道敬（《廣弘明集》若耶《敬法師誄》，謂其自廬入關）。（丁）原從江左來者，有僧弼（吳人）、曇幹（《傳》言與弼同學，或亦南人）。（戊）不知所從來者則有慧恭（下六人均見《大品經序》）、寶度、道恢、道悰、僧遷、道流（姚興命二人為僧官。或原在長安。又《僧傳·道祖傳》謂有僧遷、道流，同入廬山受戒，遠公嘉美之）、僧嵩（《成實論》家，為什弟子，見《魏書·釋老志》）、僧楷（《僧叡傳》謂為同學，或亦什弟子）、僧衛（據《祐錄·十住經含注序》）、道憑（什公弟子，八俊之一，常稱為關內憑，或亦關中人）、僧因（與僧導同師什公，或原在長安）、曇晷（《成實》筆受者）等。（此外有《祐錄》所言之才暢二公，及僧敦，《釋老志》之道彤，亦不悉其出處。）

什公於弘始十五年(公元413年)卒。其與眾僧告別有曰:「因法相
遇,殊未盡伊心,方復異世,惻愴可言。」(詳《祐錄》《僧傳》)後外國沙
門來云,羅什所諳,十不出一。是則什公理解幽微,已有深識者寡之
歎。而其學問廣博,亦因年歲短促,而未能盡傳於世也。

什公之譯經

《高僧傳》云,什在長安譯經三百餘卷,《祐錄》卷二著錄三十五
部,二百九十四卷。(《名僧傳抄》作三十八部,二百九十四卷。《祐錄》十四,則
作三百餘卷。)似什公之功績,全在翻譯。但古今譯書,風氣頗有不同。
今日識外洋文字,未悉西人哲理,即可譯哲人名著。而深通西哲之學
者,則不從事譯書。然古昔中國譯經之巨子,必須先即為佛學之大
師。如羅什之於《般若》《三論》,真諦之於《唯識》,玄奘之於性相二
宗,不空之於密教,均既深通其義,乃行傳譯。而考之史冊,譯人明
了於其所譯之理,則亦自非只此四師也。若依今日之風氣以詳論古代
譯經之大師,必不能得歷史之真相也。

蓋古人之譯經也,譯出其文,即隨講其義。所謂譯場之助手,均
實聽受義理之弟子。羅什翻經,亦復講釋(並授禪與戒律)。慧觀《法華宗
要序》曰:

> 有外國法師鳩摩羅什,……更出斯經,與眾詳究,什自手
> 執胡經,口譯秦言,曲從方言,而趣不乖本,即文之益,亦已
> 過半。雖復霄雲披翳,陽景俱暉,未足喻也。什猶謂語現而理
> 沈,事近而旨遠,又釋言表之隱,以應探賾之求。

僧叡《法華經後序》曰:

> 遇究摩羅法師為之傳寫,指其大歸。

是什常講《法華》也。《思益經序》曰：

　　既得更譯梵音，正文言於竹帛。又蒙披釋玄旨，曉大歸於
　　句下。

是什亦曾釋《思益》也。僧肇《維摩經注序》曰：

　　余以暗短，時預聽次。雖思乏參玄，然粗得文意。輒順所
　　聞，而為註解。略記成言，述而無作。

此經肇註現存，中當多什公之口義，則其譯《維摩》時，亦講之也。僧
馥《菩提經注》曰：

　　耆婆法師入室之秘說也。親承者寡，故罕行世。家師順（當
　　即曇順）得之於始會，余雖不敏，謬聞於第五十。

羅什是常秘說《菩提經》也。而什公對於《大品》，三譯五校（梁武帝語，
參看下列年表），且平日宗旨特重《般若》《三論》，其於譯此諸經論時，
必大弘其義也。

　　長安之譯經，始於法護，盛於道安。安公死後，姚興皇初之末，
弘始之初（公元 399 年），法和、僧䂮、僧叡、佛念已在長安共僧伽跋
澄譯《出曜經》。後二年而什公至，其譯經藉道安之舊規及助手（如法
和、僧䂮等），必得力不少。道安卒後十六年而鳩摩羅什至長安（公元 401
年）。在道安以前，譯經恆為私人事業。及佛教勢力擴張後，帝王奉
佛，譯經遂多為官府主辦。什公譯經由姚興主持，並於譯《大品》新
經時，姚天王且親自校讎。長安譯事，於十數年間，稱為極盛。《高
僧傳》論之曰：

　　其後鳩摩羅什碩學鉤深，神鑑奧遠。歷遊中土，備悉方
　　言。……時有生，融，影，叡，嚴，觀，恆，肇，皆領悟言
　　前，辭潤珠玉。執筆承旨，任在伊人。故長安所譯，郁為稱
　　首。是時姚興竊號，跨有皇畿，崇愛三寶，城塹遺法。使夫慕

道來儀，遐邇煙萃。三藏法門，有緣必睹。自像運東遷，在茲為盛。

什公相從之助手，學問文章，均極優勝。而且於教理之契會，譯籍之了解，尤非常人所可企及。

慧叡隨什傳寫，什為之論西方辭體。（詳《僧傳》）後謝靈運從之咨問，而著《十四音訓敘》，條例胡（亦作梵）漢，昭然可了。使文字有據。

道融為姚興所歎重，敕入逍遙園，參正詳譯。什譯《中論》，始得兩卷。融便就講，剖析文言，預貫終始。什又命講新《法華》，什自聽之。乃歎曰，佛法之興，融其人也。俄而師子國來一婆羅門，與秦僧挍辯，融大勝之。（事詳《僧傳》）

曇影助什出《成實論》，凡諍論問答，皆次第往反。影恨其支離，乃結為五番，竟以呈什。什曰，大善，深得吾意。

僧叡參正什所翻經論。昔竺法護出《正法華經受決品》云，「天見人，人見天。」什譯經至此，乃曰，「此語與西域義同，而在言過質。」叡曰，「將非人天交接，兩得相見。」什喜曰，「實然。」後出《成實論》，什謂叡曰，「此諍論中有七處文破《毗曇》，而在言小隱，若能不問而解，可謂英才。」至叡啟發幽微，果不咨什。（叡隨道安。得見罽賓有部來華諸僧，自對於毗曇，本已用功。）

僧肇因出《大品》後（403—405）便著《般若無知論》（時年約二十三歲），什讀之稱善。肇又著《物不遷論》等。

慧觀著《法華宗要序》，以簡什，什曰，善男子所論甚快。（上均見《高僧傳》）

僧叡《思益經序》曰，此經天竺正音，名《毗絁沙真諦》（Visesa-cinta），是他方梵天殊特妙意菩薩之號也。詳聽什公傳譯其名，翻覆展轉，意似未盡，良由未備秦言，名實之變故也。察其語意，會其名

旨，當是持意，非思益也。直以未喻持義，遂用益耳。（《祐錄》）

據此當時助譯者之領悟常為什師所稱道，宜其所譯，非唯如《法華》《維摩》等，為文字佳製，而理解精微，亦具特長也。

什公年將六十，猶躬自傳譯，直至死時，罕有輟工。茲就所知，列為年表如下：

晉安帝隆安五年，即後秦弘始三年（公元 401 年），羅什年五十八歲，十二月二十日，自涼州至長安。先是僧肇已至涼從什，今亦隨來，年僅十九歲。考隨什公者，此年法和約七十歲，僧䂮約六十歲，道恆約五十六歲（道標或相同），曇影約五十歲，僧叡亦逾五十歲（《大品經序》），慧嚴、慧叡均約四十歲，僧導約三十七歲，僧業約三十五歲，慧觀約三十歲，慧詢約二十七歲，僧弼、曇無成約二十歲。其餘不知年歲者頗多。但或以法和為最老，僧肇為最少也。

僧叡即以十二月二十六日從受禪法，尋什公並為抄集《眾家禪要》得三卷。（《房錄》謂弘始四年譯之《坐禪三昧經》當即此也。）其後並出《十二因緣》及《要解》，均禪法也。（詳見僧叡《關中出禪經序》）

晉安帝元興元年，即弘始四年（公元 402 年），二月八日，譯《阿彌陀經》一卷（《房錄》）。三月五日譯《賢劫經》七卷（《房錄》）。夏在逍遙園之西門閣，開始譯《大智度論》。（《祐錄》二謂在逍遙園譯。卷十《後記》謂在逍遙園西門閣中。）十二月一日，在逍遙園譯《思益梵天所問經》四卷（《房錄》），僧叡、道恆傳寫（《經序》），叡作序。是年曾譯《百論》，叡為作序。但其時什公方言猶未融（《百論疏》卷一），故僧肇《百論序》謂什「先雖親譯，而方言未融，致令思尋者躊躇於謬文，標位者乖迕于歸致」。

晉安帝元興二年，即弘始五年（公元 403 年），四月二十三日，在逍遙園始譯《大品般若》。「法師手執胡本，口宣秦言。兩釋異音，交

辯文旨。秦王躬攬舊經，驗其得失。咨其通途，坦其宗致。與諸宿舊義業沙門釋慧恭、僧䂮、僧遷、寶度、慧精、法欽、道流、僧叡、道恢、道標、道恆、道悰等五百餘人，詳其義旨，審其文中，然後書之。以其年十二月十五日出盡。校正檢括，明年四月二十三日乃訖。（《經序》）

晉安帝元興三年，即弘始六年（公元404年），四月，檢校《大品經》訖。十月十七日在中寺為弗若多羅度語，譯《十誦律》，「三分獲二」，而多羅卒。是年姚嵩請什更譯《百論》二卷。肇公作序，較之二年前所譯及叡師之序，此次「文義既正，作序亦好」（《百論疏》卷一）。

晉安帝義熙元年，即弘始七年（公元405年），六月十二日，譯《佛藏經》四卷（《房錄》）。十月譯《雜譬喻經》一卷（《房錄》）。十二月二十七日譯《大智度論》訖，成百卷。僧叡有序。先是什譯《大品經》時，隨出《釋論》，隨即校經，《釋論》今既譯訖，《大品經》文乃正。（《大品序》，及《大智度論序》。）

是年又譯《菩薩藏經》三卷（《房錄》），《稱揚諸佛功德經》三卷（《房錄》）。是年秋曇摩流支至長安，因遠公姚興之請，與什共續譯《十誦律》，前後成五十八卷。後卑摩羅叉開為六十一卷。

晉安帝義熙二年，即弘始八年（公元406年），夏，在大寺譯《法華經》八卷。是年並在大寺出《維摩經》，肇叡均有疏有序。又譯《華手經》十卷（《開元錄》）。是年卑摩羅叉至長安，實羅什之師也。

晉安帝義熙三年，即弘始九年（公元407年），閏月五日，重訂《禪法要》。（詳《關中出禪經序》中）是年姚顯請譯《自在王菩薩經》為二卷，有僧叡序。曇摩耶舍（號大毗婆沙）共曇摩掘多至關中，在石羊寺寫出《舍利弗阿毗曇》原文，直至弘始十六年（公元414年）經師漸閒晉言，乃自宣譯，次年乃訖，為二十二卷，道標作序。

　　晉安帝義熙四年，即弘始十年（公元 408 年），二月六日至四月三十日，出《小品般若經》十卷，僧叡為作序。

　　晉安帝義熙五年，即弘始十一年（公元 409 年），在大寺譯《中論》四卷。僧叡、曇影均有序。又在大寺譯《十二門論》一卷，僧叡為作序。

　　晉安帝義熙六年，即弘始十二年（公元 410 年），先是佛陀耶舍於什公到長安後即入關，共譯《十住經》四卷，不知在何年。本歲耶舍在中寺始出《四分律》。（此據僧肇《長阿含序》。但藏經中現存《四分律序》，亦僧肇作，乃謂律譯於弘始十年，不知何故。今因《祐錄》未收《四分律序》，頗疑此序不可信。《開元錄》於此有所解釋，但不可通。）耶舍乃什之師，稱為赤髭毗婆沙，或大毗婆沙（《僧傳》），又曰三藏沙門（《長阿序》）。

　　約在本年支法領賫西域所得新經至。什公在大寺譯之（唯不知為何經）。佛陀跋多羅在宮寺授禪，門徒數百。是年八月肇公致書劉遺民，稱長安佛法之盛。（文見下引）

　　晉安帝義熙七年，即弘始十三年（公元 411 年），九月八日，姚顯請譯《成實論》曇晷筆受，曇影正寫。（《祐錄·略成實論記》）

　　晉安帝義熙八年，即弘始十四年（公元 412 年），九月十五日，譯《成實論》竣，共十六卷。是年佛陀耶舍譯《四分律》訖，共六十卷。

　　晉安帝義熙九年，即弘始十五年（公元 413 年），歲在癸丑，什於四月十三日薨於大寺，時年七十。本年佛陀耶舍譯《長阿含經》，涼州沙門佛念為譯，秦國道士道含筆受，肇公作序。

　　凡不知翻譯年月，而為重要之典籍，則列其目於下（其《梵網》《仁王》二經，均有可疑，故未列入）：

　　《金剛般若經》一卷

　　《首楞嚴經》三卷

　　《遺教經》一卷

《十住毗婆沙論》十四卷

《大莊嚴經論》十五卷

據上年表所列，自弘始三年至七年，什多住在逍遙園。八年以後，則在大寺。逍遙園在城北（僧叡《大品經序》）渭水之濱（《大智釋論序》）。畢校宋敏求《長安志》曰，姚興常於此園引諸沙門聽羅什演講佛經。「起逍遙宮，殿庭左右有樓閣高百丈，相去四十尺，以麻繩大一圍，兩頭各縶經樓上，會日令二人各樓內出，從繩上行過，以為佛神相遇。」此事不悉確否。但左右樓閣之一，或即西門閣。（看《智度論記》）什公譯經之所也。《志》又謂園中有澄玄堂，為什演經所。又《晉書·載記》，謂姚興起浮圖於永貴里，立波若台於中宮。據該志則波若台即在永貴里。（其文曰，永貴里有波若台。姚興集沙門五千餘人，有大道者五十人，起造浮圖於永貴里，立波若台。居中作須彌山，四面有崇岩峻壁，珍禽異獸，林草精奇，仙人佛像俱有，人所未聞，皆以為希奇。）大寺者，中構一堂，緣以草苫，故又名草堂。及至北周之初，此寺已分為四寺：(1) 仍本名，為草堂寺。(2) 常住寺。(3) 京兆王寺，後改安定國寺。(4) 大乘寺。（詳見《長房錄》及《內典錄》）什公時，長安又有中寺，乃耶舍出《四分》之所。有石羊寺，前秦僧伽跋澄在此譯《僧伽羅剎經》及《毗婆沙》，而今為寫《舍利弗》胡本之所。肇公《致劉遺民書》中又有宮寺，此應即逍遙園。覺賢居此時，什公已移居大寺矣。

佛陀跋多羅與羅什

《隋書·經籍志》稱什公在長安時，西國僧人來者數十輩。據今所知，苻秦時長安外人已甚多。姚秦時當更有增加。（《僧傳》謂什公有外國弟子在側，又《道融傳》言，有師子國婆羅門外道至長安。）按僧肇有《致劉遺民書》

（載《肇論》中），述長安佛法之情形曰：

> 　領公（慧遠弟子支法領）遠舉，千載之津梁也。於西域還，得
> 《方等》新經二百餘部。請大乘禪師一人，三藏法師一人，毗婆
> 沙師二人。（《僧傳》《祐錄》均缺請字下十九字。）什法師於大寺（亦作大石
> 寺此依《祐錄》）出新至諸經，法藏淵曠，日有異聞。禪師於宮寺（即
> 逍遙園。現行本《肇論》作瓦官寺，當誤。慧達疏作官寺，亦誤。今據麗本《祐錄》
> 改正）教習禪道，門徒數百，夙夜匪懈，邕邕肅肅，致自欣樂。
> 三藏法師於中寺出律部，本末精悉，若睹初制。毗婆沙法師於
> 石羊寺出《舍利弗阿毗曇》胡本，雖未及譯，時問中事，發言新
> 奇。（《高僧傳·肇傳》，《出三藏記集》三均引之，而文略異。）

此中所謂禪師者，當係佛陀跋多羅。三藏法師者，乃佛陀耶舍。
〔按《祐錄·長含阿經序》曰，「以弘始十二年歲在上章掩茂（庚戌）請三藏沙門佛陀耶舍
出《律藏四分》四十卷，十四年訖。」（現存《四分律序》所記不同，但此序《祐錄》不載，
未可為據。）《祐錄》三亦云《四分律》乃三藏法師佛陀耶舍所出。（《祐錄》二亦稱耶舍為
三藏法師。）秦司隸校尉姚爽請其於中寺安居，三藏法師譯律藏者，乃譯四分也。（《肇
論疏》多有謂為《十誦》者。但《祐錄》三《十誦》係在逍遙園出，當非是。）〕毗婆沙法
師二人者，乃曇摩耶舍及曇摩崛多二師也。〔據道標《舍利弗阿毗曇序》，二人
於弘始九年寫梵文，十六年始譯之。肇公此書疑作於弘始十二年，而支法領即於此年前
返抵長安。（《四分律序》謂領於弘始十年返，不知可據否。）至所謂禪師一人，三藏法師
一人，毗婆沙師二人，或法領在西域得見而請之來，然未必同行至華也。（《僧傳》未載領
請外國法師事，僅《四分律序》，稱領與佛陀耶舍同東來。）〕而同時尚有弗若多羅
（助羅什譯《十誦律》，未竣而卒）、曇摩流支（助什續譯《十誦》）、卑摩羅叉（羅什
之師，晚住壽春，大弘《十誦》，江南人宗之），均集長安，則於中國律藏至有關
係也。

　佛陀跋多羅（《祐錄》作佛大跋陀），此云覺賢，生於天竺那呵梨城。

（《僧傳》並云，本姓釋氏，迦維羅衛人，甘露飯王之苗裔也；但《祐錄》無此語。）以
禪律馳名（慧達《肇論疏》無律字）。遊學罽賓，受業於大禪師佛陀斯那。
秦沙門智嚴西行（《達疏》多一慧叡），苦請東歸。於是逾越沙險至關中。
（此據《智嚴傳》。《僧傳·覺賢傳》稱其東來度蔥嶺，路經六國，疑即《西域記》卷十所
謂東南大海隅之六國，至交趾乘海舶達青州，再行入關，殊不可信。）得見羅什，止
於宮寺。（《僧傳·智嚴傳》謂住大寺。《玄高傳》作石羊寺。《祐錄》十二《師資傳》作
齊公寺。）教授禪法，門徒數百。名僧智嚴寶雲（據《僧傳》）、慧叡（據《達
疏》）、慧觀（據《僧傳》）從之進業。乃因弟子中頗有澆偽之徒，致起流
言，大被謗黷。秦國舊僧僧䂮、道恆謂其違律，擯之使去。賢乃與弟
子慧觀等四十餘南下到廬山，依慧遠。（事詳《僧傳》。）計賢約於秦弘始
十二年（公元 410 年）至長安，當不久即被擯。停廬山歲許，慧遠為致書
姚主及秦眾僧，解其擯事。晉義熙八年（公元 412 年）乃與慧觀至江陵，
得見劉裕。（《通鑑》裕是年十一月到江陵。）其後（公元 415 年）復下都，譯事甚
盛。（後詳）

　　覺賢與關中眾僧之衝突，慧遠謂其「過由門人」。（據《賢傳》）實則
其原因在於與羅什宗派上之不相合。《僧傳》云，什與賢共論法相，振
發玄微，多所悟益。賢謂什曰：「君所釋不出人意，而致高名何耶。」
什曰：「吾年老故爾，何必能稱美談。」覺賢對於羅什之學，可知非
所伏膺。蓋賢學於罽賓，其學屬於沙婆多部。（《祐錄》十二《師資傳》）羅
什雖亦遊學罽賓，精一切有學，但其學問則在居沙勒以後，已棄小就
大。（沙婆多部即小乘一切有。）據當時所傳，佛教分為五部。不唯各有戒
律。（參看《祐錄》三）且各述贊禪經。（語見《祐錄》慧遠《廬山出禪經序》）羅什
於戒律雖奉《十誦》（沙婆多部），但於禪法則似與覺賢異趣。什公以弘始
辛丑（公元 401 年）十二月二十日至關中，僧叡即於二十六日從受禪法。
什尋抄究摩羅羅陀（簡稱羅陀）、馬鳴、婆須密、僧伽羅叉、漚波崛、僧

伽斯那、勒比丘（疑係脅比丘）等家禪法譯為《禪要》三卷。（據《祐錄》當即《坐禪三昧經》，一名《菩薩禪法經》，現存，但係二卷。）後又依《持世經》益《十二因緣》（各錄均言闕，但恐即現存《坐禪三昧經》之末一經）及《要解》二卷。（《禪法要解》，現存。）至弘始九年（公元407年）復詳校《禪要》（據《祐錄》，此當即現存之《禪秘要法》），因多有所正，而更詳備，當與第一次所譯極不同。（以上據《祐錄》，僧叡《關中出禪經序》。）什公之於禪法，可謂多所盡力。《晉書·載記》云什公時沙門坐禪者恆有千數。《續僧傳·習禪篇》論曰，「曇影道融屬精於淮北」，則什之門下坐禪者必不少。但約在弘始十二年（公元410年），覺賢至關中，大授禪法，門徒數百。當什公弘三論鼎盛之時，「唯賢守靜，不與眾同」（語出《僧傳》）。而其所傳之禪法，與什公所出，並相徑庭。於是學者乃恍然五部禪法，固亦「淺深殊風，支流各別」。（《祐錄》慧觀《修行不淨觀經序》中語。按此序乃現存經第九品以下之序。）而覺賢之禪，乃西域沙婆多部，佛陀斯那大師所傳之正宗。其傳授歷史，認為灼然可信。〔慧觀序詳敘傳授歷史，而舊有覺賢師資相承傳。（《祐錄》十二）蓋禪法重傳授家法，不獨戒律為然也。〕覺賢弟子慧觀等，必對於什公先出禪法，不甚信任。慧遠為覺賢作所譯《禪經序》（此序稱為統序，乃現存經全書之序。慧觀序，則為其後半部之序），謂覺賢為禪訓之宗，出於達摩多羅與佛大先（即佛陀斯那）。羅什乃宣述馬鳴之業，而「其道未融」。則於什公所出，直加以指摘。按什公譯《首楞嚴經》，又自稱為《菩薩禪》。（見《僧傳·僧叡傳》及所譯禪經）而覺賢之禪則屬小乘一切有部，其學不同，其黨徒間意見自易發生也。

　　覺賢所譯《達摩多羅禪經》，一名《修行道地》，梵音為「庾伽遮羅浮迷」，此即謂《瑜伽師地》。按大乘有宗，上承小乘之一切有部。則有宗之禪，上接有部之法，固極自然。覺賢所處之時，已當有部分崩之後，其學當為已經接近大宗之沙婆多也。《僧傳》云：

　　秦太子泓欲聞賢說法，乃要命群僧，集論東宮。羅什與賢
數番往復。什問曰，「法云何空。」答曰，「眾微成色，色無自
性，故唯色常空。」又問，「既以極微破色空，復云何破一微。」
答曰，「群師或破析一微，我意謂不爾。」又問，「微是常耶。」
答曰，「以一微故眾微空，以眾微故一微空。」時寶雲譯出此
語，不解其意。道俗咸謂賢之所計微塵是常。餘日長安學僧復
請更釋。賢曰，「夫法不自生，緣會故生。緣一微故有眾微。微
無自性，則為空矣。寧可言不破一微，常而不空乎。」此是問答
之大意也。

　　據此賢之談空，必與什公之意不同。而其主有極微，以致引起誤
會，謂微塵是常。而什言大乘空義說無極微（見下文），則似賢之學不言
畢竟空寂，如什師也。又按賢譯《華嚴經》，為其譯經之最大功績。而
《華嚴》固亦大乘有宗也。總之覺賢之被擯，必非僅過在門人，而其與
羅什學問不同，以致雙方徒眾不和，則為根本之原因也。

什公之著作

　　什譯經既多，殊少著述。其有統系之作，為《實相論》，今已佚
失。並曾註《維摩經》《金剛經》，當亦可見其學說之大要，然前者不
全，後者早佚。又什公有與慧遠及王稚遠（王謐）問答文多篇。後人集什
遠問答中之十八章為三卷，即今存之鳩摩羅什《大乘大義章》。（陳慧達
《肇論疏》、隋吉藏《中論疏》，均曾引此書什公之文。）近人邱檗先生希明為之校
勘，易名為《遠什大乘要義問答》。至若其餘問答，已早不存。茲表列
什之撰述如下：

　　《實相論》二卷

《注維摩經》（存現有之肇註，及關中疏內，但恐不全。）

上見《高僧傳》中。

《問如法性實際》（《義章》第十三章）《問實法有》（《義章》第十四章）

《問分破空》（《義章》第十五）《問法身》（《義章》第一。慧達《肇論疏》曾引此章。）

《重問法身》（《義章》第二）《問真法身像類》（《義章》第三）

《問真法身壽》（《義章》第四）《問法身感應》（《義章》第七）

《問修三十二相》（《義章》第五）《問法身佛盡本習》（《義章》第八）

《問念佛三昧》（《義章》第十一）《問遍學》（《義章》第十七）

《重問遍學》（《義章》第十七）《問羅漢受決》（《義章》第十）

《問住壽》（《義章》第十八）《問後識追憶前識》（《義章》第十六）

以上均載《祐錄》陸澄《法論目錄》[1]中。均慧遠問，羅什答。並存《大乘大義章》中。

《問四相》（《義章》第十二）

此亦見陸澄《目錄》，雖僅言慧遠問，而不言什答。然尋之在《大義章》中。又吉藏《中論疏》引之，稱出什公手。

《問答受決》（《義章》第六）《問答造色法》（《義章》第九）

上二不見於陸澄《目錄》，而為現《大義章》所有者。均遠、什問答。

《問法身非色》

上項見《陸澄錄》，而為《大義章》所不載者，亦為遠、什問答。

《問涅槃有神不》《問滅度權實》

《問清淨國》《問佛成道時何用》

---

1 後文中《目錄》《陸澄錄》《法論目》均指本書。——編者註

《問般若法》《問般若稱》

《問般若知》《問般若是實相智非》

《問般若薩婆若問同異》《問無生法忍般若同異》

《問禮事般若》《問佛慧》

《問權智同異》《問菩薩發意成佛》

《問法身》《問得三乘》

《問三歸》《問辟支佛》

《問七佛》《問不見彌勒不見千佛》

《問佛法不老》《問精神心意識》

《問十數論》《問神識》

上二十四項，《祐錄》《法論目》均著錄，悉王稚遠問，什答者。

《問三乘一乘》（什答，不知何人問）

《略解三十七品次第》

上二項亦羅什所作，見《祐錄》所載之《法論目》者。

《問實相》（王稚遠問，外國法師答）

《問遍學》（外國法師答。不註問者姓名）

上二項，亦見《祐錄》，或亦羅什作答。

《答姚興通三世論書》

此見《廣弘明集》。又《弘明集》中載什與僧䂮等上表，議敕道恆、道標還俗事。又《高僧傳》中載什文，如上呂纂疏等，凡數篇，及與慧叡論西方辭體，則於教理無關也。

《金剛經注》

見《廣弘明集》所載之唐李儼《金剛般若經集注序》。但佛家目錄未著錄。

《老子注》二卷。（兩唐志）

《耆婆脈訣》十二卷，釋羅什註。(見《日本見在書目》[1]醫方類中)

上二書不見他處。疑為偽作。《脈訣》之耆婆，乃印度醫王，非鳩摩羅耆婆。謂為羅什所註，乃因名致誤也。

羅什之學

什公之學因其著述殘佚，甚難測知。世因其作《實相論》，而稱其學為「實相宗」。(見元康《肇論疏》)但此論早佚。至若《大乘義章》，則按慧遠所問，多解釋名相，疏釋經文之作，無由窺見什公思想之深弘。唯就現有材料，什公為學之宗旨，可以窺見者有四事。

一曰，什公確最重《般若》三論(或四論)之學也。什公所闡弘，於經有《法華》，於律有《十誦》，於論有《成實》，於修持有《菩薩禪》，四者均發生多少之影響。而《成實論》之勢力，在南朝且凌駕《般若》三論而上之。但什公學宗《般若》，特尊龍樹(四論之三均為龍樹所造)。其弟子之秀傑，未有不研大乘論者。曇影註《中論》，道融疏《大品》《維摩》，道生註《小品》及《維摩》，僧導作《三論義疏》。僧叡《中論序》曰：

> 《百論》治外以閑邪，斯文(《中論》)袪內以流滯，《大智釋論》之淵博，《十二門觀》之精詣。尋斯四者，真若日月入懷，無不朗然鑑徹矣。予玩之味之，不能釋手。

至若什公重《大智度論》，則有明文見於僧叡之序：

> 有鳩摩羅耆婆法師者，……常仗斯論為淵鏡，憑高致以明宗。

---

1 即《日本國見在書目錄》，由日本平安時期學者藤原佐世編撰。該書是日本現存最早的敕編漢籍目錄，是一部學術價值很高的文獻。——編者註

其重《百論》，則僧肇序中言之。

> 有天竺沙門鳩摩羅什，……常味斯論，以為心要。

而於《中論》則僧叡序云：

> 天竺諸國敢預學者之流，無不玩味斯論，以為喉衿。

由此言之，後世稱什公學派為三論者，固甚有見而云然也。

二曰，什公深斥小乘一切有之說也。什公早習有部經論，後棄而就大乘，必卓有所見。《高僧傳》謂其曾言《成實論》有七處破《毗曇》，疑其正因此論斥破有部而為入大乘之過渡作品，故譯出之。《大義章》中其駁有部義，亦曾數見。如曰：

> 但阿毗曇法，摩訶衍法，所明各異。如迦旃延《阿毗曇》說，幻化夢響，鏡像水月，是可見法，亦可識知，三界所繫，陰界入所攝。大乘法中，幻化水月，但誑心眼，無有定法。

又曰：

> 言有為法四相者，是迦旃延弟子意，非佛所說。

又曰：

> 佛法中都無微塵之名，但言色若粗若細，皆悉無常，乃至不說有極微極細者。……為破外道及佛弟子邪論，故說微塵，無決定相，但有假名。

此所謂佛弟子邪論，自亦指沙婆多師說也。又有曰：

> 是故當知言色等為實有，孔等為因緣有，小乘論意，非甚深論法。

此所謂小乘，亦指有部也。

三曰，至什公而無我義始大明也。自漢以來，精靈起滅，因報相尋，為佛法之根本義。魏晉之世，義學僧人，談《般若》者，亦莫不多言色空。支愍度立心無義，則群情大詫。而佛法之所謂無我者，則譯

為非身。支遁詩曰：「願得無身道，高棲沖默靖。」此用《老子》外其身之說也。（支氏《土山會詩序》有曰悟外身之貞。）郄超《奉法要》曰：「神無常宅，遷化靡停，謂之非身。」此仍神存形滅之說也。及至羅什，而無我之說乃大明。僧叡《維摩序》曰：

> 自慧風東扇，法言流詠以來，雖曰講肆，格義迂而乖本，六家偏而不即。性空之宗，以今驗之，最得其實。然爐冶之功，微恨不盡。當是無法可尋，非尋之不得也。何以知之，此土先出諸經，於識神性空，明言處少。存神之文，其處甚多。《中》《百》二論，文未及此，又無通鑑，誰與正之。先匠（指道安）所以輟章遐慨，思決言於彌勒者，良在此也。

據此什公來華，譯《中》《百》二論，有破神之文。於識神性空之義，大為闡明。前此則雖道安於此曾有所疑，然無由決定也。

試考羅什以前，其所謂神者，或不出二義。一神者實為沉於生死之我。一為神明住壽。如牟子《理惑論》曰：「有道雖死，神歸福堂，為惡既死，神當其殃。」又如《四十二章經》曰：「佛言，阿羅漢者，能飛行變化，住壽命，動天地。」康僧會《安般守意經序》有「制天地，住壽命」之語。道安《陰持入經注》亦言「住壽成道」。又據《大乘大義章》所載，廬山慧遠曾以書咨什公，問菩薩可住壽一劫有餘。什公答曰：「若言住壽一劫有餘者，無有此說，傳之者妄。」又曰：「《摩訶衍經》曰，若欲壽恆河沙劫者，此是假言，竟不說人名。」自《般若》之學大昌以來，中土學人，漸了然於五陰之本無，漸了然於慧叡所言之識神性空。住壽之說，與法身之理相牴牾，故慧遠問什公書中已疑其為「傳譯失旨」。夫「法身實相，無來無去，同於泥洹，無為無作」。（上二語見《大義章》卷上）則輪轉生死，益算住壽之神，謂為佛法之根本義，實誤解也。《祐錄》陸澄《法論目錄》載王稚遠問什公「泥洹有神否」。今雖

其文已佚，不知什公何答。然可斷言其必謂泥洹有神之説，為「傳之者妄」也。

四曰，羅什之學，主畢竟空也。什公以前之《般若》，多偏於虛無。羅什說空，簡料前人空無之談。故什言曰：

> 法身義以明法相義者，無有無等戲論，寂滅相故。（《義章》第七）

又曰：

> 有無非中，於實為邊也。言有而不有，言無而不無。（《注維摩經》卷二）

又曰：

> 摩訶衍法，雖說色等至微塵中空，心心數法至心中空，亦不墜滅中。所以者何，但為破顛倒邪見，故說不是諸法實相也。（《義章》第十五）

遣有謂之空，故諸法非有非無是空義。什曰：

> 本言空以遣有，非有去而存空。若有去而存空，非空之謂也。（《維摩注》卷三）

畢竟空者掃一切相。既遣於有，又復空空。既非有非無，亦無生無滅。小乘觀法生滅為無常義，大乘以不生不滅為無常義。依小乘生滅無常，則云「念念不住，則以有繫住」。唯「今此一念，若令繫住，則後亦應住。若今住後住，則始終無變。始終無變，據事則不然。以住時不住，所以之滅。住即不住，乃真無住也。本以住為有，今無住則無有，無有則畢竟空。」畢竟空，即大乘無常之妙旨也。（見《維摩》註）

三論之學，掃一切相，斷言語道。而掃相離言者，非言萬有之為頑空絕虛（絕對空虛），乃言真體之不可以言象得也（故般若無所得）。言象者，周遍計度，宰割區劃，於真體上起種種分別，而失如如之性。（萬物如其所如，然其所然，初非名言強分，彼此之所可得也。）諸法不生不滅，而人

乃計常計斷，諸法非有非無，而有無之論紛起。夫有無生滅者，人情所有之定名，而非真如之實際。（什公為明此義於《大義章》及《維摩注》中屢言「物無定相」。）蓋凡人感於萬有，必須取相，必須於無相之本體起種種相，俾心有所攀緣，而名言分別以起。因執著言象之分別，遂於所謂外境者，計度區劃而有極微實有之說，於所謂內心者，計度區劃而有靈魂住壽之說。所謂極微靈魂也者，均執著言象之所得，而視為實物。（宇宙本體並非空無。然執人心所取之相以之為實物，則直蹈空。）於是在實相以外，別立自性（如極微自我等是）。其所謂宇宙本體，乃離實在而獨存。（猶言本體以外又有現象。）則直如執著鏡中花水中月也。

　　由上所言，物無彼此，「無定相」執著言象所得之定相，則必至就言象所得，執有實物，於實在以外別立實體。（如西哲休謨所斥之 Substance 學說。）大乘佛法之所以談空者，端在於明「物無定相，則其性虛」也（《維摩注》一）。無定相者，即謂無相。性虛者，即謂無自性。〔自性如自我極微等，休謨所謂哲學家之虛妄（Fictions）均是也。〕人情執著名象，於無相上著相，於無自性上立另有實物，而反失實在之真相。（《維摩注》六什公曰：「法無定相，相由惑生，即謂法無自性，緣感而起。」即謂二字要緊。蓋於法上執有定相，乃持法有自性之張本也。）然則宇宙之實相，本無相可得。宇宙之本體，亦非超然物外。非超然物外，故窮物之源，更無所出，因曰「無本」（《維摩注》六）。非有相可得，故能所雙忘，是非齊泯。非超然物外，故非可如執實有鏡花水月，反以無為有。（若如此執，則反落空，所謂惡取空。）無相可得，故曰：「一切法畢竟空寂，同泥洹相，非有非無，無生無滅，斷言語道，滅諸心行。」（《義章》十二）然則一切法無相絕言者，非謂萬物之外別有一獨立秘密之自體也。

　　什公著作多佚，口義罕傳。（玄奘弟子章疏存者較多。故奘師之著作雖亦不存，但口義頗多見於唐人章疏中。）但即就其贈慧遠偈一章言之，亦已理趣幽

邃，境界極高，頗可見其造詣之深。黃岡熊十力先生曾為偈作略釋。茲錄於下：

既已捨染樂，心得善攝不。

染樂謂貪欲等。攝謂心不外馳。不讀否，發問詞，下准知。言既已捨離貪欲等染法，令不現起，此心遂得善自凝攝，不復向外馳求散亂否耶。蓋貪欲等習氣潛存，雖暫被折伏，若止觀力稍一鬆懈，則猶有乘機竊發之虞。止觀者，此心恆時凝歛而不散亂名止，恆時簡擇一切法而不迷謬，名觀。即止即觀，乃就一心之相用而分別言之耳。

若得不馳散，深入實相不。

如止觀工夫綿密無間，常能折伏貪欲等，令不現行，即此心已得不馳散，可謂已入實相否耶。入者證入實相，猶云本體，亦謂真如，克就吾人而言，即本心是也。雖止觀力深而心不馳散。然染習根株，猶復未盡，但加行無間（加工而行，名曰加行），即未離能所取相（凡位未得證智，則心起必有所取相。以有所取故必有能取相。能所相依而有故），如何可說證實相耶。故發問以疑之，使其自知功修尚淺，如遠行方備資糧，而距此欲至之地，尚迢遙不可期也。

畢竟空相中，其心無所樂。

畢竟空者，一切所取相皆空，故能取相亦空，能所取相皆空，故空相亦空。都無一切相，故冥然離繫，寂滅現前（滅者滅諸雜染。寂者寂靜不取於相），是名畢竟空相。至此則心無所樂，方是真樂。若有所樂者，即未能泯一切相，未得離繫，故非真樂也。此正顯示涅槃心體（涅槃即實相之異名）。若功修尚淺，如何便得臻此。前問深入實相否，正欲其因疑而求進至此也。

若悦禪智慧，是法性無照。虛誑等無實，亦非停心處。

悦禪即有所樂，猶有所取相，故智慧未泯能取相也。性者體義，法性猶云諸法本體，即斥指本心而目之也。無照者，非如木石頑然無有照用，以即體之照，雖復朗然遍照，而無照相可得，故云無照。若有照之心，便是虛妄分別相，故云虛誑等無實也。若認此虛妄分別之心以為本心，即是認賊作子，乃自害也。故云亦非停心處。停猶止也，言心不可止於虛誑無實之域也。此中申明畢竟空相，而歸極於照，而無照則智慧相亦不可得。若有智慧相可得，則必非智慧也，直是虛誑無實之妄識而已。其開示心要如此真切。肇公《般若無知論》，與此可相印證。

仁者所得法，幸願示其要。

此示謙懷，以求遠公之自反也。詳玩什師此偈，蓋以資糧加行二位之間，而擬遠公之所詣。其視遠公亦可謂甚高，而所以誘而進之者復至厚。余嘗謂什師非經師一流，蓋實有以自得者。惜其自悲折翮而無造述。此偈僅存，至可寶貴。若引教詳釋，則不勝其繁，又初學困於名相，益難索解，故為粗略釋之云爾。

鳩摩羅什之弟子

什公之弟子，無慮千百，其中秀傑知名者亦頗不少。後人稱生、肇、融、叡（當是僧叡）為四聖。（此說不知始於何時。宋智圓《涅槃機要》載之。）但《高僧傳》記時人評語，或曰，通情則生融上首。精難則觀肇第一。則無僧叡。或曰，生、叡（此為慧叡）發天真（聰悟發於天性）。嚴觀窈流得（窈深也，深思流連，始可繼足也）。慧義慅懏進（努力方得前也）。寇淵（道淵姓寇）於嘿塞（《僧傳》謂淵潛光隱德，世莫之知）。則並缺僧肇、道融、僧叡。（按此

或僅就江南僧言之，故缺此三。）梁時慧皎於論譯經，始特舉八人，所謂生、融、影、叡（僧叡）、嚴、觀、恆、肇也。而《大義章》卷首，言什門八子，則為融、倫（不詳）影、肇、淵、生、成（曇無成）、叡也。及至隋唐，乃有八俊十哲之目。八俊者，生、肇、融、叡、憑（當即《僧傳·僧遠傳》之道憑）、影、嚴、觀。（敦煌本體請《釋肇序》。參看吉藏《中論疏》一。）但或有翯而無憑（參看《北山錄》四），或有道恆而無憑（見於《肇論新疏遊刃》。此乃依《僧傳》譯經論）。十哲者則於八俊之外，加道恆、道標也。（《北山錄》四）

此中僧肇為三論之祖，道生為涅槃之聖，僧導、僧嵩為《成實》師宗之始。均當於後另詳之。其餘諸人，則僅擇要敘其事跡之大略於下：

僧叡，魏郡長樂人。依僧賢出家。曾聽僧朗講《放光經》（或即泰山僧朗）。師事道安，助之譯經。後什公入關，參入譯經，稱為英才。卒時年六十七（當在長安）。

道融，汲郡林慮人。十二出家，先學外書。年迄三十，才解英絕。內外經書，暗遊心府。什公入關，故往咨稟，什甚奇之。後還彭城，講說相續。門徒甚多。卒於彭城，年七十四。著有《法華》《大品》《金光明》《十地》《維摩》等義疏。

曇影，或云北人。曾助道安譯《鼻奈耶》。能講《正法華經》，及《光贊般若》。每講聽者千數。姚興大加禮接。及什至長安，影往從之，助之譯經。著《法華義疏》四卷，並註《中論》。後山棲隱處（《魏書·殷紹傳》謂有曇影居陽翟九崖岩，當是一人。曇影業禪，故晚年居山中），卒年七十。

僧翯，北地泥陽人。初師弘覺大師。覺為姚萇講《法華》，翯為都講。通六經及三藏。姚萇、姚興早重之。及羅什入關，敕為僧主（即僧統）。後曾遊樊鄧（《僧傳·曇諦傳》）。以弘始之末卒於長安大寺，春秋七十三。

道恆，藍田人。年二十，始出家。學該內外，多所通達。什公入關，即往造修，並助譯事。姚興嘗勸恆與其同學道標還俗，共理國政。恆、標不從。恆乃遁居山中。義熙十三年卒於山舍。

慧叡，冀州人。遊學天竺，洞悉方言。或亦曾師道安。（《喻疑論》所稱之亡師，指安公。）後憩廬山。俄與道生、慧嚴入關，從什於長安。後還建業，止烏衣寺。（《祐錄》十五《道生傳》稱為始興慧叡，當是寺名。）宋彭城王義康師之，謝靈運與友善。於《泥洹經》譯出之後，曾作《喻疑論》（《祐錄》五），以釋世之非難佛性義者。宋元嘉中卒，年八十五。

慧嚴，豫州人。年十二，為諸生，博曉詩書。十六出家，又精練佛理。入關見什，後返建業，止東安寺。為宋高祖文帝所重。後與慧觀、謝靈運改治《涅槃》大本。宋元嘉二十年 (公元 443 年)，卒，年八十一。

慧觀，清河人。少以博覽馳名，習《法華經》。（《祐錄·法華宗要序》）曾適廬山，師事慧遠。聞什入關，特往從之。後與覺賢南止廬山，約在晉義熙八年，共賢至江陵。（《本傳》謂在什亡後，誤。八年劉裕討劉毅至江陵，時觀或已見裕，見《覺賢傳》。）停滯至十一年，劉裕討司馬休之，觀與之相見。（此據《本傳》）觀並在此地，為卑摩羅叉記所講《十誦律》。（見《叉傳》）後還京師，止道場寺。觀通禪律，善佛理。註《法華經》，探究《老》《莊》，並擅文辭，時流慕之。元嘉中卒，年七十一。

按晉代以玄學《般若》之合流，為學術界之大宗。南方固為士大夫清談之淵藪，而北方玄理固未絕響。什公有名之弟子，來自各方。均兼善內外，博通詩書。且在什公入關以前，多年歲已大，學有成就。吾人雖不知其所習為外學何書，然僧叡、僧融，早講《般若》。慧叡、慧觀，來自匡山。匡山大師慧遠，並重《老》《莊》。而羅什以前之《般若》，更富玄學氣味。則吾人即謂什公門下，多尚玄談。固無不可。而

慧觀探究《老》《莊》，史有明文。僧肇年最幼，然其在見什以前，已讀《老》《莊》。(均見《僧傳》)則其同學中人之學風，可以推知矣。

又按什公以前，釋道安駐錫關中，道安原亦玄學中人。但其時恰值罽賓一切有部僧人僧伽提婆等東來，道安助之傳譯。有部謂一切諸法，皆有自性。與《般若》談自性空寂者異其趣。後提婆南下，《毗曇》小乘學亦暫在南方流行。其時南北佛學，必稍轉變。但不久而什至，使性空宗義又重光大。慧叡《喻疑論》有云：

三十六國，小乘人也。此蠭(疑是學字誤)流於秦地，慧導之徒，遂不復信《大品》。既蒙什公入關，開託真照，《般若》之明，復得輝光。

慧導之徒，疑即受罽賓學僧之影響，而不信《大品》。及什公至長安，破斥《毗曇》，復弘《般若》。而其門下集四方之英俊，吸收國內之玄學者。夫玄學重在得意忘象，自與有部之甚重名數分析者大相徑庭。故羅什弟子對於有部之學，與王輔嗣對於漢易，其態度當甚相同。僧叡曰，喪我在乎落筌。(《十二門論序》語)道生亦曰，忘筌取魚，始可言道。(見《僧傳》)而曇影《中論序》，亦斥廢魚守筌，存指忘月。並辨名數之用曰：

夫萬化非無宗，而宗之者無相。虛宗非無契，而契之者無心。故至人以無心之妙慧，而契彼無相之虛宗。內外並冥，緣智俱寂。豈容名數於其間哉，但以悕玄之質，趣必有由。非名無以領數，非數無以擬宗。故遂設名而召之，立數而辯之。然則名數之生，生於累著。(原作者)可以造極，而非其極。苟曰非極，復何常之有耶。是故如來始逮真覺，應物接粗，啟之以有。後為大乘，乃說空法。化適當時，所悟不二。

此中如來所說之有，應指沙婆多部。夫《般若》非無名數之分析，

然分析即是掃蕩。則名數固僅筌蹄也。筌蹄之説,本於玄學。(南朝士大夫清談,嘗執筌蹄。則筌蹄在器物上,亦為談玄者之象徵。)《般若》家,與談玄者,其方法態度,實係一致。故什公弟子,宗奉空理,而仍未離於中國當時之風尚也。

第三章

馮友蘭、聞一多講道家與道教

老子

馮友蘭

　　孔子之時，據《論語》所載，有「隱者」之徒，對於孔子之行為，常有譏評。孟子之時，有楊朱之徒，持「全生保真」之學說。此即後來道家者流之前驅也。後來道家者流，分為老莊二派。道家之有老莊，猶儒家之有孟荀也。（《老子》一書出在孟子後，辯論甚多，茲不詳舉。）

　　古代所謂天，乃主宰之天。孔子因之，墨子提倡之。至孟子則所謂天，有時已為義理之天。所謂義理之天，常含有道德的唯心的意義，特非主持道德律之有人格的上帝耳。《老子》則直謂「天地不仁」，不但取消天之道德的意義，且取消其唯心的意義。古時所謂道，均謂人道；至《老子》乃予道以形上學的意義。以為天地萬物之生，必有其所以生之總原理，此原理名之曰道。故《韓非子‧解老》云：「道者萬物之所以成也。」《老子》云：「有物混成，先天地生。寂兮寥兮，獨立而不改，周行而不殆，可以為天下母。吾不知其名，字之曰道，強為之名曰大。」（《老子》二十五章）道之作用，並非有意志的。只是自然如此。故曰：「人法地，地法天，天法道，道法自然。」（二十五章）道即萬物所以如此之總原理，道之作用，亦即萬物之作用。但萬物所以能成萬物，亦即由於道。故曰：「道常無為而無不為。」（三十七章）道為天地

萬物所以然之總原理，德為一物所以然之原理，即《韓非子》所謂「萬物各異理」之理也。《老子》曰：「孔德之容，惟道是從。」（二十一章）又曰：「道生之，德畜之，物形之，勢成之。是以萬物莫不尊道而貴德。道之尊，德之貴，夫莫之命而常自然。」（五十一章）《管子‧心術上》云：「德者道之捨，物得以生，生得以職道之精。故德者，得也，其謂所得以然也。以無為之謂道，捨之之謂德。故道之與德無間，故言之者無別也。」此解說道與德之關係，其言甚精。由此而言，則德即物之所得於道而以成其物者。《老子》所云「道生之，德畜之」，其意中道與德之關係，似亦如此，特未能以極清楚確定的話說出耳。「物形之，勢成之」者，呂吉甫[1]云：「及其為物，則特形之而已……已有形矣，則裸者不得不裸，鱗介羽毛者，不得不鱗介羽毛，以至於幼壯老死，不得不幼壯老死，皆其勢之必然也。」形之者，即物之具體化也。物固勢之所成，即道德之作用，亦是自然的。故曰：「道之尊，德之貴，夫莫之命而常自然。」

《老子》以為宇宙間事物之變化，於其中可發現通則。凡通則皆可謂之為「常」。常有普遍永久之義。故道曰常道。所謂：「道可道，非常道。」（一章）自常道內出之德，名曰常德。所謂：「常德不忒，復歸於無極。……常德乃足，復歸於樸。」（二十八章）至於人事中可發現之通則，則如：「取天下常以無事。」（四十八章）「民之從事，常於近成而敗之。」（六十四章）「天道無親，常與善人。」（七十九章）凡此皆為通則，永久如此。吾人貴能知通則；能知通則為「明」。《老子》中數言「知常曰明」，可知明之可貴。「知常」即依之而行，則謂之「襲明」（二十七章）。

---

1 呂吉甫，即呂惠卿（1032—1111），字吉甫，官至北宋參知政事。——編者註

馬夷初[1]先生云:「襲,習古通。」(見《老子覈詁》) 或謂為「習常」(五十二章)。若吾人不知宇宙間事物變化之通則,而任意作為,則必有不利之結果。所謂:「不知常,妄作,凶。」(十六章)

事物變化之一最大通則,即一事物若發達至於極點,則必一變而為其反面。此即所謂「反」,所謂「復」。《老子》云:「反者道之動。」(四十章) 又云:「大曰逝,逝曰遠,遠曰反。」(二十五章) 又云:「萬物並作,吾以觀復。」唯「反」為道之動,故「禍兮福之所倚,福兮禍之所伏」。「正復為奇,善復為妖。」(五十八章) 唯其如此,故「曲則全,枉則直,窪則盈,敝則新,少則得,多則惑」(二十二章)。唯其如此,故「飄風不終朝,驟雨不終日」。唯其如此,故「以道佐人主者,不以兵強天下,其事好還」。唯其如此,故「天之道其猶張弓歟,高者抑之,下者舉之。有餘者損之,不足者補之」(七十七章)。唯其如此,故「天下之至柔,馳騁天下之至堅」(四十三章)。「天下莫柔弱於水,而攻堅,強者莫之能勝」(七十八章)。唯其如此,故「物或損之而益,或益之而損」(四十二章)。凡此皆事物變化自然之通則,《老子》特發現而敘述之,並非故為奇論異說。而一般人視之,則以為非常可怪之論。故曰:「正言若反。」(七十八章) 故曰:「玄德深矣遠矣,與物反矣,乃至於大順。」(六十五章) 故「下士聞道大笑之,不笑不足以為道」(四十一章)。

事物變化既有上述之通則,則「知常曰明」之人,處世接物,必有一定之方法。大要吾人若欲如何,必先居於此如何之反面。南轅正所以取道北轍。故「將欲歙之,必固張之;將欲弱之,必固強之;將欲廢

1　馬夷初,即馬敘倫,字夷初,於文字學、訓詁學、老莊哲學等領域皆有建樹,曾任北京大學教授。中國民主促進會的主要創始人之一,中華人民共和國教育部第一任部長。曾提議《義勇軍進行曲》為國歌。——編者註

之，必固興之；將欲奪之，必固與之」(三十六章)。此非《老子》之尚陰謀，《老子》不過敘述其所發現耳。反之，則將欲張之，必固歙之；將欲強之，必固弱之。故「聖人後其身而身先；外其身而身存。非以其無私耶，故能成其私」(七章)。此「知常曰明」之人所以自處之道也。

　　一事物發展至極點，必變為其反面。其能維持其發展而不致變為其反面者，則其中必先包含其反面之分子，使其發展永不能至極點也。故「大成若缺，其用不弊；大盈若沖，其用不窮；大直若屈，大巧若拙，大辯若訥」(四十五章)。「知常曰明」之人，知事物真相之如此，故「知其雄，守其雌，為天下谿。……知其白，守其黑，為天下式。……知其榮，守其辱，為天下谷」(二十八章)。總之：「聖人去甚，去奢，去泰。」(二十九章) 其所以如此，蓋恐事物之發展若「泰」「甚」，則將變為其反面也。海格爾謂歷史進化，常經「正」「反」「合」三階級。一事物發展至極點必變而為其反面，即由「正」而「反」也。「大直若屈，大巧若拙。」若只直則必變為屈，若只巧則必「弄巧反拙」。唯包含有屈之直，有拙之巧，是謂大直大巧，即「正」與「反」之「合」也。故大直非屈也，若屈而已，大巧非拙也，若拙而已。「知常曰明」之人，「知其雄，守其雌」，常處於「合」，故能「歿身不殆」矣。

　　老子理想中之人格，常以嬰兒比之；蓋嬰兒知識欲望皆極簡單，合乎「去甚，去奢，去泰」之意也。故曰：「含德之厚，比於赤子。」(五十五章) 聖人治天下，亦欲使天下人皆如嬰兒，故曰：「聖人在天下，歙歙然為天下渾其心，聖人皆孩之。」(四十九章)《老子》又以愚形容有修養之人，蓋愚人之知識欲望亦極簡單也。故曰：「我愚人之心也哉！沌沌兮，俗人昭昭，我獨昏昏；俗人察察，我獨悶悶。澹兮其若海，飂兮若無止。眾人皆有以，我獨頑似鄙。」(二十章) 聖人治天下，亦欲使天下人皆能如此，故曰：「古之善為道者非以明民，將以愚之。」(六十五

章)「不以智治國」，即欲以「愚」民也。然聖人之愚，乃修養之結果，乃「大智若愚」之愚也。「大智若愚」之愚，乃智愚之「合」，與原來之愚不同。《老子》所謂「聖人之治，虛其心，實其腹，弱其志，強其骨。常使民無知無欲」(三章)。此使民即安於原來之愚也。此民與聖人之不同也。

老子之理想的社會，為「小國寡民」之簡單組織，如《老子》八十章所説。此非只是原始社會之野蠻境界；此乃包含有野蠻之文明境界也。非無舟輿也，有而無所乘之而已。非無甲兵也，有而無所陳之而已。「甘其食，美其服」，豈原始社會中所能有者？可套《老子》之言曰：「大文明若野蠻。」野蠻的文明乃最能持久之文明也。

莊子

馮友蘭

　　莊子 (前369？ —前286？) 哲學中之道德二觀念，與《老子》同。其對於幸福之觀念，則以為凡物皆由道，而各得其德，即是凡物各有其自然之性。苟順其自然之性，則幸福當下即是，不須外求。《莊子‧逍遙遊篇》，故設為極大極小之物，鯤鵬極大，蜩鳩極小。「鵬之徙於南冥也，水擊三千里，搏扶搖而上者九萬里，去以六月息者也。」「蜩與學鳩笑之」曰：「我決起而飛，搶榆枋，時則不至而控於地而已矣，奚以之九萬里而南為？」此所謂「故極小大之致，以明性分之適。……苟足於其性，則雖大鵬無以自貴於小鳥，小鳥無羨於天池，而榮願有餘矣。故小大雖殊，逍遙一也」(郭象《注》)。

　　政治上社會上各種之制度，由莊學之觀點觀之，均只足以予人以痛苦。蓋物之性至不相同。一物有一物所認為之好，不必強同，亦不可強同。物之不齊，宜即聽其不齊，所謂以不齊齊之也，一切政治上社會上之制度，皆定一好以為行為之標準，使人從之。此是強不齊以使之齊，愛之適所以害之也。聖人作規矩準繩，制定政治上及社會上各種制度，使天下之人皆服從之。其用意雖未嘗不善，其用心未嘗不為愛人，然其結果則如魯侯愛鳥，愛之適所以害之。故莊學最反對以治治天下，以為欲使天下治，則莫如以不治治之。《應帝王篇》云：「汝

遊心於淡，合氣於漠，順物自然而無容私焉，而天下治矣。」

　　莊學中之社會政治哲學，主張絕對的自由，蓋唯人皆有絕對的自由，乃可皆順其自然之性而得幸福也。主張絕對的自由者，必主張絕對的平等，蓋若承認人與人、物與物間，有若何彼善於此，或此善於彼者，則善者應改造不善者使歸於善，而即亦不能主張凡物皆應有絕對的自由矣。莊學以為人與物皆應有絕對的自由，故亦以為凡天下之物，皆無不好，凡天下之意見，皆無不對。此莊學與佛學根本不同之處。蓋佛學以為凡天下之物皆不好，凡天下之意見皆不對也。蓋人之意見，萬有不齊，如必執一以為是，則天下人之意見，果孰為是？正與《齊物論》所問之孰為正處、正味、正色，同一不能決定也。若不執一以為是，則天下人之意見皆是也。唯其皆是，故聽其自爾，而無須辯矣。《齊物論篇》云：「果且無彼是乎哉？彼是莫得其偶，謂之道樞。樞始得其環中，以應無窮。是亦一無窮，非亦一無窮也。故曰，莫若以明。」有所是則有所非，有所非則有所是；故是非乃相對待的，所謂「偶」也。若聽是非之自爾而無所是非，則無偶矣。故曰「彼是莫得其偶，謂之道樞」也。「是亦一無窮，非亦一無窮」，如一環然。不與有所是非者為循環之辯論，而立於環中以聽其自爾。則所謂「樞始得環中，以應無窮」也。《齊物論篇》又曰：「是以聖人和之以是非，而休於天鈞；是之謂兩行。」「天鈞」者，《寓言篇》云：「萬物皆種也，以不同形相禪，始卒若環，莫得其倫，是謂天鈞。天鈞者，天倪也。」「天鈞」「天倪」若謂萬物自然之變化；「休於天鈞」，即聽萬物之自然也。聖人對於物之互相是非，聽其自爾。故其態度，即是不廢是非而超過之，「是之謂兩行」。

　　凡物皆無不好，凡意見皆無不對，此《齊物論》之宗旨也。推而言之，則一切存在之形式，亦皆無不好。所謂死者，不過吾人自一存在

之形式轉為別一存在之形式而已。如吾人以現在所有之存在形式為可喜，則死後吾人所得之新形式，亦未嘗不可喜。《大宗師篇》曰：「特犯（同逢）人之形而猶喜之。若人之形者，萬化而未始有極也。其為樂可勝計耶？」知此理也，則可齊生死矣。《大宗師篇》曰：「浸假而化予之左臂以為雞，予因以求時夜。浸假而化予之右臂以為彈，予因以求鴞炙。浸假而化予之尻以為輪，以神為馬，予因而乘之，豈更駕哉？且夫得者，時也（郭云：「當所遇之時，世所謂得。」）；失者，順也（郭云：「時不暫停，隨順而往，世謂之失。」）。安時而處順，哀樂不能入也。此古之所謂懸解也。」哀樂不能入，即以理化情也。斯賓諾莎（Spinoza）以情感為「人之束縛」（human bondage）。若有知識之人，知宇宙之真相，知事物之發生為必然，則遇事不動情感，不為所束縛，而得「人之自由」（human freedom）矣。譬如飄風墜瓦，擊一小兒與一成人之頭。此小兒必憤怒而恨此瓦。成人則不動情感，而所受之痛苦亦輕。蓋成人之知識，知瓦落之事實之真相，故「哀樂不能入」也。《養生主篇》謂秦失謂哭老聃之死者云：「是遁天倍情，忘其所受，古者謂之遁天之刑。」死為生之天然的結果，對此而有悲痛愁苦，是「遁天倍情」也。「遁天」者必受刑，即其悲哀時所受之痛苦是也。若知「得者，時也；失者，順也。安時而處順」，則「哀樂不能入」，不受「遁天之刑」而如懸之解矣。其所以能如此者，則以理化情也。

自又一方面言之，則死生不但可齊，吾人實亦可至於無死生之地位。《田子方篇》云：「草食之獸，不疾易藪；水生之蟲，不疾易水；行小變而不失其大常也。……夫天下者，萬物之所一也。得其所一而同焉，則四肢百體將為塵垢，而死生終始將為晝夜，而莫之能滑，而況得喪禍福之所介乎？」《大宗師篇》云：「夫藏舟於壑，藏山於澤，謂之固矣。然而夜半有力者負之而走，昧者不知也。藏小大有宜，猶有

所遁，若夫藏天下於天下，而不得所遁，是恆物之大情也……故聖人將遊於物之所不得遁而皆存。善夭善老，善始善終，人猶效之，又況萬物之所繫而一化之所待乎？」如能以吾與宇宙合一，「得其所一而同焉」，則宇宙無死生，吾亦無死生；宇宙永久，吾亦永久矣。

　　然若何方能使個體與宇宙合一耶？曰，在純粹經驗中，個體即可與宇宙合一。所謂純粹經驗 (pure experience) 即無知識之經驗。在有純粹經驗之際，經驗者，對於所經驗，只覺其是「如此」(詹姆士所謂「that」)，而不知其是「甚麼」(詹姆士所謂「what」)。詹姆士謂純粹經驗，即是經驗之「票面價值」(face value)，即是純粹所覺，不雜以名言分別 (見詹姆士《急進的經驗主義》*Essays in Radical Empiricism* 三十九頁)。佛家所謂現量，似即是此。莊學所謂真人所有之經驗，即是此種。其所處之世界，亦即此種經驗之世界也。《齊物論篇》云：「古之人其知有所至矣。惡乎至？有以為未始有物者，至矣盡矣，不可加矣。其次以為有物矣，而未始有封也。其次以為有封矣，而未始有是非也。是非之彰也，道之所以虧也。道之所以虧，愛之所為成。」有經驗而不知有物，不知有封 (即分別)，不知有是非，愈不知則其經驗愈純粹。在經驗之中，所經驗之物，是具體的，而名之所指，是抽象的。所以名言所指，實只經驗之一部。譬如「人」之名之所指，僅係人類之共同性質。至於每個具體的人之特點個性，皆所不能包括。故一有名言，似有所成而實則有所虧也。凡一切名言區別，皆是如此。故吾人宜只要經驗之「票面價值」，而不須雜以名言區別。

　　有名言區別即有成，有成即有毀。若純粹經驗，則無成與毀也。故達人不用區別，而止於純粹經驗，則庶幾矣。其極境雖止而又不知其為止。至此則物雖萬殊，而於吾之知識上實已無區別。至此則真可覺「天地與我並生，而萬物與我為一」矣。

　　人至此境界，始可絕對的逍遙矣。蓋一切之物，苟順其性，雖皆可以逍遙，然一切物之活動，皆有所倚賴，即《逍遙遊篇》中所謂「待」。《逍遙遊篇》曰：「列子御風而行，泠然善也。旬有五日而後返。彼於致福者，未數數然也。此雖免乎行，猶有所待者也。」列子御風而行，無風則不得行，故其逍遙有待於風。推之世上一般人或必有富貴而後快，或必有名譽而後快，或必有愛情而後快。是其逍遙有待於富貴、名譽或愛情也。有所待則必得其所待，然後逍遙。故其逍遙亦為其所待所限制，而不能為絕對的。若至人既已「以死生為一條，可不可為一貫」（《德充符篇》中語），其逍遙即無所待，為無限制的、絕對的。故《逍遙遊篇》曰：「若夫乘天地之正，御六氣之辯，以遊無窮者，彼且惡乎待哉？故曰：至人無己；神人無功；聖人無名。」（同上）「乘天地之正，御六氣之辯，以遊無窮者」，即與宇宙合一者也。其所以能達此境界者，則因其無己，無功，無名，而尤因其無己。

　　此莊學中之神秘主義也。神秘主義一名詞之意義，上文已詳。[1] 上文謂如孟子哲學中有神秘主義，其所用以達到神秘主義的境界之方法，為以「強恕」「求仁」，以至於「萬物皆備於我矣，反身而誠，樂莫

1 本文選自馮友蘭《中國哲學小史》一書。在書中，馮友蘭對「神秘主義」一詞的意義，做了明確的解釋，具體如下：神秘主義一名，有種種不同的意義。此所謂神秘主義，乃專指一種哲學，承認有所謂「萬物一體」之境界。在此境界中，個人與「全」（宇宙之全）合而為一，所謂人我內外之分，俱已不存。普通多謂此神秘主義必與唯心論的宇宙論相關連。宇宙必為唯心論的，宇宙之全體，與個人之心靈，有內部的關係；個人之精神，與宇宙之大精神，本為一體，特以有後起的隔閡，以致人與宇宙，似乎分離。佛家所說之無明，宋儒所說之私欲，皆指此後起的隔閡也。若去此隔閡，則個人與宇宙復合而為一，佛教所說之證真如，宋儒所說「人欲盡處，天理流行」，皆指此境界也。不過此神秘主義，亦不必與唯心論的宇宙論相連。如莊子之哲學，其宇宙論非必為唯心論的，然亦注重神秘主義也。中國哲學中，孟子派之儒家，及莊子派之道家，皆以神秘境界為最高境界，以神秘經驗為個人修養之最高成就。但兩家之所用以達此最高境界、最高目的

大焉」之境界。莊學所用之方法，乃在知識方面取消一切分別，而至於「天地與我並生，而萬物與我為一」之境界。此二方法，在中國哲學史中，分流並峙，頗呈奇觀。不過莊學之方法，自魏晉而後，即無人再講。而孟子之方法，則有宋明諸哲學家，為之發揮提倡，此其際遇之不同也。

（接上頁）
————————

　　之方法不同。道家所用之方法，乃以純粹經驗忘我；儒家所用之方法，乃以「愛之事業」（叔本華所用名詞）去私。無我無私，而個人乃與宇宙合一。如孟子哲學果有神秘主義在內，則萬物皆備於我，即我與萬物本為一體也。我與萬物本為一體，而乃以有隔閡之故，我與萬物，似乎分離，此即不「誠」。若「反身而誠」，回復與萬物為一體之境界，則「樂莫大焉」。如欲回復與萬物為一體之境界，則用「愛之事業」之方法。所謂「強恕而行，求仁莫近焉」。以恕求仁，以仁求誠。蓋恕與仁皆注重在取消人我之界限；人我之界限消，則我與萬物為一體矣。此解釋果合孟子之本意否不可知，要之宋儒之哲學，則皆推衍此意也。——編者註

道教的精神

聞一多

　　自東漢以來，中國歷史上一直流行着一種實質是巫術的宗教，但它卻有極卓越的、精深的老莊一派的思想做它理論的根據，並奉老子為其祖師，所以能自稱為道教。後人愛護老莊的，便說道教與道家實質上全無關係，道教生生地拉着道家思想來做自己的護身符，那是道教的卑劣手段，不足以傷道家的清白。另一派守着儒家的立場而隱隱以道家為異端的人，直認道教便是墮落了的道家。這兩派論者，前一派是有意祖護道家，但沒有完全把握着道家思想的真諦；後一派，雖對道家多少懷有惡意，卻比較了解道家，但仍然不免於「皮相」。這種人可說是缺少了點歷史眼光。一個東西由一個較高的階段退化到較低的，固然是常見的現象，但那較高的階段是否也得有個來歷呢？較高的階段沒有達到以前，似乎不能沒有一個較低的階段，我常疑心這哲學或玄學的道家思想必有一個前身，而這個前身很可能是某種富有神秘思想的原始宗教，或更具體點講，一種巫教。這種宗教，在基本性質上恐怕與後來的道教無大差別，雖則在形式上與組織上盡可截然不同。這個不知名的古代宗教，我們可暫稱為古道教，因之自東漢以來道教即可稱之為新道教。我以為如其說新道教是墮落了的道家，不如說它是古道教的復活。不，古道教也許本來就沒有死過，新道教只

是古道教正常的、自然的組織而已。這裡我們應把宗教和哲學分開，作為兩筆賬來清算。從古道教到新道教是一個系統的發展，所以應排在一條線上。哲學中的道家是從古道教中分泌出來的一種質素。精華既已分泌出來了，那所遺下的渣滓，不管它起甚麼發酵作用，精華是不能負責的。古道教經過一個時期的醞釀，後來發酵成天師道一類的形態，這是宗教自己的事，與那已經和宗教脫離了關係的道家思想何干？道家不但對新道教墮落了的行為可告無罪，並且對古道教還有替它提煉出一些精華來的功績。道教只有應該感謝道家的。但道家是出身於道教，恐怕是千真萬確的事實，它若嫌這出身微賤，而想避諱或抵賴，那卻是不應當的。

我所謂古道教究竟是甚麼樣的東西呢？詳細地說明，不是本文篇幅所許的，我現在只能挈要提出幾點來談談。

後世的新道教雖奉老子為祖師，但真正接近道教的宗教精神的還是莊子。《莊子》書裡實在充滿了神秘思想，這種思想很明顯地是一種古宗教的反影。《老子》書中雖也帶有很濃的神秘色彩，但比起《莊子》似乎還淡得多。從這方面看，我們也不能不同意於多數近代學者的看法，以為至少《老子》這部書的時代，當在《莊子》後。像下錄這些《莊子》書中的片段，不是一向被「得意忘言」的讀者們認為莊子的「寓言」，甚或行文的詞藻一類的東西嗎？

> 藐姑射之山有神人居焉，肌膚若冰雪，淖約若處子，不食五穀，吸風飲露，乘雲氣，御飛龍，而遊乎四海之外；其神凝，使物不疵癘，而年穀熟。……之人也，物莫之傷，大浸稽天而不溺，大旱金石流，土山焦而不熱。(《逍遙遊》)

> 夫道有情有信，無為無形，可傳而不可受，可得而不可

見，自本自根，未有天地，自古以固存，神鬼神帝，生天生地，在太極之先而不為高，在六極之下而不為深，先天地生而不為久，長於上古而不為老。豨韋氏得之，以挈天地，伏戲氏[1]得之，以襲氣母，維斗得之，終古不忒，日月得之，終古不息，堪壞得之，以襲崑崙，馮夷得之，以遊大川，肩吾得之，以處大山，黃帝得之，以登雲天，顓頊得之，以處玄宮，禺強得之，立乎北極，西王母得之，坐乎少廣，莫知其始，莫知其終，彭祖得之，上及有虞，下及五伯，傅說得之，以相武丁，奄有天下，乘東維，騎箕尾，而比於列星。(《大宗師》)

至人神矣，大澤焚而不能熱，河漢冱而不能寒，疾雷破山，飄風振海而不能驚。若然者，乘雲氣，騎日月，而遊乎四海之外，死生無變於己。(《齊物論》)

以上只是從《內篇》中抽出的數例，其餘《外雜篇》中類似的話還不少。這些絕不能説是寓言。(莊子所謂「寓言」有它特殊的含義，這裡暫不討論。) 即是寓言，作者自己必先對於其中的可能性及真實性毫不懷疑，然後才肯信任它有闡明或證實一個真理的效用。你是絕不會用「假」以證明「真」或用「不可能」以證明「可能」的，莊子想也不會採用這樣的辯證法。其實莊子所謂「神人」「真人」之類，在他自己是真心相信確有其「人」的。他並且相信本然的「人」就是那樣具有超越性，現在的「人」之所以不能那樣，乃是被後天的道德仁義之類所斫喪的結果。他稱這本然的「人」為「真人」或「神人」或「天」，理由便在於此。

我們只要記得靈魂不死的信念，是宗教的一個最基本的出發點，

---

1 伏戲氏，即伏羲氏。——編者註

對莊子這套思想，便不覺得離奇了。他所謂「神人」或「真人」，實即人格化了的靈魂。所謂「道」或「天」實即「靈魂」的代替字。靈魂是不生不滅的，是生命的本體，所以是真的，因之，反過來這肉體的存在便是假的。真的是「天」，假的是「人」。全套的莊子思想可説從這點出發。其他多多少少與莊子接近的，以貴己重生為宗旨的道家中各支派，又可説是從莊子推衍下來的情緒。把這些支派次第地排列下來，我們可以發現神秘色彩愈淺，愈切近實際，陳義也愈低，低到一個極端，便是神仙家、房中家（此依《漢志》分類）等低級的，變態的養形技術了。馮芝生[1]先生曾經説，楊朱一派的貴生重己説僅僅是不傷生之道，而對於應付他人傷我的辦法只有一避字訣。然人事萬變無窮，害盡有不能避者。老子之學，乃發現宇宙間事物變化之通則，知之者能應用之，則可希望「沒身不殆」。莊子之《人間世》亦研究在人世中，吾人如何可入其中而不受其害。然此等方法，皆不能保吾人以萬全。蓋人事萬變無窮，其中不可見之因素太多故也。於是老學乃為打穿後壁之言曰：

　　吾所以有大患者，為吾有身。及吾無身，吾有何患？

此真大徹大悟之言。莊學繼此而講「齊死生，同人我」。不以害為害，於是害乃真不能傷。由上面的分析，馮先生下了一個結論：「老子之學，蓋就楊朱之學更進一層，莊子之學，則更進二層也。」馮先生就哲學思想的立場，把楊老莊三家所陳之義，排列成如上的由粗而精的次第，是對的。我們現在也可就宗教思想的立場，説莊子的神秘色彩最重，與宗教最接近，老子次之，楊朱最切近現實，離宗教也最遠。由楊朱進一步，變為神仙房中諸養形的方技，再進一步，連用「漸」的方式來「養」形都不肯幹，最好有種一服而「頓」即「變」形的方藥，那便

---

1 馮芝生，即馮友蘭，字芝生。——編者註

到了秦皇漢武輩派人求「不死藥」的勾當了。莊和老是養神，楊朱可謂養生，神仙家中一派是養形，另一派是變形 —— 這樣由求靈魂不死變到求肉體不死，其手段由內功變到外功，外功中又由漸以至頓，——這便包括了戰國、秦、漢間大部分的道術和方技，而溯其最初的根源，卻是一種宗教的信仰。

除道家神仙家外，當時還有兩派「顯學」，便是陰陽與墨家了。這兩家與宗教的關係，早已被學者們注意到了，這裡無須申論。我們現在應考核的，是二家所與發生關係的是種甚麼樣的宗教 —— 即上文所謂古道教，還是另一種或數種宗教。關於這一點，我們首先可以回答，它們是不屬於儒家的宗教。由古代民族複雜的情形看去，古代的宗教應當不只一種。儒家雖不甘以宗教自命，其實也是從宗教衍化或解脫出來的，而這種宗教和古道教截然是兩回事。甚麼是儒家的宗教呢？胡適之先生列舉過古代宗教迷信的三個要點：

（一）一個有意志知覺，能賞善罰惡的天帝；

（二）崇拜自然界種種質力的迷信如祭天地日月山川之類；

（三）鬼神的迷信，以為人死有知，能作禍福，故必須祭祀供養他們。

胡先生認為這三種迷信「可算得是古中國的國教，這個國教的教主是『天子』」，並說「天子之名，乃是古時有此國教的鐵證」。胡先生以這三點為古中國「國教」的中心信仰是對的，但他所謂「古中國」似乎是包括西起秦隴，東至齊魯的整個黃河流域的古代北方民族，這一點似有斟酌的餘地。傅孟真[1]先生曾將中國古代民族分為東西兩大系，是一個很重要的觀察。（不過所謂東西當指他們遠古時的原住地而言，後來東西互

---

1 傅孟真，即傅斯年，字孟真。——編者註

相遷徙，情形則較為複雜。）我以為胡先生所謂「國教」，只可說是東方民族
的宗教，也便是儒家思想的策源地。至於他所舉的三點，其實只能算
作一點，因為前二點可歸併到第三點中去。所謂「以人死有知，能作
禍福」的「鬼神迷信」確乎是宗教信仰的核心。其實說「鬼神迷信」不
如單說「鬼的迷信」，因為在儒家的心目中，神只是較高級的鬼，二者
只有程度的懸殊，而無種類的差異。所謂鬼者，即人死而又似未死，
能飲食，能行動。他能作善作惡，所以必須以祭祀的手段去賄賂或報
答他。總之事鬼及高級鬼──神之道，一如事人，因為他即生活在一
種不同狀態中的人，他和生人同樣，是一種物質，不是一種幻想的存
在。明白了這一層，再看胡先生所舉的第一點。既然那作為教主的人
是「天子」──天之子，則「天」即天子之父，天子是「人」，則天子之
父按理也必須是「人」了。由那些古代帝王感天而生的傳說，也可以推
到同樣的結論。我們從東方民族的即儒家的經典中所認識的天，是個
人格的天，那是毫不足怪的。這個天神能歆饗飲食，能作威作福，原
來他只是由人死去的鬼中之最高級者罷了，天神即鬼，則胡先生的第
一點便歸入第三點了。

　　《魯語》載着一個故事，說吳伐越，鑿開會稽山，得到一塊其大無
比的骨頭，碰巧吳使聘魯，順便就在宴會席上請教孔子。孔子以為那
便是從前一位防風氏的諸侯的遺骸。他說：

　　　　山川之靈石足以紀綱天下者，其守為神，社稷之守為公
　　侯，皆屬於王者。

吳使又問：「防風所守的是甚麼？」他又答道：

　　　　汪芒氏之君也，守封嵎之山者也，為漆姓，在虞、夏、
　　商、周為汪芒氏，於周為長狄，今為大人。

這證明了古代東方民族所謂山川之神乃是從前死去了的管領那山川的

人，而並非山川本身。依胡先生所說祭山川之類是「崇拜自然界種種質力的迷信」，那便等於說儒家是泛神論者了。其實他們的信仰中毫無這種意味。胡先生所舉的第二點也可以歸入第三點的。

儒家鬼神觀念的真相弄明白了，我們現在可以轉回去討論道家了。上文我們已經說過道家的全部思想是從靈魂不死的觀念推衍出來的，以儒道二家對照了看，似乎儒家所謂死人不死，是形骸不死，道家則是靈魂不死。形骸不死，所以要厚葬，要長期甚至於永遠地祭祀。所謂「祭如在，祭神如神在」之在，乃是物質的存在。唯怕其不能「如在」，所以要設屍，以保證那「如在」的最高度的真實性。這態度可算執着到萬分，實際到萬分，也平庸到萬分了。反之，道家相信形骸可死而靈魂不死，而靈魂又是一種非物質的存在，所以它對於喪葬祭祀處處與儒家立於相反的地位。《莊子·列御寇篇》載有莊子自己反對厚葬的一段話，但陳義甚淺，無疑是出於莊子後學的手筆。倒是漢朝「學黃老之術」而主張「贏[1] 葬以反真」的楊王孫發了一篇理論，真能代表道家的觀念——

> 且夫死者終身之化，而物之歸者也。歸者得至，化者得變，是物各反其真也。反真冥冥，亡聲亡形，乃合道情。夫飾外以華眾，厚葬以鬲真，使歸者不得至，化者不得變，是使物各失其所也。且吾聞之：精神者天之有也，形骸者地之有也。精神離形，各歸其真，故謂之鬼，鬼之言歸也，其屍塊然獨處，豈有知哉？裹以幣帛，鬲以棺槨，支體絡束，口含玉石，欲化不得，鬱為枯臘，千載之後，棺槨腐朽，乃得歸土，就其真宅，繇是言之，焉用久客？

---

1 「贏」是「裸」的異體字。——編者註

這完全是形骸死去，靈魂永生的道理，靈魂既是一種「無形無聲」超自然的存在，自然也用不着祭祀的供養了。所以儒家的重視祭祀，又因祭祀而重視禮文，在道家看來，真是太可笑了。總之儒家是重形骸的，以為死後，生命還繼續存在於形骸，他們不承認脫離形骸後靈魂的獨立存在。道家是重視靈魂的，以為活時生命暫寓於形骸中，一旦形骸死去，靈魂便被解放出來，而得到這種絕對自由的存在，那才是真的生命。這對於靈魂的承認與否，便是產生儒道二家思想的兩個宗教的分水嶺。因此二派哲學思想中的宇宙論，人生論，或知識論，以至於政治思想等，無不隨着這宗教信仰上先天的差別背道而馳了。

　　作為儒道二家的前身的宗教信仰既經判明了，我們現在可以回到陰陽家與墨家了。陰陽家的學說本身是一種宇宙論，就其性質講，與儒家遠而與道家近，是一望而知的。至於他們那天人相應的理論，則與莊子返人於天之説極相似，所以盡可以假定陰陽家與道家是同出於一個原始的宗教的，司馬談論道家曰：

　　　　其為精也，因陰陽之大順，採儒墨之善，撮名法之要。

這裡分明是以陰陽家思想為道家思想的主體或間架，而認儒墨名法等只有補充修正的副加作用。這也許是受陰陽家影響之後的道家的看法。然即此也可見陰陽家與道家的血緣，本來極近，所以它們的結合特別容易。錢賓四[1]先生曾説「墨氏之稱墨，由於薄葬」，我認為稱墨與薄葬的關係如何還難確定，薄葬為墨家思想的最基本的核心，卻是可能的，若謂「薄葬」之義生於「節用」，那未免把墨家看得太淺薄了。何況節用很多，墨子乃專在喪葬上大做文章，豈不可怪？我疑心節葬的

---

1 錢賓四，即錢穆，字賓四。——編者註

理論是受了重靈魂輕形骸的傳統宗教思想的影響，把節葬與節用連起來講，不如把它和墨家重義輕生的態度看作一貫的發展，斤斤於「身體髮膚，受之父母，不敢毀傷」的儒家，雖也講「殺身成仁」，但那究竟是出於不得已。墨家本有輕形骸的宗教傳統，所以他們蹈湯赴火的姿態是自然的，情緒是熱烈的，與儒家真不可同日而語。墨家在其功利主義上雖與儒家極近，但這也可說是墨子住在東方，接受了儒家的影響，在骨子裡墨與道要調和得多，宋鈃、尹文不明明是這兩派間的橋樑嗎？我疑心墨家也是與道家出於那古道教的。《莊子‧天下篇》的作者把墨翟、禽滑釐也算作曾經聞過古之道術者，與宋鈃、尹文、彭蒙、田駢、慎到、關尹、老聃、莊周等一齊都算作知「本數」的，而認「鄒魯之士，搢紳先生」所談的只是「末度」，《天下篇》的作者顯然認為墨家等都在道家的圈子裡，只有儒家當除外。他又說「道術將為天下裂」，然則百家（對儒而言）本是從一個共同的道分裂出來的，這個未分裂以前的「道」是甚麼？莫非就是所謂古道教吧！這古道教如果真正存在的話，我疑心它原是中國古代西方某民族的宗教，與那儒家所從導源的東方宗教比起來，這宗教實在超卓多了，偉大多了，美麗多了，姑無論它的流裔是如何沒出息！

佛教、道教與道學

馮友蘭

　　及乎魏晉，道家之學又盛。蓋古代思想中之最與術數無關者為道家。漢代陰陽家與儒家混合，盛行一時。其反動即為魏晉時代道家之復興。南北朝時人以《老》《莊》《易》為三玄，故講此方面之學，有玄學之稱。

　　南北朝時，中國思想界又有新分子加入。蓋於是時佛教思想有系統地輸入。而中國人對之，亦能有甚深了解。隋唐之時，中國之第一流思想家，皆為佛學家。佛學本為印度之產物，但中國人講之，多將其加入中國人思想之傾向，以使成為中國的佛學。所謂中國人思想之傾向者，可分數點論之。

　　（一）原來之佛學中，派別雖多，然其大體之傾向，則在於說明「諸行無常，諸法無我」。所謂外界，乃係心現，虛妄不實，所謂空也。中國人對於世界之見解，皆為實在論。即以為吾人主觀之外，實有客觀的外界。謂外界必依吾人之心始有存在，在中國人視之，乃非常可怪之論。故中國人之講佛學者，多與佛學所謂空者以一種解釋，使外界為「不真空」（用僧肇語）。

　　（二）「諸行無常，諸法無我，涅槃寂靜」，乃佛教中之「三法印」。涅槃譯言圓寂，佛之最高境界，乃永寂不動者。但中國人又最注重人

之活動。儒家所說人之最高境界，亦即在活動中。如《易‧乾‧象辭》所說「天行健，君子以自強不息」，即教人於活動中求最高境界也。即莊學最富有出世色彩，然其理想中之真人至人，亦非無活動者。故中國人之講佛學者，多以為佛之境界，非永寂不動。佛之淨心，亦能「繁興大用」。雖「不為世染」，而亦「不為寂滯」（《大乘止觀法門》語）。所謂「寂而恆照，照而恆寂」（僧肇語）也。

（三）印度社會中階級之分甚嚴。故佛學中有一部分謂，有一種人無有佛性，永不能成佛。但中國人以為「人皆可以為堯舜」。即荀子以為人之性惡，亦以為「途之人可以為禹」。故中國之講佛學者，多以為人人皆有佛性，甚至草木亦有佛性。又佛教中有輪迴之說。一生物此生所有修行之成就，即為來生繼續修行之根基。如此歷劫修行，積漸始能成佛。如此說則並世之人，其成佛之可能，均不相同。但中國人所說「人皆可以為堯舜」之義，乃謂人人皆於此生可為堯舜。無論何人，苟「服堯之服，行堯之行，言堯之言」，皆即是堯。而人之可以為此，又皆有其自由意志也。故中國人之講佛學者，又為「頓悟成佛」（道生語）之說。以為無論何人，「一念相應，便成正覺」（神會語）。

凡此諸傾向，非為印度之佛學家所必無有；但中國之佛學家則多就諸方面發揮也。中國佛學家就此諸方面發揮，即成為天台、華嚴、禪諸新宗派，盛行於隋唐。

佛學與中國原有之儒家之學之融合，即成為宋明之道學[1]。道學雖盛於宋明，而在唐代已發其端。如韓愈（公元 824 年卒）作《原道》，極推尊孟子，以為得孔子之正傳。此為宋明以來之傳統的見解，而韓愈倡

---

1 宋明道學，即宋明理學，北宋時稱「道學」，南宋以後「道學」之稱漸為「理學」所取代。——編者註

之。周秦之際，儒家中孟荀二派並峙。西漢時荀學為盛。僅揚雄對孟子有相當的推崇，此後直至韓愈，無有力的後繼。韓愈一倡，此說大行。而《孟子》一書，遂為宋明道學家所根據之重要典籍焉。蓋因孟子之學，本有神秘主義之傾向，其談心談性，談「萬物皆備於我」「反身而誠」，以及「養心」「寡欲」之修養方法，可認為可與佛學中所討論、當時人所認為有興趣之問題，作相當的解答。故如在儒家典籍中，求與當時人所認為有興趣之問題有關之書，《孟子》一書，實其選也。

韓愈於《原道》又特引《大學》。《大學》本為《禮記》中之一篇，自漢以後至唐，無特別稱道之者。韓愈以其中有「明明德」「正心」「誠意」之說，亦可認為與當時所認為有興趣之問題有關，故特提出，而又指出「古之所謂正心而誠意者，將以有為也，今也治其心而外天下國家」，以見儒佛雖同一「治心」而用意不同，結果亦異。此後至宋明，《大學》遂亦為宋明道學家所根據之重要典籍焉。韓愈提出「道」字，又為道統之說。此說孟子本已略言之，經韓愈提倡，宋明道學家皆持之，而宋明道學家亦有道學家之名。由此三點言之，韓愈實可謂宋明道學家之先河也。

與韓愈同時，又有李翱。李翱作《復性書》，其中可注意之點甚多，略舉之，則有：

（一）《中庸》本為《禮記》中一篇，《復性書》中特別提出之。此後《中庸》遂為宋明道學家所根據之重要典籍。《易‧繫辭傳》亦特別提出，後亦為宋明道學家所根據之重要典籍。（二）禮樂之功用，在原來儒家之學中，本所以使人之欲望與感情，皆發而有節而得中。《復性書》則謂係「所以教人忘嗜欲而歸性命之道」。禮樂之意義，在原來儒家之學中，係倫理的。在此則係宗教的，或神秘的。即在原來儒家之學中，禮樂乃所以養成道德完全之人格；在此則禮樂乃所以使人得到

其所謂「誠」之一種方法也。(三)《復性書》謂:「性命之書雖存,學者莫能明,是故皆入於莊、列、老、釋。不知者謂夫子之徒不足以窮性命之道,信之者皆是也。」此言可總代表宋明道學家講學之動機。宋明道學家皆認為當時所認為有興趣的問題,在儒家典籍中,亦可得相當的解答。宋明道學家皆在儒家典籍中尋求當時所認為有興趣的問題之解答者也。李翱及宋明道學家所說之聖人,皆非倫理的,而為宗教的或神祕的。蓋其所說之聖人,非只如孟子所說之「人倫之至」之人,而乃是以盡人倫,行禮樂,以達到其修養至高之境界,即與宇宙合一之境界。蓋如何乃能成佛,乃當時所認為有興趣的問題。李翱及宋明道學家之學,皆欲與此問題以儒家的答案,欲使人以儒家的方法成儒家的佛也。

及乎北宋,此種融合儒釋之新儒學,又有道教中一部分之思想加入。此為構成道學之一新成分。西漢之際,陰陽家之言,混入儒家。此混合產品,即董仲舒等今文經學家之學說。及玄學家起,陰陽家之言,一時為所壓倒。但同時陰陽家言即又挾儒家一部分之經典,附會入道家之學說,而成所謂道教。陰陽家言,可以與道家學說混合,似係奇事。然《老子》之書,言辭過簡,本可予以種種的解釋。其中又有「善攝生者,陸行不避兕虎」「死而不亡者壽」「深根固蒂,長生久視之道」等言,更可與講長生不死者以附會之機會。以陰陽家之宇宙觀,加入此等希望長生之人生觀,並以陰陽家對於宇宙間事物之解釋,作為求長生方法之理論,即成所謂道教。自東漢之末,道教大興。在南北朝隋唐,道教與佛教立於對等地位,且時互為盛衰。

上述《緯書》中之易說,亦附在道教中,傳授不絕。及北宋而此種易說,又為人引入道學中,即所謂象數之學是也。劉牧《易數鈎隱圖序》云:「象者,形上之應。原其本則形由象生,象由數設。捨其數則

無以見四象所由之宗矣。」「形由象生；象由數設。」天下之物皆形也。有數而後有象，有象而後有形。數為最根本的。上述《易緯》中之易說，雖亦有此傾向，然此傾向至此得有明白的表示。

上文謂陰陽家之學，有科學之成分。

道教中之思想，亦有可注意者，則道教中至少有一部分人，以為其所作為，乃欲戰勝天然。蓋有生則有死，乃天然的程序，今欲不死，是逆天而行也。葛洪曰：「夫陶冶造化，莫靈於人。故達其淺者，則能役使萬物；得其深者，則能長生久視。」（《抱樸子》卷三）俞琰曰：「蓋人在天地間，不過天地間一物耳。以其靈於物，故特謂之人，豈能與天地並哉？若夫竊天地之機，以修成金液大丹，則與天地相為終始，乃謂之真人。」（《周易參同契發揮》卷三）又引《翠虛篇》云：「每當天地交合時，奪取陰陽造化機。」（同上，卷五）

「竊天地之機」「奪取陰陽造化機」「役使萬物」，以為吾用，以達吾之目的。此其注重權力之意，亦可謂為有科學精神。嘗謂科學有二方面，一方面注重確切，一方面注重權力。唯對事物有確切的知識，故能有統治之之權力。道教欲統治天然，而對於天然，無確切的知識（雖彼自以為有確切的知識），故其對於宇宙事物之解釋，不免為神話；其所用以統治事物之方法，不免為魔術。然魔術嘗為科學之先驅矣。Alchemy[1] 為化學之先驅，而道教中煉外丹者，所講黃白之術（即煉別種物質為金銀之術）即中國之 alchemy 也。

---

1 Alchemy，煉金術。——編者註

第四章

馮友蘭講法家

法家之學與當時社會政治經濟各方面之趨勢

　　儒墨及《老》、莊皆有其政治思想。此數家之政治思想，雖不相同，然皆從人民之觀點，以論政治。其專從君主或國家之觀點，以論政治者，當時稱為法術之士（見《韓非子‧孤憤篇》），漢人謂之為法家。法家之學說，以在齊及三晉為盛。蓋齊桓晉文，皆為一代之霸主；齊晉二國政治之革新進步，亦必有相當之成績。故能就當時現實政治之趨勢，理論化之而自成一派之政治思想者，以齊及三晉人為多也。

　　春秋戰國時，貴族政治崩壞之結果，一方面為平民之解放，一方面為君主之集權。當時現實政治之一種趨勢，為由貴族政治趨於君主專制政治，由人治、禮治趨於法治。蓋在原來封建政治之制度下，所謂一國之幅員，本已甚狹；而一國之內，又復分為若干「家」。一國內之貴族，「不愆不忘，率由舊章」，即所謂禮者，以治其國及家之事。至於農奴，則唯服從其主人之命令，供其驅策而已。當時之貴族，極講究威儀。《左傳》襄公三十一年，衛北宮文子曰：

　　　《詩》云：「敬慎威儀，維民之則。」……有威而可畏謂之威；有儀可象謂之儀。君有君之威儀，其臣畏而愛之，則而象之，故能有其國家，令聞長世。臣有臣之威儀，其下畏而愛之，故能守其官職，保族宜家。順是以下皆如是；是以上下能相固也。

　　（《左傳》卷十九，《四部叢刊》本，頁十六至十七）

又成公十三年，劉定公曰：

> 吾聞之：民受天地之中以生，所謂命也。是以有動作禮義威儀之則，以定命也。能者養以取福，不能者敗以取禍。是故君子勤禮，小人盡力。勤禮莫如致敬，盡力莫如敦篤。敬以養神，篤在守業。(《左傳》卷十三，頁四)

蓋當時所謂國家社會，範圍既小，組織又簡單。故人與人之關係，無論其為君臣主奴，皆是直接的。故貴族對於貴族，有禮即可維持其應有之關係。貴族對於農奴，只須「有威可畏，有儀可象」，即可為「草上之風」矣。及乎貴族政治漸破壞，一方面一國之君權漸重，故各國舊君，或一二貴族，漸集政權於一國之中央。一方面人民漸獨立自由，國家社會之範圍既廣，組織又日趨複雜，人與人之關係，亦日趨疏遠。則以前「以人治人」之方法，行之自有困難。故當時諸國，逐漸頒佈法律。如鄭子產作刑書(《左傳》襄公三十年)，晉作刑鼎，「著范宣子所為刑書焉」(《左傳》昭公二十九年)，皆此等趨勢之表現也。鄭作刑書，叔向反對之。子產曰：「吾為救世也。」蓋子產切見當時之需要矣。晉作刑鼎，孔子批評之，曰：

> 晉其亡乎！失其度矣。夫晉國將守唐叔之所受法度，以經緯其民，卿大夫以序守之。民是以能尊其貴，貴是以能守其業。貴賤不愆，所謂度也。……今棄是度也，而為刑鼎。民在鼎矣，何以尊貴？貴何業之守？貴賤無序，何以為國？(《左傳》卷二十六，頁十)

叔向、孔子之言，代表當時比較守舊的人之意見。然此等守舊之意見，不能變當時現實政治之趨勢。蓋此趨勢乃社會經濟組織改變所生之結果，本非一部分人之意見所能遏止之。

孔子對於政治之意見，在當時雖為守舊的。然在別方面，孔子則

為當時之新人物。自孔子開遊說講學之風，於是不治生產而只以遊説講學為事之人日益多。齊之稷下，即「數百千人」，此外，如孟嘗、信陵等公子卿相，皆各養「士」數千人。此中所謂「混子」者，當然甚多。蓋貴族階級倒，而士階級興，此儒墨提倡尚賢之結果也。由君主或國家觀點觀之，此等好發議論、不負責任之智識階級，固已可厭。而一般人民之對於此等不生產而只消費之新貴族階級，亦必爭欲加入。其不能加入者，亦必有嫉惡之心。《老子》曰「不尚賢，使民不爭」（《武英殿聚珍版叢書》本，上篇頁三）。荀子對於各家之辯，亦欲「臨之以勢，道之以道，申之以命，章之以論，禁之以刑」（《正名篇》，《荀子》卷十六，《四部叢刊》本，頁九）。此等言論，雖各自有其前提，然亦皆係針對時弊而言也。

《商君書‧開塞篇》曰：

天地設而民生之。當此之時也，民知其母而不知其父。其道親親而愛私。親親則別，愛私則險，民眾而以別險為務，則民亂。當此時也，民務勝而力征。務勝則爭，力征則訟，訟而無正，則莫得其性也。故賢者立中正，設無私，而民說仁。當此時也，親親廢，上賢立矣。凡仁者以愛為務，而賢者以相出為道。民眾而無制，久而相出為道，則有亂。故聖人承之，作為土地貨財男女之分，分定而無制，不可，故立禁。禁立而莫之司，不可，故立官。官設而莫之一，不可，故立君。既立君，則上賢廢而貴貴立矣。然則上世親親而愛私，中世上賢而說仁，下世貴貴而尊官。上賢者，以道相出也；而立君者，使賢無用也。親親者，以私為道也；而中正者，使私無行也。此三者，非事相反也，民道弊而所重易也；世事變而行道異也。（《商子》卷二，《四部叢刊》本，頁九。其脫誤處，依王時潤《商君書斠注》校改）

此所説上世、中世、下世，自人類學及社會學之觀點觀之，雖不必盡當。然若以之説春秋戰國時代之歷史，則此段歷史，正可分為此三時期也。春秋之初期，為貴族政治時期，其時即「上世親親而愛私」之時也。及後平民階級得勢，儒墨皆主「尊賢使能」「泛愛眾而親仁」，其時即「中世上賢而説仁」之時也。國君或國中之一二貴族，以尚賢之故，得賢能之輔，削異己而定一尊。而「賢者」又復以才智互爭雄長，「以相出為道」。「久而相出為道則有亂」，君主惡而又制裁之。戰國之末期，即「下世貴貴而尊官」之時也。「立君者，使賢無用也」，此為尚賢之弊之反動，而戰國末期之現實政治，即依此趨勢進行也。

故尊君權，重法治，禁私學，乃當時現實政治之自然趨勢。法家之學，不過將其加以理論化而已。貴族政治破壞，人民在農商方面，皆自由競爭，而富豪起。此亦當時社會經濟之自然趨勢，法家亦以理論擁護之。

法家之歷史觀

　　法家之言，皆應當時現實政治及各方面之趨勢。當時各方面之趨勢為變古；法家亦擁護變古，其立論亦一掃自孔子以來託古立言之習慣。《商君書‧更法篇》曰：

　　　　前世不同教，何古之法？帝王不相復，何禮之循？伏羲、神農，教而不誅。黃帝、堯、舜，誅而不怒。及至文武，各當時而立法，因事而制禮。禮法以時而定，制令各順其宜。兵甲器備，各便其用。臣故曰，治世不一道，便國不必法古。湯武之王也，不循古而興。商、夏之滅也，不易禮而亡。然則反古者未必可非，循禮者未足多是也。（《商子》卷一，頁二）

《韓非子‧五蠹篇》曰：

　　　　今有構木鑽燧於夏后氏之世者，必為鯀禹笑矣。有決瀆於殷周之世者，必為湯武笑矣。然則今有美堯、舜、湯、武、禹之道，於當今之世者，必為新聖笑矣。是以聖人不期修古，不法常可。論世之事，因為之備。宋人有耕者，田中有株，兔走觸株，折頸而死。因釋其耒而守株，冀復得兔。兔不可復得，而身為宋國笑。今欲以先王之政，治當世之民，皆守株之類也。……故事因於世，而備適於事。（《韓非子》卷十九，《四部叢刊》本，頁一至二）

時勢常變，政治社會制度，亦須因之而變。此理一部分之道家，亦有言及之者。但法家為當時現實政治趨勢加以理論的根據，其反駁當時守舊者之言論，多根據於此歷史觀也。

法家之三派

　　法家中有三派，一重勢，一重術，一重法。慎到重勢。《韓非子》有《難勢篇》，引慎到曰：

　　　　飛龍乘雲；騰蛇游霧。雲罷霧霽，而龍蛇與螾螘同矣，則失其所乘也。賢人而詘於不肖者，則權輕位卑也。不肖而能服於賢者，則權重位尊也。堯為匹夫，不能治三人。而桀為天子，能亂天下。吾以此知勢位之足恃，而賢智之不足慕也。夫弩弱而矢高者，激於風也。身不肖而令行者，得助於眾也。堯教於隸屬，而民不聽；至於南面而王天下，令則行，禁則止。由此觀之，賢智未足以服眾，而勢位足以詘(原作缶，據俞校改)賢者也。

　　(《韓非子》卷十七，頁一)

《管子‧明法解》曰：

　　　　明主在上位，有必治之勢，則群臣不敢為非。是故群臣之不敢欺其主者，非愛主也，以畏主之威勢也。百姓之爭用，非以愛主也，以畏主之法令也。故明主操必勝之數，以治必用之民；處必尊之勢，以制必服之臣。故令行禁止，主尊而臣卑。故《明法》曰：「尊君卑臣，非計親也，以勢勝也。」(《管子》卷二十一，《四部叢刊》本，頁七)

《管子》此言，非必即慎到之說，要之亦係重勢者之言也。此派謂國君

須有威勢，方能驅使臣下。

重術者以申不害為宗；重法者以商鞅為宗。《韓非子·定法篇》曰：

> 問者曰：「申不害，公孫鞅，此二家之言，孰急於國？」應
> 之曰：「是不可程也。人不食十日則死。大寒之隆，不衣亦死。
> 謂之衣食孰急於人，則是不可一無也，皆養生之具也。今申不
> 害言術，而公孫鞅為法。術者，因任而授官，循名而責實，操
> 殺生之柄，課群臣之能者也。此人主之所執也。法者，憲令著
> 於官府，刑罰必於民心，賞存乎慎法，而罰加乎奸令者也。此
> 臣之所師也。君無術則弊於上；臣無法則亂於下。此不可一無，
> 皆帝王之具也。」（《韓非子》卷十七，頁四至五）

術為君主御臣下之技藝；法為臣下所遵之憲令。申不害與商鞅二家之
言，所注重各不同也。

三派與韓非

其能集此三派之大成，又以《老》學、荀學為根據，而能自成一家之言者，則韓非是也。韓非以秦始皇十四年 (公元前 233 年) 死於秦 (《史記‧秦始皇本紀》)。《史記》曰：

> 韓非者，韓之諸公子也。喜刑名法術之學，而其歸本於黃老。非為人口吃，不能道說。而善著書。與李斯俱事荀卿，斯自以為不如非。非見韓之削弱，數以書諫韓王；韓王不能用。於是韓非疾治國不務修明其法制，執勢以御其臣下，富國強兵，而以求人任賢，反舉浮淫之蠹，而加之於功實之上。……觀往者得失之變，故作《孤憤》《五蠹》《內外儲說》《說林》《說難》，十餘萬言。(《老莊申韓列傳》，《史記》卷六十三，同文影殿刊本，頁五至六)

韓非以為勢、術、法，三者皆「帝王之具」，不可偏廢。故曰：

> 勢者，勝眾之資也。……故明主之行制也天，其用人也鬼。天則不非，鬼則不困，勢行教嚴，逆而不違。……然後一行其法。(《八經》，《韓非子》卷十八，頁八)

「明主之行制也天」，言其依法而行，公而無私也。「其用人也鬼」，言其御人有術，密而不可測也。以賞罰之威，「一行其法」。勢、術、法並用，則國無不治矣。

法之重要

自春秋至戰國之時，「法」之需要日亟，其原因上文已詳。法家更就理論上說明法之重要，《管子‧明法解》曰：

> 明主者，一度量，立表儀，而堅守之，故令下而民從。法者，天下之程式也，萬事之儀表也。吏者，民之所懸命也。故明主之治也，當於法者誅之。故以法誅罪，則民就死而不怨；以法量功，則民受賞而無德也。此以法舉錯之功也。故《明法》曰：「以法治國，則舉錯而已。」明主者，有法度之制；故群臣皆出於方正之治，而不敢為奸。百姓知主之從事於法也，故吏之所使者有法，則民從之；無法則止。民以法與吏相距，下以法與上從事。故詐偽之人不得欺其主；嫉妒之人不得用其賊心；讒諛之人不得施其巧；千里之外，不敢擅為非。故《明法》曰：「有法度之制者，不可巧以詐偽。」（《管子》卷二十一，頁十）

《韓非子‧用人篇》曰：

> 釋法術而任心治，堯不能正一國。去規矩而妄意度，奚仲不能成一輪。廢尺寸而差短長，王爾不能半中。使中主守法術，拙匠守規矩尺寸，則萬不失矣。君人者，能去賢巧之所不能，守中拙之所萬不失，則人力盡而功名立。（《韓非子》卷八，頁九）

又《難三篇》曰：

> 法者，編著之圖籍，設之於官府，而佈之於百姓者也。（《韓
> 非子》卷十六，頁五至六）

「明主」制法以治國。法成則公佈之，使一國之人皆遵守之。而明主之
舉措設施，亦以法為規矩準繩。有此規矩準繩，則後雖有中庸之主，
奉之亦足以為治矣。

法既立，則一國之君臣上下，皆須遵守，而不能以私意變更之。
《管子・任法篇》曰：

> 法不一，則有國者不祥。……故曰，法者，不可恆也。（安
> 井衡云：「恆上脫不字。」）存亡治亂之所從出，聖君所以為天下大儀
> 也。……萬物百事，非在法之中者，不能動也。故法者，天下
> 之至道也，聖君之實用也。……有生法，有守法，有法於法。
> 夫生法者，君也。守法者，臣也。法於法者，民也。君臣上下
> 貴賤皆從法，此謂為大治。（《管子》卷十五，頁五至六）

《韓非子・有度篇》曰：

> 故明主使其群臣，不遊意於法之外，不為惠於法之內，動
> 無非法。（《韓非子》卷二，頁三）

又《難二篇》曰：

> 人主雖使人，必以度量準之，以刑名參之。以事遇於法則
> 行，不遇於法則止。（《韓非子》卷十五，頁九）

「君臣上下貴賤皆從法」，乃能「大治」。此法家最高之理想，而在中國
歷史中，蓋未嘗實現者也。

法既已立，則一國之「君臣上下貴賤皆從法」。一切私人之學說，
多以非議法令為事，故皆應禁止。《韓非子・問辯篇》曰：

> 或問曰：「辯安生乎？」對曰：「生於上之不明也。」問者曰：
> 「上之不明，因生辯也，何哉？」對曰：「明主之國，令者，言最

貴者也。法者，事最適者也。言無二貴；法不兩適。故言行而
不軌於法令者，必禁。若其無法令，而可以接詐應變，生利揣
事者，上必採其言而責其實。言當則有大利，不當則有重罪。
是以愚者畏罪而不敢言，智者無以訟。此所以無辯之故也。亂
世則不然。主上有令，而民以文學非之。官府有法，民以私行
矯之。人主顧漸其法令，而尊學者之智行。此世之所以多文學
也。……是以儒服帶劍者眾而耕戰之士寡，堅白無厚之詞章
而憲令之法息。故曰，上不明，則辯生焉。」（《韓非子》卷十七，
頁三至四）

蓋法既為國人言行最高之標準，故言行而不規於法令者，必禁也。故

　　明主之國，無書簡之文，以法為教。無先王之語，以吏為
師。（《五蠹篇》，《韓非子》卷十九，頁五）

正名實

　　法家所講之術，為君主駕御臣下之技藝。其中之較有哲學興趣之一端，為綜核名實。蓋應用辯者正名實之理論於實際政治者也。《管子·白心篇》曰：

　　　名正法備，則聖人無事。（《管子》卷十三，頁七）

又《入國篇》曰：

　　　修名而督實，按實而定名。名實相生，反相為情。名實當則治，不當則亂。（《管子》卷十八，頁三）

《韓非子·揚權篇》曰：

　　　用一之道，以名為首。名正物定，名倚物徙。故聖人執一以靜，使名自命，令事自定。不見其採，下故素正。因而任之，使自事之。因而予之，彼將自舉之。正與處之，使皆自定之，上以名舉之。不知其名，復修其形。形名參同，用其所生。二者誠信，下乃貢情。……君操其名，臣效其形。形名參同，上下和調也。（《韓非子》卷二，頁六至七）

又《二柄篇》曰：

　　　人主將欲禁奸，則審合刑名者，言與事也。為人臣者陳而言，君以其言授之事，專以其事責其功。功當其事，事當其言，則賞。功不當其事，事不當其言，則罰。故群臣其言大而

功小者則罰；非罰小功也，罰功不當名也。群臣其言小而功大者
亦罰；非不說於大功也，以為不當名也，害甚於有大功，故罰。

（《韓非子》卷二，頁五）

儒家孔子之講正名，蓋欲使社會中各種人，皆為其所應該。法家之講
正名，則示君主以駕御臣下之方法。辯者所講正名實，乃欲「慎其所
謂」，使「是實也，必有是名也」。法家之正名實，乃欲「審合形名」，
使是名也，必有是實也。如君主與人以位，則必按其位之名，以責其
效。責其效，即使其實必副其名也。如其臣有所言，則「君以其言授之
事，專以其事責其功」。責其功，即使其實必副其名也。如此則諸執
事之臣，皆自然努力以求副其名，而君主只須執名以核諸臣之成績。
所謂「君操其名，臣效其形」也。此以簡御繁，以一御萬之術也。所謂
「聖人執一以靜，使名自命，令事自定」也。

嚴賞罰

　　觀上所說，亦可知法與術之皆為君主所必需，故《韓非子》曰：「此不可一無，皆帝王之具也。」(《定法》,《韓非子》卷十七，頁五) 然只有法、術，而無勢，上仍不能制馭其下。專恃勢固不可以為治，然無勢君亦不能推行其法術。《韓非子・功名篇》曰：

　　　　夫有材而無勢，雖賢不能制不肖。故立尺材於高山之上，則臨千仞之溪，材非長也，位高也。桀為天子，能制天下，非賢也，勢重也；堯為匹夫，不能正三家，非不肖也，位卑也。千鈞得船則浮；錙銖失船則沉。非千鈞輕而錙銖重也，有勢之於無勢也。故短之臨高也以位；不肖之制賢也以勢。(《韓非子》卷八，頁十一)

又《人主篇》曰：

　　　　夫馬之所以能任重引車致遠道者，以筋力也。萬乘之主，千乘之君，所以制天下而征諸侯者，以其威勢也。威勢者，人主之筋力也。(《韓非子》卷二十，頁三)

君之勢之表現於外者為賞罰。賞罰為君之二柄，《韓非子・二柄篇》曰：

　　　　明主之所導制其臣者，二柄而已矣。二柄者，刑德也。何謂刑德？殺戮之謂刑；慶賞之謂德。為人臣者，畏誅罰而利慶

賞。故人主自用其刑德，則群臣畏其威而歸其利矣。(《韓非子》卷二，頁四)

人莫不畏誅罰而利慶賞，故君主利用人之此心理，而行其威勢。《韓非子‧八經篇》曰：

> 凡治天下，必因人情。人情者有好惡，故賞罰可用。賞罰可用，則禁令可立，而治道具矣。君執柄以處勢，故令行禁止。柄者，殺生之制也；勢者，勝眾之資也。(《韓非子》卷十八，頁八)

因「人情有好惡」而用賞罰，即順人心以治人。故曰，「逆人心，雖賁育不能盡人力」；「得人心，則不趣而自勸」(《功名篇》，《韓非子》卷八，頁十一) 也。

性惡

「人情有好惡，故賞罰可用。」蓋人之性唯知趨利避害，故唯利害可以驅使之。法家多以為人之性惡。韓非為荀子弟子，對於此點，尤有明顯之主張。《韓非子・揚權篇》曰：

> 黃帝有言曰：上下一日百戰。下匿其私，用試其上；上操度量，以割其下。(《韓非子》卷二，頁八至九)

《外儲說左上篇》曰：

> 夫賣庸而播耕者，主人費家而美食，調布而求易錢者，非愛庸客也。曰，如是，耕者且深，耨者熟耘也。庸客致力而疾耘耕者，盡巧而正畦陌畦畤 (顧云：「當衍二字。」) 者，非愛主人也。曰，如是，羹且美，錢布且易云也。此其養功力，有父子之澤矣。而心調於用者，皆挾自為心也。故人行事施予，以利之為心，則越人易和；以害之為心，則父子離且怨。(《韓非子》卷十一，頁六)

《六反篇》云：

> 且父母之於子也，產男則相賀，產女則殺之。此俱出父母之懷衽，然男子受賀，女子殺之者，慮其後便，計之長利也。故父母之於子也，猶用計算之心以相待也。而況無父子之澤乎？(《韓非子》卷十八，頁一至二)

韓非以為天下之人，皆自私自利，「皆挾自為心」，互「用計算之心以相待」。然正因其如此，故賞罰之道可用也。

在經濟方面，韓非以為人既各「挾自為心」，即宜聽其「自為」，使自由競爭。故反對儒者「平均地權」之主張。《韓非子‧顯學篇》曰：

> 今世之學士語治者，多曰，與貧窮地，以實無資。今夫與人相若也，無豐年旁入之利，而獨以完給者，非力則儉也。與人相若也，無饑饉疾疚禍罪之殃，獨以貧窮者，非侈則惰也。侈而惰者貧，而力而儉者富。今上徵斂於富人，以佈施於貧家，是奪力儉而與侈惰也。而欲索民之疾作而節用，不可得也。（《韓非子》卷十九，頁八）

聽人之自由競爭，則人皆疾作而節用，生產增加矣。

儒家謂古代風俗淳厚，且多聖人；韓非亦不認為完全不合事實。《韓非子‧五蠹篇》曰：

> 古者丈夫不耕，草木之實足食也；婦人不織，禽獸之皮足衣也。不事力而養足，人民少而財有餘，故民不爭。是以厚賞不行，重罰不用，而民自治。今人有五子，不為多，子又有五子，大父未死，而有二十五孫。是以人民眾而貨財寡，事力勞而供養薄，故民爭。雖倍賞累罰，而不免於亂。堯之王天下也，茅茨不翦，採椽不斫，糲粢之食，藜藿之羹，冬日麑裘，夏日葛衣，雖監門之服養，不虧於此矣。禹之王天下也，身執耒臿，以為民先，股無胈，脛不生毛。雖臣虜之勞，不苦於此矣。以是言之，夫古之讓天子者，是去監門之養，而離臣虜之勞也。古傳天下而不足多也。今之縣令，一日身死，子孫累世絜駕，故人重之。是以人之於讓也，輕辭古之天子，難去今之縣令者，薄厚之實異也。夫山居而谷汲者，膢臘而相遺以水。澤

居苦水者，買庸而決竇。故饑歲之春，幼弟不饟。穰歲之秋，
疏客必食。非疏骨肉，愛過客也，多少之實異也。是以古之易
財，非仁也，財多也。今之爭奪，非鄙也，財寡也。輕辭天
子，非高也，勢薄也。重爭土橐，非下也，權重也。故聖人議
多少，論薄厚，為之政。故罰薄不為慈，誅嚴不為戾，稱俗而
行也。(《韓非子》卷十九，頁一至二)

古今人之行為不同，蓋因古今人之環境不同，非古今人之性異也。謂
古者民俗淳厚可，但因此即謂人之性善則不可。

　　因人性如此，故必「道之以政，齊之以刑」，然後天下可以必治。
若孔孟所説「道之以德，齊之以禮」之政治，則不能必其有效。《韓非
子·顯學篇》曰：

　　　夫嚴家無悍虜，而慈母有敗子。吾以此知威勢之可以禁
暴，而德厚之不足以止亂也。夫聖人之治國，不恃人之為吾善
也，而用其不得為非也。恃人之為吾善也，境內不什數。用人
不得為非，一國可使齊。為治者用眾而捨寡，故不務德而務
法，夫必恃自直之箭，百世無矢；恃自圜之木，千世無輪矣。
自直之箭，自圜之木，百世無有一，然而世皆乘車射禽者，何
也？隱括之道用也。雖有不恃隱括，而有自直之箭，自圜之
木，良工弗貴也。何則？乘者非一人，射者非一發也。不恃賞
罰，而恃自善之民，明主弗貴也。何則？國法不可失，而所治
非一人也。故有術之君，不隨適然之善，而行必然之道。(《韓非
子》卷十九，頁九至十)

用法，用術，用勢，必可以為治，即「必然之道」也。

無為

若君主能用此道，則可以「無為而治」矣。《韓非子‧揚權篇》曰：

> 事在四方，要在中央。聖人執要，四方來效。虛而待之，彼自以之。四海既藏，道陰見陽。左右既立，開門而當。勿變勿易，與二俱行。行之不已，是謂履理也。夫物者有所宜，材者有所施。各處其宜，故上下無為。使雞司夜，令狸執鼠。皆用其能，上乃無事。上有所長，事乃不方。矜而好能，下之所欺。辯惠好生，下因其材。上下易用，國故不治。(《韓非子》卷二，頁六)

《大體篇》曰：

> 古之全大體者，望天地，觀江海，因山谷。日月所照，四時所行，雲佈風動，不以智累心，不以私累己。寄治亂於法術，託是非於賞罰，屬輕重於權衡。不逆天理，不傷情性。不吹毛而求小疵，不洗垢而察難知。不引繩之外，不推繩之內。不急法之外，不緩法之內。守成理，因自然。禍福生乎道法，而不出乎愛惡。榮辱之責，在乎己，而不在乎人。(《韓非子》卷八，頁十一至十二)

君主任群臣之自為，而自執「二柄」以責其效。君主之職責，如大輪船上之掌舵者然。但高處深居，略舉手足，而船自能隨其意而運動。此所謂以一馭萬，以靜制動之道也。

一部分之道家，本已有此種學説。《莊子・天道篇》云：

　　夫帝王之德，以天地為宗，以道德為主，以無為為常。無
為也，則用天下而有餘。有為也，則為天下用而不足。故古之
人貴夫無為也。上無為也，下亦無為也，是下與上同德。下與
上同德則不臣。下有為也，上亦有為也，是上與下同道。上與
下同道則不主。上必無為而用天下，下必有為為天下用，此不
易之道也。故古之王天下者，知雖落天地，不自慮也。辨雖雕
萬物，不自説也。能雖窮海內，不自為也。天不產而萬物化，
地不長而萬物育，帝王無為而天下功。故曰，莫神於天，莫富
於地，莫大於帝王。故曰，帝王之德配天地。此乘天地，馳萬
物，而用人群之道也。……是故古之明大道者，先明天而道德
次之。道德已明，而仁義次之。仁義已明，而分守次之。分守
已明，而形名次之。形名已明，而因任次之。因任已明，而原
省次之。原省已明，而是非次之。是非已明，而賞罰次之。賞
罰已明，而愚知處宜，貴賤履位，仁賢不肖襲情，必分其能，
必由其名。以此事上，以此畜下，以此治物，以此修身。知謀
不用，必歸其天。此之謂大平，治之至也。故《書》曰，有形有
名。形名者，古人有之，而非所以先也。古之語大道者，五變
而形名可舉，九變而賞罰可言也。（《莊子》卷五，《四部叢刊》本，頁
二十五至二十八）

天下之事甚多，若君主必皆自為之，姑無論其不能有此萬能之全才，
即令有之，而顧此則失彼，顧彼則失此。一人之精力時間有限，而天
下之事無窮，此所以「有為」則「為天下用而不足」也。所以「古之王天
下者，能雖窮海內，不自為也」。故「帝王之德」，必以「無為為常」。
一切事皆使人為之，則人盡其能而無廢事，此所以「無為」則「用天下

而有餘」也。此帝王「用人群之道」也。至於施行此道之詳細方法，則即以下所舉九變是也。分守者，設官分職，並明定其所應管之事也。分守已明，則即用某人以為某職。某人者，形也；某職者，名也。所謂「分守已明，而形名次之」也。既以某人為某職，則即任其自為而不可干涉之。此所謂「形名已明而因任次之」也。君主雖不干涉其如何辦其職分內之事，但卻常考察其成效。所謂「因任已明而原省次之」也。省讀為省察之省，既已考察其成效，則其成效佳者為是，不佳者為非，此所謂「原省已明而是非次之」也。是非既明，則是者賞之，而非者罰之。此所謂「是非已明而賞罰次之」也。如此則愚知仁賢不肖，各處其應處之地位，而天下治矣。《在宥篇》曰：

> 賤而不可不任者，物也。卑而不可不因者，民也。匿而不可不為者，事也。粗而不可不陳者，法也。遠而不可不居者，義也。親而不可不廣者，仁也。節而不可不積者，禮也。中而不可不高者，德也。一而不可不易者，道也。神而不可不為者，天也。故聖人觀於天而不助，成於德而不累，出於道而不謀，會於仁而不恃，薄於義而不積，應於禮而不諱，接於事而不辭，齊於法而不亂，恃於民而不輕，因於物而不去。物者，莫足為也，而不可不為。不明於天者，不純於德。不通於道者，無自而可。不明於道者，悲夫！何謂道？有天道，有人道。無為而尊者，天道也。有為而累者，人道也。主者，天道也。臣者，人道也。天道之與人道也，相去遠矣，不可不察也。（《莊子》卷四，頁四十一至四十二）

韓非「喜刑名法術之學，而歸本於黃老」。蓋法家之學，實大受道家之影響。道家謂道任萬物之自為，故無為而無不為。推之於政治哲學，則帝王應端拱於上，而任人民之自為。所謂「無為而尊者，天道也。有

為而累者，人道也。主者，天道也。臣者，人道也」。然人民若各自為，果能皆相調和，而不致有衝突耶？一部分之道家，理想化天然，以為苟任人性之自然，自無所不可。此莊學正宗之見解，荀子所謂「蔽於天而不知人」者也。一部分之道家，謂若使人皆無知寡欲，亦自能相安於淳樸，此《老》學之見解也。一部分之道家，知「物者，莫足為也，而不可不為」。事雖「匿」而不可不為，法雖「粗」而不可不陳。故亦講「分守」「形名」「因任」「原省」「是非」「賞罰」，使人民皆「齊於法而不亂」。此部分之道家，亦受當時現實政治趨勢之暗示，異於別一部分道家之專談「烏托邦」矣。法家更就此點，徹底發揮。今《管子》書中，有《內業》《白心》諸篇。《韓非子》書中，有《解老》《喻老》諸篇。雖此等書皆後人所編輯，然可想知原來法家各派中，皆兼講道家之學也。不過此講形名賞罰之一部分道家，雖講形名賞罰，而又以其為「非所以先也」；講法而又以其為「粗」，以「物」為「不可不為」，而又以其為「莫足為」。仍未全離道家觀點，此其所以與法家終異也。

法家與當時貴族

　　當時現實政治之趨勢，為由貴族政治，趨於君主專制政治。法家
與此趨勢以理論的根據，而其才智學力，又足以輔君主作徹底的改
革。故此等人最為當時之大臣貴族所不喜。《韓非子·孤憤篇》曰：

　　　　智術之士，必遠見而明察，不明察不能燭私。能法之士，
　　必強毅而勁直，不勁直不能矯奸。……智術之士，明察聽用，
　　且燭重人之陰情。能法之士，勁直聽用，且矯重人之奸行。故
　　智術能法之士用，則貴重之臣必在繩之外矣。是智法之士，與
　　當塗之人，不可兩存之仇也。……故資必不勝，而勢不兩存，
　　法術之士，焉得不危？其可以罪過誣者，以公法而誅之。其不
　　可被以罪過者，以私劍而窮之。是明法術而逆主上者，不僇於
　　吏誅，必死於私劍矣。（《韓非子》卷四，頁一至二）

《問田篇》曰：

　　　　堂溪公謂韓子曰：「臣聞服禮辭讓，全之術也。修行退智，
　　遂之道也。今先生立法術，設度數，臣竊以為危於身而殆於
　　軀。……夫捨乎全遂之道，而肆乎危殆之行，竊為先生無取
　　焉。」韓子曰：「臣明先生之言矣。夫治天下之柄，齊民萌之度，
　　甚未易處也。然所以廢先生之教，而行賤臣之所取者，竊以為
　　立法術，設度數，所以利民萌，便眾庶之道也。故不憚亂主暗

上之患禍，而必思以齊民萌之資利者，仁智之行也。憚亂主暗
上之患禍，而避乎死亡之害，知明夫身而不見民萌之資利者，
貪鄙之為也。臣不忍向貪鄙之為，不敢傷仁智之行。先生有幸
臣之意，然有大傷臣之實。」（《韓非子》卷十七，頁四）

蓋當時國家社會，範圍日趨廣大，組織日趨複雜。舊日「用人群之道」
已不適用，而需要新者。韓非之徒，以為「立法術，設度數」，足以
「利民萌，便眾庶」，不「避死亡之害」，鼓吹新「用人群之道」，亦積極
救世之士也。

第五章

馮友蘭講名家

辯者學說之大體傾向

　　漢人所謂名家，戰國時稱為「刑名之家」（《戰國策‧趙策》，「刑名」即「形名」，說見王鳴盛《十七史商榷》卷五），或稱為「辯者」。《莊子‧天地篇》謂：「辯者有言曰：『離堅白，若縣寓。』」（《莊子》卷五，《四部叢刊》本，頁九）《天下篇》謂：「惠施以此為大觀於天下，而曉辯者。天下之辯者，相與樂之。……桓團、公孫龍，辯者之徒。」（《莊子》卷十，頁四十至四十二）於此可見「辯者」乃當時之「顯學」，而「辯者」亦當時此派「顯學」之通名也。

　　辯者之書，除《公孫龍子》存一部分外，其餘均佚。今所知惠施及其他辯者之學說，僅《莊子‧天下篇》所舉數十事。然《天下篇》所舉，僅其辯論所得之斷案，至所以達此斷案之前提，則《天下篇》未言及之。自邏輯言，一同一之斷案，可由許多不同之前提推來。吾人若知一論辯之前提，則可推知其斷案。若僅知其斷案，則無由定其係由何前提推論而得，其可能的前提甚多故也。故嚴格言之，《天下篇》所舉惠施等學說數十事，對之不能作歷史的研究，蓋吾人可隨意為此等斷案，加上不同的前提而皆可通，註釋者可隨意予以解釋，不易斷定何者真合惠施等之說也。但中國哲學史中之只有純理論的興趣之學說極少，若此再不講，則中國哲學史更覺畸形。若欲講此數十事，而又不欲完全瞎猜，則必須先明辯者學說之大體傾向。欲明辯者學說之大

體傾向，須先看較古書中對於辯者學說之傳說及批評。

《莊子·天地篇》曰：

> 夫子問於老聃曰：「有人治道若相放，可不可，然不然。辯者有言曰：『離堅白，若縣寓。』若是則可謂聖人乎？」（《莊子》卷五，頁九）

又《秋水篇》曰：

> 公孫龍問於魏牟曰：「龍少學先王之道，長而明仁義之行。合同異，離堅白。然不然，可不可。困百家之知，窮眾口之辯，吾自以為至達矣。」（《莊子》卷六，頁二十四）

《天下篇》曰：

> 桓團、公孫龍，辯者之徒，飾人之心，易人之意。能勝人之口，不能服人之心，辯者之囿也。……然惠施之口談，自以為最賢。……以反人為實，而欲以勝人為名，是以與眾不適也。（《莊子》卷十，頁四十二至四十三）

《荀子·非十二子篇》曰：

> 不法先王，不是禮義。而好治怪說，玩琦辭。甚察而不惠（王念孫曰：「惠當為急之誤。」），辯而無用。多事而寡功，不可以為治綱紀。然而其持之有故，其言之成理，足以欺惑愚眾，是惠施鄧析也。（《荀子》卷三，《四部叢刊》本，頁十四）

又《解蔽篇》曰：

> 惠子蔽於辭，而不知實。……由辭謂之道，盡論矣。（《荀子》卷十五，頁五）

司馬談曰：

> 名家苛察繳繞，使人不得反其意，專決於名，而失人情。故曰：使人儉而善失真。若夫控名責實，參伍不失，此不可不

察也。（《太史公自序》，《史記》卷百三十，同文影殿刊本，頁五）

《漢書・藝文志》曰：

> 名家者流，蓋出於禮官。古者名位不同，禮亦異數。孔子
> 曰：「必也正名乎？名不正則言不順，言不順則事不成。」此其
> 所長也。及警者為之，則苟鈎鈲析亂而已。（《漢書》卷三十，同文影
> 殿刊本，頁二十五）

此當時及以後較早學者對於辯者學說之傳說及批評也。此等批評雖未
盡當，傳說雖未必盡可信，然於其中可見辯者學說之大體傾向。換言
之，即此等傳說批評，可指示吾人以推測辯者學說之方向。本此指示
以解釋現所有關於辯者學說之材料，或可不致大失真也。

《莊子》書中除《天下篇》外，「寓言十九」，上所引《天地》及《秋
水篇》二事，固不能斷其為真。不過《莊子》書中所述歷史上的人物之
言行，雖不必真，然與其人之真言行，必為一類。如《莊子》書中述孔
子之言，必為講禮義經典者；其所述雖非必真為孔子所說，要之孔子
之主張，自亦在此也。故認《莊子》書中所述歷史上的人物之言行為真
固不可；認其可以表示其人言行之大體傾向，則無不可也。

即以上所引觀之，可見辯者之學說必全在所謂名理上立根據。所
謂「專決於名」也。故漢人稱之為名家。吾人解釋現所有辯者之言，亦
宜首注意於此方面。

惠施與莊子

　　荀子以惠施、鄧析並舉；然據《呂氏春秋》所說，鄧析只以教人訟為事，蓋古代一有名之訟師也。大約其人以詭辯得名，故後來言及辯者多及之。其實辯者雖尚辯而不必即尚詭也。

　　惠施姓惠名施，相傳為宋人（《淫辭篇》高註，《呂氏春秋》，《四部叢刊》本，卷十八，頁十三）。與莊子為友。莊子及見惠施之死（見《莊子・徐無鬼》），則惠施似較莊子為年長。《呂氏春秋》謂惠施「去尊」（《愛類篇》，《呂氏春秋》卷二十一，頁九）。《韓非子》謂惠施「欲以齊荊偃兵」（《內儲說上》，《韓非子》，《四部叢刊》本，卷九，頁四）。《莊子・天下篇》謂惠施謂「泛愛萬物，天地一體也」（《莊子》卷十，頁三十九）。是惠施亦主張兼愛非攻，與墨家同。故胡適之先生歸之於「別墨」。然《莊子・天下篇》不以惠施為墨家。蓋墨家為一有組織的團體，須加入其團體，「以鉅子為聖人，皆願為之屍，冀得為其後世」（《天下篇》，《莊子》卷十，頁二十九）者，方可為墨；非隨便以兼愛非攻為說，即為墨也。且惠施「去尊」之說，其詳雖不可考，要之「去尊」亦與墨家尚同之說相違也。大約戰國之時，戰事既多而烈，非兵之說甚盛。故孟子反對戰爭；公孫龍亦主張偃兵；此自是當時之一種普通潮流。惠施、公孫龍固不以此名家也。

　　《莊子・天下篇》中雖未明言惠施為辯者，然謂：「惠施以此為大觀於天下，而曉辯者。」「惠施日以其知與人之（俞云：「衍之字。」）辯，特

與天下之辯者為怪。」（《莊子》卷十，頁四十二）「惠施之口談，自以為最賢。」（同上）此可見惠施實以辯名家者。故《莊子‧德充符》謂：莊子謂惠子曰：「今子外乎子之神，勞乎子之精。倚樹而吟，據槁梧而瞑，天選子之形，子以堅白鳴。」（《莊子》卷二，頁四十四）《齊物論》亦言：「惠子之據梧也⋯⋯故以堅白之昧終。」（《莊子》卷一，頁三十二）荀子謂惠施「蔽於辭而不知實」（《解蔽篇》，《荀子》卷十五，頁五），《天下篇》所謂「惠施卒以善辯為名」（《莊子》卷十，頁四十三）也。

《天下篇》曰：

> 南方有倚人焉，曰黃繚，問天地所以不墜不陷，風雨雷霆之故。惠施不辭而應，不慮而對，遍為萬物說。說而不休，多而無已，猶以為寡，益之以怪。（《莊子》卷十，頁四十三）

惠施之萬物說，今不可得見；其學說之尚可考者，略見於《天下篇》所說之十事。此十事之解釋，各家不相同。由吾人之意見觀之，莊子之學說似受惠施之影響極大。《齊物論》謂「方生方死，方死方生」（《莊子》卷一，頁二十七），與惠施十事中「日方中方睨，物方生方死」（《莊子》卷十，頁三十八）之說同。又謂「天下莫大於秋毫之末，而泰山為小」（《莊子》卷一，頁三十四），與惠施「天與地卑，山與澤平」（《莊子》卷十，頁三十八）之說同。又謂「天地與我並生，而萬物與我為一」（《莊子》卷一，頁三十四），與惠施「泛愛萬物，天地一體也」（《莊子》卷十，頁三十九）之說同。《莊子‧徐無鬼》謂莊子傷惠施之死曰：

> 郢人堊慢其鼻端若蠅翼，使匠石斲之。匠石運斤成風，聽而斲之，盡堊而鼻不傷；郢人立不失容。宋元君聞之，召匠石曰：「嘗試為寡人為之。」匠石曰：「臣則嘗能斲之。雖然，臣之質死久矣。」自夫子之死也，吾無以為質矣，吾無與言之矣。（《莊子》卷八，頁三十）

《莊子》書中「寓言十九」，此亦不能即認為真莊子之言。《莊子》書中屢記莊子與惠施談論之事，亦不能即認為歷史的事實。然莊子思想，既與惠施有契合者，如上所引《齊物論》三事，《莊子》書中此等記載，固亦可認為可能，可引為旁證也。吾人得此指示為線索，則知欲了解《天下篇》所述惠施十事，莫如在《莊子》書中，尋其解釋，此或可不致厚誣古人也。

《天下篇》所述惠施學說十事

《天下篇》曰：

> 惠施……歷物之意曰：至大無外，謂之大一；至小無內，謂之小一。（《莊子》卷十，頁三十八）

此所謂惠施十事中之第一事也。《莊子‧秋水篇》云：「河伯曰：『然則吾大天地而小毫末可乎？』北海若曰：『否。……計人之所知，不若其所不知。其生之時，不若未生之時。以其至小，求窮其至大之域，是故迷亂而不自得也。由此觀之，又何以知毫末之足以定至細之倪，又何以知天地之足以窮至大之域。』河伯曰：『世之議者皆曰：至精無形，至大不可圍，是信情乎？』」（《莊子》卷六，頁十三至十四）《則陽篇》謂：「精至於無倫，大至於不可圍。」（《莊子》卷八，頁五十九）「至精無形（或無倫），至大不可圍」，與「至大無外，至小無內」意同。「世之議者」當即指惠施也。普通人皆以天地為大，毫末為小。然依邏輯推之，則必「無外」者，方可謂之至大；「無內」者，方可謂之至小。由此推之，則毫末不足以「定至細之倪」，天地不足以「窮至大之域」。

惠施之第二事為：

> 無厚不可積也，其大千里。（《莊子》卷十，頁三十八）

《莊子‧養生主》曰：「刀刃者無厚。」（《莊子》卷二，頁四）無厚者，薄之至也。薄之至極，至於無厚，如幾何學所謂「面」。無厚者不可有體

積。然可有面積，故可「其大千里」也。

惠施之第三事為：

天與地卑，山與澤平。（《莊子》卷十，頁三十八）

《莊子‧秋水篇》曰：「以差觀之，因其所大而大之，則萬物莫不大；因其所小而小之，則萬物莫不小。知天地之為稊米也，知毫末之為丘山也，則差數睹矣。」（《莊子》卷六，頁十六）唯「無外」者為「至大」，以天地與「至大」比，「因其所小而小之」，則天地為稊米矣。唯「無內」者為「至小」，以毫末與「至小」比，「因其所大而大之」，則毫末為丘山矣。推此理也，因其所高而高之，則萬物莫不高；因其所低而低之，則萬物莫不低。故「天與地卑，山與澤平」也。

惠施之第四事為：

日方中方睨，物方生方死。（《莊子》卷十，頁三十八）

郭象《莊子‧大宗師》註曰：「夫無力之力，莫大於變化者也。故乃揭天地以趨新，負山嶽以舍故；故不暫停，忽已涉新；則天地萬物，無時而不移也。」（《莊子》卷三，頁九）「天地萬物，無時不移」，故「日方中方睨，物方生方死」。

惠施之第五事為：

大同而與小同異，此之謂小同異；萬物畢同畢異，此之謂
大同異。（《莊子》卷十，頁三十八至三十九）

《莊子‧德充符》曰：「自其異者視之，肝膽楚越也。自其同者視之，萬物皆一也。」（《莊子》卷二，頁三十）郭象註曰：「因其所異而異之，則天下莫不異。……因其所同而同之，則萬物莫不同。」（同上）此觀點即《秋水篇》中所說者。天下之物，若謂其同，則皆有相同之處，謂萬物畢同可也；若謂其異，則皆有相異之處，謂萬物畢異可也。至於世俗所謂同異，乃此物與彼物之同異，乃小同異，非大同異也。

惠施之第六事為：

　　　南方無窮而有窮。(《莊子》卷十，頁三十九)

《莊子·秋水篇》曰：「井蛙不可以語於海者，拘於虛(同墟，謂為地域所限)也。」(《莊子》卷六，頁十一) 普通人所至之處有限，故以南方為無窮。然此井蛙之見也。若從「至大無外」之觀點觀之，則南方之無窮，實有窮也。

　　惠施之第七事為：

　　　今日適越而昔來。(《莊子》卷十，頁三十九)

《秋水篇》云：「夏蟲不可以語於冰者，篤於時也。」(《莊子》卷六，頁十一) 若知「故不暫停，忽已涉新；則天地萬物，無時而不移也」。假定「今日適越」，明日到越；而所謂明日者，忽焉又為過去矣。故曰「今日適越而昔來」也。此條屬於詭辯，蓋所謂今昔，雖無一定之標準，然在一辯論範圍內，所謂今昔，須用同一之標準。「昔來」之昔，雖可為昔，然對於「今日適越」之「今」，固非昔也。莊子對於此條似不以為然；故《齊物論》曰：「未成乎心而有是非，是今日適越而昔至也。是以無有為有；無有為有，雖有神禹，且不能知，吾獨且奈何哉？」(《莊子》卷一，頁二十五至二十六)

　　【註】金岳霖先生云：此條亦或係指出所謂去來之為相對的。如吾人昨日自北平起程，今日到天津。自天津言，吾人係今日到天津。自北平言，吾人係昨日來天津。但觀《莊子》「今日適越而昔至」之言，此條之意，似係指出所謂今昔之為相對的。[1]

---

1 本章內容選自馮友蘭《中國哲學史》。在此書中，馮友蘭所做註釋有兩種情況：其一，如果是對前一段文字中的某些內容做註釋，那麼會在相對應內容之後加上「【註】」，並將註釋內容寫在對應段落之後；其二，如果是對前一段文字內容整體做註釋，那麼在前一段文字之中和段末均無「【註】」，直接將註釋內容寫在對應段落之後。本章採用原書形式，只是將註釋內容以小字號區分，雖與其他章節在體例上略有不同，但尚清晰明了，不易產生歧義。——編者註

惠施之第八事為：

連環可解也。(《莊子》卷十，頁三十九)

《莊子·齊物論》曰：「其分也，成也；其成也，毀也。」(《莊子》卷一，頁三十)「日方中方睨，物方生方死」。連環方成方毀；現為連環，忽焉而已非連環矣。故曰：「連環可解也。」

惠施之第九事為：

我知天下之中央，燕之北，越之南是也。(《莊子》卷十，頁三十九)

《莊子·秋水篇》曰：「計四海之在天地之間也，不似礨空之在大澤乎？計中國之在海內，不似稊米之在太倉乎？」(《莊子》卷六，頁十二) 然人猶執中國為世界之中，以燕之南、越之北為中國之中央，復以中國之中央為天下之中央，此真《秋水篇》所謂井蛙之見也。若就「至大無外」之觀點言之，則「天下無方，故所在為中，循環無端，故所在為始也」。(《釋文》引司馬註)

惠施之第十事為：

泛愛萬物，天地一體也。(《莊子》卷十，頁三十九)

「自其異者視之，肝膽楚越也；自其同者視之，萬物皆一也。」「泛愛萬物，天地一體」，自萬物之同者而觀之也。《莊子·齊物論》曰：「天下莫大於秋毫之末，而泰山為小；莫壽於殤子，而彭祖為夭。天地與我並生，而萬物與我為一。」(《莊子》卷一，頁三十四) 亦此意也。

惠施與莊子之不同

　　惠施之十事，若照上文所解釋，則惠施處處從「至大無外」之觀點，指出普通事物之為有限的，相對的。與《莊子‧齊物論》《秋水》等篇中所說，極相近矣。然《莊子‧齊物論》甫言「天地與我並生，而萬物與我為一」；下文即又言：「既已為一矣，且得有言乎？」（《莊子》卷一，頁三十四）此一轉語，乃莊子與惠施所以不同之處。蓋惠施只以知識證明「萬物畢同畢異」「天地一體」之說，而未言若何可以使吾人實際經驗「天地一體」之境界。莊子則於言之外，又言「無言」；於知之外，又言不知；由所謂「心齋」「坐忘」，以實際達到忘人我，齊死生，萬物一體，絕對逍遙之境界。故《天下篇》謂莊子「上與造物者遊，而下與外死生無終始者為友」（《莊子》卷十，頁三十七）；至謂惠施，則「弱於德，強於物，其塗隩矣」（《莊子》卷十，頁四十三）。由此觀之，莊子之學，實自惠施又進一步。故上文雖用莊子之書解釋惠施之十事，然惠施終為惠施，莊子終為莊子也。

　　《莊子‧秋水篇》述公子牟謂公孫龍曰：

　　　　且夫知不知是非之竟，而猶欲觀於莊子之言，是猶使蚊負山，商蚷馳河也，必不勝任矣。且夫知不知論極妙之言，而自適一時之利者，是非坎井之蛙歟？且彼方跐黃泉而登大皇，無南無北，奭然四解，淪於不測。無東無西，始於玄冥，反於大

通。子乃規規然而求之以察，索之以辯，是直用管窺天，用錐
指地也，不亦小乎？（《莊子》卷六，頁二十六）

此用莊學之觀點，以批評辯者，雖不必盡當，然莊學實始於言而終於
無言，始於辯而終於無辯，超乎「是非之竟」而「反於大通」。與辯者
之始終於「察」「辯」者不同。故《天下篇》批評惠施，注重於其好辯；
謂其「以反人為實，而欲以勝人為名」「特與天下之辯者為怪」。至於
敍述莊子學說則特別注重於其不好辯。曰：

莊周……以謬悠之說，荒唐之言，無端崖之詞，時恣縱而
不儻，不以觭見之也。……以巵言為曼衍，以重言為真，以寓
言為廣。……不譴是非以與世俗處。其書雖瑰瑋，而連犿無傷
也。其辭雖參差，而諔詭可觀。（《莊子》卷十，頁三十七）

「不以觭見之也」「不譴是非以與世俗處」「連犿無傷也」，皆似對惠施
之「以反人為實，而欲以勝人為名，是以與眾不適也」而言。《天下篇》
敍莊子學術不過二百餘字，而言及其言論之方法者，約佔半數，蓋欲
於此點別莊子與惠施也。《韓非子》引慧子（即惠施）曰：

往者東走，逐者亦東走；其東走則同，其所以東走之為則
異。故曰同事之人之不可不審察也。（《說林上》，《韓非子》卷七，《四部
叢刊》本，頁十四）

莊子與惠施之不同，亦猶是矣。

然莊子之學，在其「言」與「知」之方面，與惠施終有契合。故惠
施死，莊子有無與言之歎。故《莊子·天下篇》曰：

夫充一尚可，曰愈貴道幾矣。惠施不能以此自寧，散於萬
物而不厭，卒以善辯為名。惜乎惠施之才，駘蕩而不得，逐
萬物而不反；是窮響以聲，形與影競走也。悲夫！（《莊子》卷十，
頁四十三）

此謂惠施之學，本可「幾」於「道」；但「惠施不能以此自寧」，故散漫無歸，「卒以善辯為名」；深惜其才而歎曰「悲夫」。蓋自莊學之觀點言之，惠施之學，可謂一間未達，而入於歧途者也。

　　【註】《天下篇》對於墨子，稱為「才士也夫」；對於尹文、宋牼，稱為「救世之士」。雖亦致推崇，究非甚佳考語。但於慎到、田駢，則推為「概乎皆嘗有聞」；於惠施，則推為「愈貴道幾矣」。蓋此二派，對於莊學，實有同處。莊子言「言」，又言「無言」；言「知」，又言「無知」。慎到僅注重「不知」，所得為「塊不失道」。惠施僅注重「言」，所得為「卒以善辯為名」。蓋皆僅有莊學之一方面也。

公孫龍之「白馬論」

　　公孫龍，趙人。（《史記·孟子荀卿列傳》）《莊子·天下篇》云：「辯者以此與惠施相應，終身無窮。桓團、公孫龍辯者之徒。」（《莊子》卷十，頁四十二）據此言，公孫龍略在惠施後。然莊子已與其指物、白馬之説相辯論（見下），則亦與莊子同時也。公孫龍嘗説燕昭王、趙惠王偃兵曰：「偃兵之意，兼愛天下之心也。」（《審應篇》，《呂氏春秋》，《四部叢刊》本，卷十八，頁二）然偃兵乃當時一般人之意見，非公孫龍所以名家。《公孫龍子·跡府篇》曰：

　　　　公孫龍，六國時辯士也。疾名實之散亂，因資材之所長，為守白之論。假物取譬，以守白辯。……欲推是辯以正名實，而化天下焉。（《公孫龍子》卷上，雙鑑樓縮印《道藏》六子本）

又曰：

　　　　龍之所以為名者，乃以白馬之論耳。今使龍去之，則無以教焉。（同上）[1]

《莊子·天下篇》曰：

---

[1] 從此頁至 235 頁，引文之後的「（同上）」主要是説明引文所出版本和卷次。從此頁內容看，《公孫龍子》一書中的內容依據的是雙鑑樓縮印《道藏》六子本；而卷次的不同在不同引文之後均有標明。——編者註

　　　　桓團、公孫龍辯者之徒，飾人之心，易人之意；能勝人之
　　口，不能服人之心，辯者之囿也。（《莊子》卷十，頁四十二）
公孫龍之所以名家，在於「辯」，故當時以「辯士」「辯者」稱之。

　　公孫龍「所以為名者，乃以白馬之論」。《公孫龍子・白馬論》曰：

　　　　白馬非馬。……馬者，所以命形也；白者，所以命色也；
　　命色者，非命形也，故曰白馬非馬。……求馬，黃黑馬皆可致；
　　求白馬，黃黑馬不可致。……故黃黑馬一也，而可以應有馬，
　　而不可以應有白馬，是白馬之非馬審矣。……馬固有色，故有
　　白馬。使馬無色，有馬如已耳；安取白馬？故白者，非馬也。白
　　馬者，馬與白也，馬與白馬也；故曰白馬非馬也。……白者不
　　定所白，忘之而可也。白馬者，言白定所白也。定所白者，非
　　白也。馬者無去取於色，故黃黑皆所以應；白馬者有去取於色，
　　黃黑馬皆所以色去，故惟白馬獨可以應耳。無去者非有去也；
　　故曰白馬非馬。（《公孫龍子》卷上）

馬之名所指只一切馬所共有之性質，只一馬 as such，所謂「有馬如已
耳」（已似當為己，如己即 as such 之意）。其於色皆無「所定」，而白馬則於色
有「所定」，故白馬之名之所指，與馬之名之所指，實不同也。白亦有
非此白物亦非彼白物之普通的白；此即所謂「不定所白」之白也。若白
馬之白，則只為白馬之白，故曰「白馬者，言白定所白也。定所白者，
非白也」。言已為白馬之白，則即非普通之白。白馬之名之所指，與白
之名之所指，亦不同也。

公孫龍所謂「指」之意義

馬、白及白馬之名之所指，即《公孫龍子·指物論》所謂之「指」。指與物不同。所謂物者，《名實論》云：

> 天地與其所產焉，物也。物以物其所物而不過焉，實也。實以實其所實，不曠焉，位也。……正其所實者，正其名也。……夫名，實謂也。知此之非此也，知此之不在此也，則不謂也 (原作「知此之非也，明不為也」。依俞樾校改)。知彼之非彼也，知彼之不在彼也，則不謂也。（《公孫龍子》卷下）

由此段觀之，則物為佔空間時間中之位置者，即現在哲學中所謂具體的個體也。如此馬，彼馬，此白物，彼白物，是也。指者，名之所指也。就一方面說，名之所指為個體，所謂「名者，實謂也」。就又一方面說，名之所指為共相。如此馬彼馬之外，尚有「有馬如己耳」之馬。此白物彼白物之外，尚有一「白者不定所白」之白。此「馬」與「白」即現在哲學中所謂「共相」或「要素」。此亦名之所指也。公孫龍以指物對舉，可知其所謂指，即名之所指之共相也。

【註】嚴格言之，名有抽象與具體之分。抽象之名，專指共相；具體公共之名，指個體而包含共相。指所指之個體，即其外延（denotation）；其所含之共相，即其內涵（connotation）也。但中國文字，形式上無此分別；中國古哲學家亦未為此文字上之分別。故指個體之馬之「馬」，與指馬之共相之「馬」；謂此白物之

「白」，與指白之共相之「白」，未有區別。即「馬」「白」兼指抽象的共相與具體的個體，即兼有二種功用也。

　　【又註】余第一次稿云：「共相」或「要素」，公孫龍未有專用名詞以名之。「馬」「白」在文字語言上之代表，即此《名實論》所謂名也。吾人對於此白馬、彼白馬之知識謂之「知見」（percept）。對於「馬」「白」及「白馬」之知識，謂之概念（concept）。公孫龍所謂「指」，即概念也（陳鐘凡先生謂指與旨通，旨訓意，指亦訓意。説詳陳先生所著《諸子通誼》）。公孫龍未為共相專立名詞，即以「指」名之，猶柏拉圖所説之概念（idea），即指共相也。此説亦可通。但不如直以指為名之所指之共相之為較直截耳。

公孫龍之「堅白論」

公孫龍之《白馬論》指出「馬」「白」及「白馬」乃獨立分離的共相。
《莊子‧秋水篇》稱公孫龍「離堅白」;「離堅白」者,即指出「堅」及
「白」乃兩個分離的共相也。《公孫龍子‧堅白論》曰:

> 堅,白,石,三,可乎?曰,不可;曰,二,可乎?曰,
> 可。曰,何哉?曰,無堅得白,其舉也二;無白得堅,其舉也
> 二。……視不得其所堅,而得其所白者,無堅也;拊不得其所
> 白,而得其所堅,得其堅也,無白也。……得其白,得其堅,
> 見與不見,見 (此見字據俞樾校補) 與不見離,一二不相盈故離。離
> 也者藏也。(《公孫龍子》卷下)

此所謂「無堅」「無白」,皆指具體的石中之堅白而言。視石者見白而不
見堅,不見堅則堅離於白矣。拊石者得堅而不得白,不得白則白離於
堅矣。此可見「堅」與「白」,「不相盈」,所謂「不相盈」者,即此不在
彼中也。此就知識論上證明堅白之為兩個分離的共相也。《堅白論》中
又設為難者駁詞云:

> 目不能堅,手不能白,不可謂無堅,不可謂無白。其異任
> 也,其無以代也,堅白域於石,惡乎離?(同上)

此謂目手異任,不能相代;故目見白不見堅,手拊堅不得白。然此自

是目不見堅，手不得白而已，其實堅白皆在石內，何能相離也？公孫龍答曰：

> 物白焉，不定其所白；物堅焉，不定其所堅。不定者兼，惡乎其（原作甚，依陳澧校改）石也。（同上）

謝希深曰：「萬物通有白，是不定白於石也。夫堅白豈惟不定於石乎？亦兼不定於萬物矣。萬物且猶不能定，安能獨與石同體乎？」白「不定其所白」，堅「不定其所堅」，豈得謂「堅白域於石」。天下之物有堅而不白者，有白而不堅者；堅白為兩個分離的共相更可見矣。此就形上學上證明堅白之「離」也。《堅白論》又曰：

> 堅未與石為堅而物兼。未與為堅而堅必堅。其不堅石物而堅，天下未有若堅而堅藏。白固不能自白，惡能白石物乎？若白者必白，則不白物而白焉。黃黑與之然，石其無有，惡取堅白石乎？故離也，離也者因是。（同上）

謝希深註曰：「堅者不獨堅於石，而亦堅於萬物，故曰『未與石為堅而物兼』也。亦不與萬物為堅而固當自為堅，故曰『未與物為堅而堅必堅也』。天下未有若此獨立之堅而可見，然亦不可謂之無堅，故曰『而堅藏也』。」（同上）獨立之白，雖亦不可見，然白實能自白。蓋假使白而不能自白，即不能使石與物白。若白而能自白，則不借他物而亦自存焉。黃黑各色亦然。白可無石，白無石則無堅白石矣。由此可見堅白可離而獨存也。此就形上學上言「堅」及「白」之共相皆有獨立的潛存。「堅」及「白」之共相，雖能獨立地自堅自白，然人之感覺之則只限於其表現於具體的物者，即人只能感覺其與物為堅、與物為白者。然即其不表現於物，亦非無有，不過不能使人感覺之耳。此即所謂「藏」也。其「藏」乃其自藏，非有藏之者。故《堅白論》曰：

> 有自藏也，非藏而藏也。（同上）

柏拉圖謂個體可見而不可思，概念可思而不可見，即此義也。於此更可見「堅」「白」之「離」矣。豈獨「堅」「白」離，一切共相皆分離而有獨立的存在，故《堅白論》曰：

離也者，天下故獨而正。(同上)

公孫龍之「指物論」

　　現代新實在論者謂個體之物存在 (exist)，共相潛存 (subsist)。所謂潛存者，即不在時空中佔位置，而亦非無有。如堅雖不與物為堅，然仍不可謂無堅。此即謂堅「藏」，即謂堅潛存也。知「堅藏」之義，則《公孫龍子・指物篇》可讀矣。《指物篇》曰：

　　　　物莫非指，而指非指。天下無指，物無可以謂物。非指者，天下無 (原作而，據俞樾校改) 物，可謂指乎？指也者，天下之所無也；物也者，天下之所有也；以天下之所有，為天下之所無，未可。天下無指，而物不可謂指也；不可謂指者，非指也；非指者，物莫非指也。天下無指，而物不可謂指者，非有非指也。非有非指者，物莫非指也。物莫非指者，而指非指也。天下無指者，生於物之各有名，不為指也。不為指，而謂之指，是兼不為指。以有不為指，之無不為指，未可。且指者，天下之所兼。天下無指者，物不可謂無指也。不可謂無指者，非有非指也。非有非指者，物莫非指，指非非指也，指與物，非指也。使天下無物指，誰徑謂非指？天下無物，誰徑謂指？天下有指無物指，誰徑謂非指？徑謂無物非指？且夫指固自為非指，奚待於物，而乃與為指？（《公孫龍子》卷中）

天下之物，若將其分析，則唯見其為若干之共相而已。然共相則不可復分析為共相，故曰：「物莫非指而指非指，天下無指，物無可以為物也。」然共相必「有所定」，有所「與」，即必表現於物，然後在時空佔位置而為吾人所感覺；否則不在時空，不為吾人所感覺；故曰：「天下無物，可謂指乎？」又曰：「指也者，天下之所無也；物也者，天下之所有也。」蓋共相若「無所定」，不「與物」，則不在時空而「藏」，故為「天下之所無也」。物有在時空中之存在，而為「天下之所有」。故物雖可分析為若干共相，而物之自身則非指。故一方面言「物莫非指」，一方面又言「物不可請指」也。謂「天下無指」，即謂共相之自身，不在時空內。然天下之物，皆有其名。「名，實謂也。」名所以謂實；實亦為個體；名則代表共相。然名亦只為共相之代表，非即共相。天下雖有名，而仍無共相。故曰：「天下無指者，生於物之各有名，不為指也。」名不為指，則不可謂之為指。故曰：「以有不為指，之無不為指，未可。」一共相為其類之物之所共有，如「馬」之共相為馬之類之物所共有，「白」之共相為白物之類之物所共有。故謂天下無指，非謂天下之物無指也。故曰：「且指者，天下之所兼。天下無指者，物不可謂無指也。」按一方面言，物莫非指，蓋具體的物皆共相之聚合而在時空佔位置者也。按又一方面言，則物為非指，蓋在時空佔位置者乃個體，非共相。故按一方面言，「不可謂無指者，非有非指也。非有非指者，物莫非指」。按又一方面言，「指非非指，指與物非指也」。「指與物非指」者，若干共相聯合現於時空中之「位」而為物。現於物中之指，即「與物」之指，即所謂「物指」。若使無指，則不能有物。若使無物指，亦不能有物。若使有指無物，則僅有「藏」而不現之共相，而講物指之人亦無有矣。故曰：「天下無物指，誰徑謂非指？天下無物，誰徑謂

指？天下有指無物指，誰徑謂非指，徑謂無物非指？」然共相聯合而現
於時空之位以為物，亦係自然的，非有使之者。故曰：「且夫指固自為
非指，奚待於物，而乃與為指？」「非指」即物也。

公孫龍之「通變論」

　　共相，不變者也；個體，常變者也。或變或不變，《公孫龍子 · 通變論》即討論此問題者。《通變論》曰：

> 曰，二有一乎？曰，二無一。曰，二有右乎？曰，二無右。曰，二有左乎？曰，二無左。曰，右可謂二乎？曰，不可。曰，左可謂二乎？曰，不可。曰，左與右可謂二乎？曰，可。(同上)

二之共相只是二，非他一切。故非一，非左，非右。但左加右則其數二，故「左與右可謂二」。《通變論》曰：

> 曰，謂變非不變可乎？曰，可。曰，右有與，可謂變乎？曰，可。曰，變奚(原作只，據俞樾校改)？曰，右。(同上)

共相不變，個體常變，變非不變也。「右有與」之「與」，即《堅白論》「堅未與石為堅」之「與」。蓋共相之自身雖不變，然表現共相之個體，則固可變。故右之共相不變，而「有與」之右則可變。如在此物之右之物可變而為在此物之左也。問者問：「何者變？」答言：「右變。」不過此右乃指具體的事例中之右，即「有與」之右，非右之共相而已。

　　【註】此點經金岳霖先生指正。如此解釋，則公孫龍以為共相不變，個體常變之旨可見。余原稿云：蓋共相之自身雖不變，然若表現於個體，則可謂為有變矣。故右之共相，若「有與」即「可謂變」也。變謂何？仍變為右？不過此乃指具體的

事例中之右（如此物之右），非右之共相而已。亦可通。不過謂共相可謂為有變，依現在哲學觀點言之，此言有語病。

《通變論》曰：

> 曰，右苟變，安可謂右？苟不變，安可謂變？曰，二苟無左又無右，二者左與右，奈何？(同上)

問者不達可變之右乃具體的事例中之右，此右雖變，而右之共相仍不變；故問：右若變，何以仍謂右？若不變，何以謂之變？問者又不達左與右加其數為二，故稱為二，故又問：二既非左又非右，何以謂「二者左與右」？《通變論》曰：

> 羊合牛非馬，牛合羊非雞。曰：何哉？(同上)

此謂左與右加其數為二，故稱為二。非謂左之共相與右之共相，聚合為一，而成為二也。左之共相與右之共相不能聚合而為二，猶羊之共相與牛之共相不能聚而為馬，牛之共相與羊之共相不能聚合而為雞也。《通變論》曰：

> 曰：羊與牛唯異；羊有齒，牛無齒，而牛之非羊也，羊之非牛也 (原作「而牛羊之非羊也，之非牛也」。依孫詒讓校改)，未可。是不俱有，而或類焉。羊有角，牛有角，牛之而羊也，羊之而牛也，未可。是俱有，而類之不同也。羊牛有角，馬無角；馬有尾，羊牛無尾，故曰：羊合牛非馬也。非馬者，無馬也。無馬者，羊不二，牛不二；而羊牛二；是而羊而牛，非馬可也。若舉而以是，猶類之不同。若左右，猶是舉。(同上)

此歷舉牛、羊、馬之共相，內容不同，故羊之共相與牛之共相，不能聚合而為馬也。然羊之共相與牛之共相，雖不能合而為馬，而羊之共相與牛之共相相加，其數為二，故曰「羊不二，牛不二，而牛羊二」也。羊牛雖不一類，然不害其相加為二，左右之為二，亦猶是已。故

曰:「若舉而以是,猶類之不同。若左右,猶是舉。」《通變論》曰:

> 牛羊有毛,雞有羽。謂雞足一,數足二;二而一,故三。謂
> 牛羊足一,數足四;四而一,故五。羊牛足五,雞足三,故曰,
> 牛合羊非雞,非有以非雞也。與馬以雞,寧馬。材不材,其無
> 以類審矣。舉是,謂亂名,是狂舉。(同上)

此謂牛羊與雞更不同。雞足之共相,或「謂雞足」之言,及實際的雞之
二足為三。若牛或羊足之共相或「謂牛羊足」之言,及實際的牛或羊之
四足則數五【註】。故牛之共相與羊之共相不能聚合而為雞。與其謂牛之
共相與羊之共相可合而為雞,則尚不如謂其可合而為馬,蓋與雞比,
馬猶與牛羊為相近也。故曰「與馬以雞,寧馬」也。若必謂羊牛可為
雞,則是「亂名」,是「狂舉」也。此篇下文不甚明了;然其大意謂青
與白不能為黃,白與青不能為碧,猶「羊合牛非馬,牛合羊非雞」。故
曰:「黃其馬也,碧其雞也。」蓋另舉例以釋上文之意,所謂「他辯」也。

【註】雞足之共相及實際的雞足,實不能相加。不過公孫龍派之「辯者」有此
說。故《莊子‧天下篇》謂辯者有「雞三足」「黃馬驪牛三」之說。

「合同異」與「離堅白」

　　《莊子・德充符》曰：「自其異者視之，肝膽楚越也；自其同者視之，萬物皆一也。」蓋或自物之異以立論，則見萬物莫不異；或自物之同以立論，則見萬物莫不同。然此特就個體的物言之耳。一個體本有許多性質，而其所有之性質又皆非絕對的。故泰山可謂為小，而秋毫可謂為大。若共相則不然。共相只是共相，其性質亦是絕對的。如大之共相只是大，小之共相只是小。惠施之觀點注意於個體的物，故曰「萬物畢同畢異」，而歸結於「泛愛萬物，天地一體」也。公孫龍之觀點，則注重於共相，故「離堅白」而歸結於「天下皆獨而正」。二派之觀點異，故其學說亦完全不同。戰國時論及辯者之學，皆總而言之曰：「合同異，離堅白。」或總指其學為「堅白同異之辯」。此乃籠統言之。其實辯者之中，當分二派：一派為「合同異」；一派為「離堅白」。前者以惠施為首領；後者以公孫龍為首領。

　　莊子之學，一部分與惠施有契合處。故莊子贊成「合同異」，而不贊成「離堅白」。《齊物論》曰：

　　　　以指喻指之非指，不若以非指喻指之非指也。以馬喻馬之非馬，不若以非馬喻馬之非馬也。天地一指也；萬物一馬也。

（《莊子》卷一，頁二十八）

　　公孫龍謂「物莫非指，而指非指」；此「以指喻指之非指」也。公孫

龍又謂「白馬非馬」；此「以馬喻馬之非馬」也。然若「自其同者視之」，則指與非指之萬物同，而指為非指；馬與非馬之萬物同，而馬為非馬。如此則「天地一指也，萬物一馬也」。如此則「天地與我並生，而萬物與我為一」矣。

《天下篇》所述辯者學說二十一事

　　《莊子‧天下篇》舉「天下之辯者」之辯二十一事 (《莊子》卷十，頁四十至四十二)。其中有就惠施之觀點立論者，有就公孫龍之觀點立論者。今將此二十一事，分為二組：一名為「合同異」組，一名為「離堅白」組。

　　其屬於「合同異」組者：

　　　　卵有毛。

　　　　郢有天下。

　　　　犬可以為羊。

　　　　馬有卵。

　　　　丁子有尾。

　　　　山出口。

　　　　龜長於蛇。

　　　　白狗黑。

《荀子‧不苟篇》曰：「山淵平，天地比，齊秦襲，入乎耳，出乎口，鉤有鬚，卵有毛，是說之難持者也。而惠施、鄧析能之。」(《荀子》卷二，頁一) 可見此類之說，皆惠施一派之說也。

　　鳥類之毛謂之羽；獸類之毛謂之毛。今曰「卵有毛」，是卵可以出有毛之物也。犬非羊也，而曰「犬可以為羊」。馬為胎生之物，而曰「馬有卵」，是馬可以為卵生之物。成玄英云：「楚人呼蝦蟆為丁子。」

（《莊子疏》）丁子本無尾，而曰「丁子有尾」，是丁子可以為有尾之物。山本無口也，而曰「山出口」，是山亦可為有口之物也。《荀子》所説「入乎耳，出乎口」，楊倞註謂：「或曰，即山出口也，言山有口耳也。」《荀子》謂：「鈎有鬚。」俞樾曰：「鈎疑姁之假字。」姁有鬚，即謂婦人有鬚也。此皆就物之同以立論。因其所同而同之，則萬物莫不同，故此物可謂為彼，彼物可謂為此也。

惠施曰：「天與地卑，山與澤平。」「我知天下之中央，燕之北，越之南，是也。」依同理，亦可謂「郢有天下」「齊秦襲」矣。

語云：「尺有所短，寸有所長。」因其所長而長之，則「龜可長於蛇」。《釋文》引司馬彪云：「白狗黑目，亦可為黑狗。」謂白狗白者，因其毛白，因其所白而白之也。若因其所黑而黑之，則「白狗黑」矣。

其屬於「離堅白」組者：

雞三足。

火不熱。

輪不輾地。

目不見。

指不至，物不絕。

矩不方，規不可以為圓。

鑿不圍枘。

飛鳥之影，未嘗動也。

鏃矢之疾，而有不行不止之時。

狗非犬。

黃馬驪牛三。

孤駒未嘗有母。

一尺之棰，日取其半，萬世不竭。

「雞三足」「黃馬驪牛三」者，《公孫龍子‧通變論》云：「謂雞足一，數足二，二而一，故三。謂牛羊足一，數足四，四而一，故五。」（《公孫龍子》卷中）《莊子‧齊物論》云：「一與言為二。」（《莊子》卷一，頁三十五）「謂雞足」即言也。雞足之共相或「謂雞足」之言為一，加雞足二，故三。依同理，謂黃馬驪牛一，數黃馬驪牛二。「黃馬與驪牛」之共相或謂「黃馬驪牛」之言，與一黃馬，一驪牛，為三。

「火不熱」者，公孫龍「離堅白」之説，從知識論及形上學兩方面立論。此條若從形上學方面立論，則火之共相為火，熱之共相為熱。二者絕對非一。具體的火雖有熱之性質，而火非即是熱。若從知識論方面立論，則可謂火之熱乃由於吾人之感覺。熱是主觀的，在我而不在火。

「輪不輾地」者，輪之所輾者，地之一小部分耳。地之一部分非地，猶之白馬非馬。亦可謂：輾地之輪，乃具體的輪；其所輾之地，乃具體的地。至於輪之共相則不輾地；而地之共相亦不為輪所輾也。

「目不見」者，《公孫龍子‧堅白論》曰：「白以目以火見，而火不見，則火與目不見，而神見，神不見而見離。」（《公孫龍子》卷下）吾人之能有見，須有目及光及神經作用。有此三者，吾人方能有見，若只目則不能見也。此就知識論方面言也。若就形上學方面言，則目之共相自是目，火之共相自是火，神之共相自是神，見之共相自是見。四者皆「離」，更不能混之為一。

「指不至，物不絕」者，今本《莊子》作「指不至，至不絕」。《列子‧仲尼篇》引公孫龍云：「有指不至，有物不絕。」（《列子》，《四部叢刊》本，卷四，頁七）「至不絕」當為「物不絕」。蓋公孫龍之徒以「指」「物」對舉，如《公孫龍子‧指物論》所説。柏拉圖謂概念可知而不可見。蓋吾人所能感覺者乃個體，至共相只能知之而不能感覺之；故曰：「指

不至也。」共相雖不可感覺，而共相所「與」現於時空之物，則繼續常有，故曰：「物不絕。」

「矩不方，規不可以為圓」者，絕對之方，為方之共相；絕對之圓，為圓之共相。事實上之個體的方物圓物，皆不絕對的方或圓。即個體的矩與規，亦非絕對的方或圓。故若與方及圓之共相比，則「矩不方，規不可以為圓」矣。

「鑿不圍枘」者，圍枘者，事實上個體之鑿耳。至於鑿之共相，則不圍枘也。

「飛鳥之影，未嘗動也。鏃矢之疾，而有不行不止之時」者，《釋文》引司馬彪云：「形分止，勢分行。形分明者行遲，勢分明者行疾。」謂飛鳥之影動及飛矢不止者，就其勢分而言也。謂飛鳥之影不動及飛矢不行者，就其形分而言也。謂「鏃矢之疾，而有不行不止之時」者，兼就其形分與勢分而言也。亦可謂動而有行有止者，事實上之個體的飛矢及飛鳥之影耳。若飛矢及飛鳥之影之共相，則不動而無行無止，與一切共相同也。亦可謂：一物於一時間內在兩點謂為動。一物於兩時間內在一點謂為止。一物於一時間內在一點謂為不動不止。謂「飛鳥之影，未嘗動也」者，就飛鳥之影不於一時間內在兩點而言也。謂「鏃矢之疾，而有不行不止之時」者，就飛矢之於一時間內在一點而言也。此亦指思想中之飛鳥之影與思想中之鏃矢而言，與下「一尺之棰」同（末段金岳霖先生說）。

「狗非犬」者，《爾雅》謂：「犬未成豪曰狗。」是狗者，小犬耳。小犬非犬，猶白馬非馬。

「孤駒未嘗有母」者，《釋文》引李頤云：「駒生有母，言孤則無母，孤稱立則母名去也。母嘗為駒之母，故孤駒未嘗有母也。」此亦就孤駒之共相言。孤駒之義，即為無母之駒，故孤駒無母。然事實上之個體

的孤駒，則必有一時有母，不得言「孤駒未嘗有母」也。

　　「一尺之棰，日取其半，萬世不竭。」此謂物質可無限分割。「一尺之棰」，今日取其半，明日取其半之半，再明日取其半之半之半。如是「日取其半」，則雖「萬世不竭」可也。然此分割只能對思想中之棰，於思想中行之。若具體的「棰」則不能「日取其半，萬世不竭」。蓋具體的物，事實上不能將其無限分割也。

第六章

蔣夢麟談抗戰中的國學轉折

大學逃難

　　中日戰爭爆發以後，原來集中在沿海省份的大學紛紛遷往內地，除了我前面 [1] 提到過的北大、清華、南開三所大學之外，接近戰區以及可能受戰爭影響的高等學府都逐漸向內地遷移。到抗戰快結束時，在內地重建的大學和獨立學院，數目當在二十所左右，學生總數約一萬六千人。

　　這些學府四散在內地各省。有的借用廟宇祠堂，有的則借用當地學校的一部分校舍上課。公共建築找不到時，有的學校就租用私人宅院，也有些學校臨時搭了茅棚土屋。所有學校都已盡可能帶出來一部分圖書儀器，數量當然很有限，然而就是這一點點簡陋的設備也經常受到敵機故意而無情的轟炸。

　　許多學生是從淪陷區來的，父母對他們的接濟自然斷絕了；有些學生甚至與戰區裡的家庭完全音信不通。有些在淪陷區的家長，雖然明知子弟在內地讀書，遇到敵偽人員查問時，寧願把兒子報成死亡，以免招致無謂的麻煩。後來由政府撥了大筆經費來照顧這些無依無靠的學生。

　　因為日本侵略是從華北開始的，所以最先受到影響的大學自然是

---

1 本章節選自蔣夢麟先生的《西潮》，感興趣的讀者可自行查閱。——編者註

在平津區的學校。平津區陷敵以後，許多教員和學生知道在侵略者的刺刀下絕無精神自由的希望，結果紛紛追隨他們的學校向南或其他地方轉進。當時政府尚在南京，看到這種情形，便下令在後方成立兩個聯合大學，一個在長沙，另一個在西北的西安。西北聯大包含過去的兩個國立大學和兩個獨立學院。它後來從西安遷到漢中，因為校舍分散，結果多少又恢復了原來各單位的傳統。

戰事蔓延其他各地以後，原來還能留在原地上課的大學也步我們的後塵內遷了。結果國立中央大學從南京搬到戰時首都重慶，浙江大學從杭州搬到貴州，中山大學從廣州搬到雲南。

我想詳細地敘述一下長沙臨時大學的情形，它是怎麼聯合起來的，後來又如何從長沙遷移到昆明。這故事也許可以說明一般大學播遷的情形。

我在前面已談到，長沙臨時大學是原在北平和天津的三所大學奉教育部之命聯合而成的。這三所大學就是國立北京大學、國立清華大學和私立南開大學。三所大學的校長成立校務委員會，教職員全部轉到臨時大學。1937 年 11 月 1 日在長沙復課，註冊學生有從原來三個大學來的約一千二百五十人，以及從其他大學轉來的二百二十名借讀生。雖然設備簡陋，學校還差強人意，師生精神極佳。圖書館圖書雖然有限，閱覽室卻經常座無虛席。但是民國二十七年[1] 初，也就是南京失陷以後，情形可不同了。日本飛機把長沙作為轟炸目標之一，在長沙久留是很危險的，結果臨時大學在第一學期結束後，經政府核准於二十七年二月底向西南遷往昆明。

從長沙西遷昆明是分為兩批進行的，一批包括三百左右男生和少

---

1 即公元 1938 年。——編者註

數教授，他們組織了一個徒步旅行團，從湖南長沙穿越多山的貴州省一直步行到雲南的昆明。全程三千五百公里，約合一千一百六十哩[1]，耗時兩月零十天；另外一批約有八百人，從長沙搭被炸得瘡痍滿目的粵漢路火車到廣州，由廣州坐船到香港，再由香港轉到海防[2]，然後又從海防搭滇越鐵路到達昆明。他們由火車轉輪船，再由輪船轉火車，全程約耗十至十四天，視候車候船的時日長短而有不同。另有三百五十名以上的學生則留在長沙，參加了各種戰時機構。

　　搬到昆明以後，「長沙臨時大學」即改名「國立西南聯合大學」，簡稱「聯大」。因為在昆明不能立即找到合適的房子容納這許多新客，聯大當局決定把文學院和法商學院設在雲南第二大城蒙自。民國二十七年五月初聯大開課時，四個學院的學生總數在一千三百人左右。同年九月間，文學院和法商學院由蒙自遷回昆明，因為當地各中學均已遷往鄉間，原有校舍可以出租，房間問題已不如過去那麼嚴重。這時適值聯大奉教育部之令成立師範學院，真是「雙喜臨門」。五院二十六系的學生人數也增至兩千人。

　　二十八年[3]九月間，聯大規模再度擴充，學生人數已達三千人。聯大過去十個月來新建造的百幢茅屋剛好容納新增的學生。抗戰結束時，我們共有五百左右的教授、助教和職員以及三千學生。多數學生是從淪陷區來的。他們往往不止穿越一道火線才能到達自由區，途中受盡艱難險阻，有的甚至在到達大後方以前就喪失了性命。

---

1 哩，舊指英里，1 英里 ≈1.609 公里。查相關資料，湘黔滇旅行團總行程 3500 公里，其中步行距離約 1160 英里，約 1866 公里。其他出版物有採用約 1300 公里之説。——編者註

2 海防，越南北部沿海城市。——編者註

3 即公元 1939 年。——編者註

　　我的兒子原在上海交通大學讀書，戰事發生後他也趕到昆明來跟我一起住。他在途中就曾遭遇到好幾次意外。有一次，他和一群朋友坐一條小船，企圖在黑夜中偷渡一座由敵人把守的橋樑，結果被敵人發現而遭射擊。另一次，一群走在他們前頭的學生被敵人發現，其中一人被捕，日人還砍了他的頭懸掛樹上示眾。

　　我有一位朋友的兒子從北平逃到昆明，在華北曾數度穿越敵人火線，好幾次都受到敵人射擊。他常常一整天吃不到一點東西，晚上還得在夜色掩護下趕好幾里路。他和他的兄弟一道離開北平，但是他的兄弟卻被車站上的日本衛兵抓走送到集中營去了，因為他身上被搜出了學生身份的證件。他們是化裝商店學徒出走的，但是真正的身份被查出以後，就會遭遇嚴重的處罰。

　　據說北大文學院的地下室已經變為恐怖的地牢。我無法證實這些傳說，不過後來我碰到一位老學生，他在設法逃出北平到達大後方以前，曾經被捕坐了兩年牢。據他說，他曾被送到北大文學院地下室去受「招待」。那簡直是活地獄。敵人把冷水灌到他鼻子裡，終至使他暈過去。他醒過來時，日本憲兵上村告訴他，北大應該對這場使日本蒙受重大損害的戰爭負責，所以他理應吃到這種苦頭。上村怒不可遏地說：「沒有甚麼客氣的，犯甚麼罪就該受甚麼懲罰！」他曾經連續三天受到這種「招待」，每次都被灌得死去活來。他在那個地牢裡還看到過其他的酷刑，殘酷的程度簡直不忍形諸筆墨。女孩子的尖叫和男孩子的呻吟，已使中國歷史最久的學府變為撒旦統治的地獄了。

　　留在北平的學生在敵人的酷刑下呻吟呼號，在昆明上課的聯大則受到敵機的無情轟炸。轟炸行為顯然是故意的，因為聯大的校址在城外，而且附近根本沒有軍事目標。校內許多建築都被炸毀了，其中包括總圖書館的書庫和若干科學實驗室。聯大的校舍約有三分之一被炸

毀，必須盡快再建。但是敵機的轟炸並沒有影響學生的求學精神，他
們都能在艱苦的環境下刻苦用功，雖然食物粗劣，生活環境也簡陋
不堪。

　　學術機構從沿海遷到內地，對中國內地的未來發展有很大的影
響。大群知識分子來到內地各城市以後，對內地人民的觀念思想自然
發生潛移默化的作用。在另一方面，一向生活在沿海的教員和學生，
對國家的了解原來只限於居住的地域，現在也有機會親自接觸內地的
實際情況，使他們對幅員遼闊的整個國家的情形有了較真切的了解。

　　大學遷移內地，加上公私營工業和熟練工人、工程師、專家和經
理人員的內移，的確具有劃時代的意義。在戰後的一段時期裡，西方
影響一向無法到達的內地省份，經過這一次民族的大遷徙，未來開發
的機會已遠較以前為佳。

戰時之昆明

　　北大等校內遷以後，我也隨着遷居滇緬路的終點昆明。珍珠港事變爆發以前，我曾一度去過緬甸，並曾數度赴法屬印度支那 [1] 及香港。當時以上數地與昆明之間均有飛機可通。法國對德投降以後，日本不戰而下法屬印度支那，因此我們就築了滇緬路與仰光銜接。珍珠港事變以後，緬甸亦陷敵手，我國與法屬印度支那的海防以及緬甸的仰光，陸上交通均告斷絕，昆明亦陷於孤立狀態。租借法案下運華的軍火，只好由空運飛越隔絕中印兩國的喜馬拉雅山的「駝峰」，才免於中斷。

　　抗戰期間，我曾數度坐飛機去重慶，也曾一度去過四川省會成都。重慶是戰時的首都，位於嘉陵江與長江匯合之處。嘉陵江在北，長江在南，重慶就建在兩江合抱的狹長山地上，看起來很像一個半島。房子多半是依山勢高下而建的，同時利用屋後或屋基下的花崗岩山地挖出防空洞，躲避空襲。日本飛機經年累月、日以繼夜地濫炸這個毫無抵抗力的山城，但是重慶卻始終屹立無恙。成千累萬的房屋被燒毀又重建起來，但是生命損失卻不算太大。敵人企圖以轟炸壓迫戰時政府遷出重慶，但是「陪都」卻像金字塔樣始終雄踞揚子江頭，它曾

---

1 指越南。——編者註

經受過千百年的磨煉考驗，自然也能再經千百年的考驗。重慶可以充分代表中國抵抗日本侵略的堅忍卓絕的精神。

重慶之西約半小時航程處是平坦的成都市。成都和北平差不多一樣廣大，街道寬闊，整個氣氛也和故都北平相似。成都西北的灌縣[1]有兩千年前建設的水利系統，至今灌溉着成都平原百萬畝以上的肥沃土地。嚴重的水災或旱災幾乎從來沒有發生過。這塊廣大豐饒的平原使四川成為「天府之國」，使重慶人民以及駐防省境和附近地區的軍隊，糧食得以供應無缺。

學校初遷昆明之時，我們原以為可經法屬印度支那從歐美輸入書籍和科學儀器，但是廣州失陷以後，軍火供應的幹線被切斷，軍火都改經滇越線運入。滇越鐵路軍運頻繁，非軍用品根本無法擠上火車。我們運到越南的圖書儀器，只有極少一部分獲准載運入滇。

這時候，長江沿岸城市已相繼陷入敵手，日軍溯江直達宜昌，離長江三峽只是咫尺之遙。最後三峽天險也無法阻遏敵人的侵略狂潮而遭到鐵騎的蹂躪。

每當戰局逆轉，昆明也必同時受到災殃。影響人民日常生活最大的莫過於物價的不斷上漲。抗戰第二年我們初到昆明時，米才賣法幣六塊錢一擔（約八十公斤），後來一擔米慢慢漲到四十元。當時我們的一位經濟學教授預言幾個月之內必定會漲到七十元。大家都笑他胡說八道，但是後來一擔米卻真的漲到七十元。法屬安南投降和緬甸失陷都嚴重地影響了物價。

物價初次顯著上漲，發生在敵機首次轟炸昆明以後，鄉下人不敢進城，菜場中的蔬菜和魚肉隨之減少。店家擔心存貨的安全，於是

---

1 灌縣，即今都江堰市。——編者註

提高價格以圖彌補可能的損失。若干洋貨的禁止進口，也影響了同類貨物以及有連帶關係的土貨的價格。煤油禁止進口以後，菜油的價格也隨之提高。菜油漲價，豬油也跟着上漲。豬油一漲，豬肉就急起直追。一樣東西漲了，別的東西也跟着漲。物價不斷上漲，自然而然就出現了許多囤積居奇的商人。囤積的結果，物價問題也變得愈加嚴重。鐘擺的一邊盪得愈高，運動量使另一邊也擺得更高。

控制物價本來應該從戰事剛開始時做起，等到物價已成脫韁野馬之後，再來管制就太晚了。一位英國朋友告訴我，英國農人在第一次世界大戰時曾經大發其財，但是第二次大戰一開始，農產品就馬上受到管制了。這次戰爭在中國還是第一次大規模的現代戰爭，所以她對這類問題尚無經驗足資借鑑。

昆明的氣候非常理想，它位於半熱帶，海拔約六千呎 [1]，整個城有點像避暑勝地。但是因為它的面積大，居民並不認為它是避暑勝地。昆明四季如春，夏季多雨，陣雨剛好沖散夏日的炎暑；其他季節多半有溫煦的陽光照耀着農作密茂的田野。

在這樣的氣候之下，自然是花卉遍地，瓜果滿園。甜瓜、茄子和香橼都大得出奇。老百姓不必怎麼辛勤工作，就可以謀生糊口，因此他們的生活非常悠閒自得。初從沿海省份來的人，常常會為當地居民慢吞吞的樣子而生氣，但是這些生客不久之後也就被悠閒的風氣同化了。

昆明人對於從沿海省份湧到的千萬難民感到相當頭痛。許多人帶了大筆錢來，而且揮霍無度，本地人都說物價就是這批人抬高的，昆明城內到處是從沿海來的摩登小姐和衣飾入時的仕女。入夜以後他們

1 呎，舊指英尺。——編者註

在昆明街頭與本地人一齊熙來攘往，相互摩肩接踵而過。房租迅速上漲，旅館到處客滿，新建築像雨後春筍一樣出現。被飛機炸毀的舊房子，迅速修復，但是新建的房子究竟還是趕不上人口增加的速度。

八年抗戰[1]，昆明已變得面目全非。昔日寧靜的昆明城，現已滿街是卡車司機，發國難財的商人，以及營造商、工程師和製造廠商。軍火卡車在城郊穿梭往返。

自然環境和名勝古跡卻依然如昔。昆明湖的湖水仍像過去一樣平滑如鏡，依舊靜靜地流入長江，隨着江水奔騰兩千哩而入黃海。魚兒和鵝鴨仍像往昔一樣遨遊在湖中。古木圍繞的古寺雄踞山頭，俯瞰着微波蕩漾的遼闊湖面。和尚還是像幾百年前的僧人一樣念經誦佛。遙望天邊水際，我常常會想入非非：如果把一封信封在瓶子裡投入湖中，它會不會隨湖水流入長江，順流經過重慶、宜昌、漢口、九江、安慶、南京而漂到吳淞江口呢？説不定還會有漁人撿起藏着信件的瓶子而轉到浙江我的故鄉呢！自然，這只是遠適異地的思鄉客的一種夢想而已。

縱橫的溝渠把湖水引導到附近田野，灌溉了千萬畝肥沃的土地。溝渠兩旁是平行的堤岸，寬可縱馬騁馳；我們可以悠閒地放馬暢遊，沿着漫長的堤防跑進松香撲鼻的樹林，穿越蒼翠欲滴的田野。

城裡有一座石碑，立碑處據説是明朝最後的一位流亡皇帝被縊身死的故址。石碑立在山坡上，似乎無限哀怨地凝視着路過的行人。這可憐的皇帝曾經逃到緬甸，結果卻被叛將吳三桂劫持押回中國。吳三桂原來奉命防守長城抗禦清兵，據傳説他是為了從闖王李自成手中援

---

1 指 1937 年七七事變開始至 1945 年日軍戰敗投降止的八年全國性抗日戰爭。 1931 年九一八事變至 1937 年七七事變的抗日戰爭階段為中國局部抗戰。——編者註

救陳圓圓，終於倒戈降清。他為了鎮壓西南的反抗被派到雲南，已經成為階下囚的永曆帝被帶到他的面前受審。

「你還有甚麼話要説沒有？」據説吳三桂這樣問。

「沒有，」明代的末朝皇帝回答説，「唯一我想知道的事是你為甚麼背叛我的祖上？你受明室的恩澤不能不算深厚吧？」

吳三桂聞言之下，真是心驚膽戰，他馬上下令絞死這位皇帝。後人在那裡立了紀念碑，上刻：「明永曆帝殉國處」。

離城約十公里處有個黑龍潭。春天裡，澄澈的潭水從潭底徐徐滲出，流入小溪淺澗。黑龍潭周圍還有許多古寺和長滿青苔的大樹。明朝末年曾有一位學者和他的家人住在這裡。崇禎帝殉國和明朝滅亡的消息傳來以後，他就投身潭中自殺了。他的家屬和僕人也都跟着跳入潭中，全家人都以身殉國，後來一齊葬在黑龍潭岸旁。西洋人是很難理解這件事的，但是根據中國的哲學，如果你別無辦法拯救國家，那麼避免良心譴責的唯一方法就是以死殉國。抗戰期間，中國軍人以血肉之軀抵抗敵人的彈雨火海，視死如歸；他們的精神武裝就是這種人生哲學。

這個多少依年份先後記述的故事到此暫告段落。後面將討論中國文化上的若干問題，包括過去的、現在的和未來的；同時我們將討論若干始終未能解決的全國性問題，這些問題在未來的年月裡也將繼續存在。

從 1842 年香港割讓到 1941 年珍珠港事變，恰恰是一世紀。《西潮》所講的故事，主要就是這一段時期內的事情。英國人用大炮轟開了中國南方的門戶，開始向中國輸入鴉片和洋貨，但同時也帶來了西方的思想和科學的種子，終於轉變了中國人對人生和宇宙的看法。中國曾經抵抗、掙扎，但是最後還是吸收了西方文化，與一千幾百年前吸

收印度文化的過程如出一轍。……

　　中國所走的路途相當迂迴，正像曲折的長江，但是她前進的方向卻始終未變，正像向東奔流的長江，雖然中途迂迴曲折，但是終於經歷兩千多哩流入黃海。它日以繼夜，經年累月地向東奔流，在未來的無窮歲月中也將同樣地奔騰前進。不屈不撓的長江就是中國生活和文化的象徵。

敵機轟炸中談中國文化
（節選）

　　東方與西方不同，因為它們的文化不同。但是你仍舊可以找出東西文化之間的相似之點。無論兩種文化如何相似，不可能完全相同，每一文化的特點也必有異於他種文化。就西方而論，不同的文化特徵使德國人異於英國人，同時也使法國人不同於荷蘭人。但是他們之間仍有共通的特徵，這些特徵使西方國家在文化上結為一體，泛稱「西方文化」。這些特徵又使他們與東方各國顯出不同。因此，文化上的異同，不應該由表面上的類似之點來判斷，而應該由個別的基本特徵來論定。

　　在這一篇裡，我們將從三方面來討論中國文化的特徵：（一）中國文化之吸收力。（二）道德與理智。（三）中國人的人情。

（一）中國文化之吸收力

　　大約五十年前，當我還在學校念書的時候，外國人和前進的中國人都常常說，中國很像一塊絕少吸收能力，甚至毫無吸收能力的岩石，那也就是說中國文化已經停滯不前，而且成為化石，因此中國已經變得無可救藥地保守。她一直我行我素，誰也不能使這位「支那人」改變分毫。

　　這種說法表面上似乎言之成理，但是結果卻證明完全錯誤。從五口通商開始，至 1894 年中日戰爭為止，中國似乎一直在抗拒西方影響。但是在以前的幾百年內，她曾經吸收了許多先後侵入她生活之中的外來東西。

　　在音樂方面，現在所謂的「國樂」，實際上多半是用起源於外國的樂器來彈奏的。胡琴、笛和七弦琴，都是幾百年前從土耳其斯坦[1] 傳入的。我們現在仍舊保留着中國的古琴，但是只有極少數人能夠欣賞，至於能彈古琴的人就更少了。

　　從外國介紹到中國的食品更不計其數：西瓜、黃瓜、葡萄和胡椒是好幾百年前傳入中國的；甘薯、落花生、玉蜀黍則是最近幾百年傳入的；在最近的幾十年中，洋山芋、番茄、花菜、白菜和菫菜也傳入中國了。[2] 切成小塊，用醬油紅燒的西方牛排，也已經變為一道中國菜。鍋巴蝦仁加番茄汁更是一種新花樣。中菜筵席有時也要加上冰淇淋、咖啡和金山橙子。柑橘原是中國的土產，後來出洋赴美，在加利福尼亞經過園藝試驗家褒朋克改良後，帶着新的頭銜又回到了本鄉，與中國留學生從美國大學帶着碩士、博士的頭銜學成歸國的情形差不多。中國柑橘還在很久很久以前傳到德國，想不到柑橘到了德國卻變成了蘋果，因為德國人把柑橘叫作「中國蘋果」。

　　凡是值得吸收的精神食糧或知識養分，不論來自何方，中國總是

1　此指中亞原土厥人活動地帶。此處陳述與史不符，笛和七弦琴為中原傳統樂器、歷史久遠，非外部傳入。胡琴則源自西北遊牧民族。——編者註

2　以上各種事物傳入中國記載多有誤。除笛、七弦琴非外來之物外，傳入時間也多有誤。如西瓜、黃瓜、葡萄等很早就在新疆等地種植，傳入中原也遠在千年以前。胡椒至少在唐時已傳入中國。花生近年有說法認為中國也是起源地之一。馬鈴薯（洋山芋）、番茄在中國已有數百年歷史，白菜宋人已有記載，等等。——編者註

隨時準備歡迎的。明朝時，耶穌會教士把天文、數學和聖經傳到中國。大學士徐光啟，不但從他們學習天算，而且還信仰了天主，把他在上海徐家匯的住宅作為天主教活動中心。我們從耶穌會教士學到西方的天文學，有些人因此而成為天主教徒。五口通商以後，徐家匯天文台一直是沿海航行的指針。

明末清初有位學者黃梨洲，他非常佩服耶穌會教士傳入的天文學。他曾說過這樣一句話，中國有許多學問因自己沒有好好地保存，所以有不少已經流到外國去了。他有一次告訴一位朋友說：「就天文學而論，我們與西方學者比起來，實在幼稚得很。」可見中國學者是如何虛懷若谷！

事實上正因為她有偉大的吸收能力，中國才能在幾千年的歷史過程中歷經滄桑而屹立不墜。世界上沒有任何文化能夠不隨時吸收外國因素而可維繫不墜。我想這是不必歷史家來證明的。西方各國文化間的相互依存關係和相互影響，彰彰在人耳目，無庸爭辯。但是東方文化與西方文化間的相互作用卻比較不太明顯。劍橋大學的尼鄧教授曾經告訴我，火藥的膨脹性導致蒸汽機的發明，而儒家的性善學說則影響了法國大光明時代學派的思想。許多東西曾經悄無聲息地從東方流傳到西方。至於這些東西究竟是甚麼，我想還是讓西洋人自己來告訴我們吧。

但是我們除了音樂、食物之類以外，並沒有經由西面和北面陸上邊界吸收其他的東西。這些區域裡的民族，所能提供的精神食糧事實上很少，因此我們轉而求諸印度。在藝術方面，我國的繪畫和建築都有佛教的影響，佛教思想在中國哲學方面更佔着重要的地位，佛教經典甚至影響了中國文學的風格和辭藻。

在耶穌會教士到達中國之前好幾百年，中國人已經吸收了佛教的

道德觀念，但是對佛教的超世哲學卻未加理睬。佛教傳入中國雖已有
千百年的歷史，而且千千萬萬的佛教寺廟也佔據着城市和山區的最好
位置，但是佛教的基本哲學和宗教在中國人的思想裡仍然是陌生的。
學者們對佛教保持友善或容忍的態度，一般老百姓把它當作中國的諸
多宗教之一來崇拜。但是它始終還是外國的東西。在重實用的中國
人看起來，佛教的超知識主義並無可用。超知識主義所以能在中國存
在，是因為它含有道德教訓，同時遇到苦難的時候，可以作精神上的
避風港。中國人只想把外國因素吸收進來充實自己的思想體系，但是
他們絕不肯放棄自己的思想體系而完全向外國投降。

中國人憑藉容忍的美德，對於無法吸收的任何思想體系都有巧妙
的應付辦法。他們先吸收一部分，讓餘留的部分與本國產物和平共
存。因此億萬人口中的一部分就接納了外國的思想文化，成為佛教
徒、回教徒，或基督教徒，大家和睦相處，互不干擾。

中國歷史上最有趣味的兩件事，一件是關於道家思想的。我們把
它劈成兩半。一半為老莊哲學，以此立身，為任自然而無為；以此治
國為無為而治。另一半成為道教，起於東漢張道陵之五斗米道。流入
特殊社會而成幫會，兩千年來，揭竿而起，改朝換代，都是與幫會有
關係的。流入通俗社會則成道教。既拜神也拜佛，台灣之「拜拜」即
此。通俗所迷信之閻羅王，本為印度婆羅門教冥府之司獄吏，由佛教
於無意中傳來中國而入了道教。至輪迴之説，入了道教而亦忘其來
源矣。

第二件是把佛教也劈成兩半。宗教部分入了道教，哲學部分則合
道家而入了儒家。老子之無為主義，湊合了佛家之無為主義，使佛學
在中國思想系統裡生了根。故宋儒常把老佛並稱。

自宋以來之儒家，可以説沒有不涉獵道家哲學與佛學的。儒家之

灑脫思想，實因受其影響而來。

　　中國之學人，以儒立身，以道處世，近年以來加上了一項以科學處事。美國本年 6 月份《幸福》雜誌，以幽默的口氣，謂台灣有人對美國人說，台灣的建設靠三子：一孔子，二老子，三鬼子。問甚麼叫鬼子，則笑謂洋鬼。

　　現在讓我們再回頭看一看過去五十年間西方文化傳入中國的情形。在衣着方面過去三十年間西化的趨勢最為顯著。呢帽和草帽已經取代舊式的帽子和頭巾。昔日電影中所看到的辮子已失去了蹤跡。女人都已燙了頭髮，短裙、絲襪和尼龍襪已使中國婦女有機會顯示她們的玉腿。女人的足更已經歷一次重大的革命，西式鞋子使她們放棄了幾千年來的纏足惡習，結果使她們的健康大為改善。健康的母親生育健康的子女，天足運動對於下一代的影響至為明顯。現代的兒童不但比從前的兒童健康，而且遠較活潑，不但行動比較迅速，心智也遠較敏銳。

　　在社交方面，男女可以自由交際，與過去授受不親的習俗適成強烈的對照。民法中規定，婚姻不必再由父母安排；青年男女成年以後，有權自行選擇對象。男女同校已經成為通例，男女分校倒成了例外。

　　在住的方面，一向左右屋基選擇的風水迷信已經漸為現代的建築理論所替代。在若干實例中，古代的藝術風格固然因其華麗或雄偉而保留了下來，但是大家首先考慮的還是陽光、空氣、便利、舒適、衛生等要件。現代房屋已經裝置抽水馬桶、洋瓷浴盆和暖氣設備。硬背椅子和硬板床已經漸為沙發及彈簧床墊所取代。

　　中國菜餚花樣繁多，因為我們隨時願意吸收外國成分。西菜比較簡單，我想主要是因為不大願意採用外國材料的緣故。不錯，茶是好幾世紀以前從中國傳入歐洲的。香料也是由東方傳去。哥倫布就是為

了找尋到印度的通商捷徑而無意中發現新大陸的。有人告訴我,渥斯特郡辣醬油[1]也是從中國醬油發展而來的。但是除此以外,西菜始終很少受東方的影響。美國的「雜碎」店固然數以萬計,而且美國人也很喜歡「雜碎」,但是除此以外,他們就很少知道別的中國菜了。

中國卻一直不斷地在吸收外國東西,有時候經過審慎選擇,有時候則不分皂白,亂學一氣 —— 不但食物方面如此,就是衣着、建築、思想、風俗習慣等等也是如此。吸收的過程多半是不自覺的,很像一棵樹通過樹根從土壤吸收養分。吸收養分是成長中樹木的本能,否則它就不會再長大。

中國由新疆輸入外國文化並加吸收的過程很緩慢,千餘年來只點點滴滴地傳入了少許外國東西。因此她是逐步接受這些東西的,有時間慢慢加以消化,大體上這是一種不自覺的過程,因此並未改變中國文化的主流,很像磁石吸收鐵屑。鐵屑聚集在磁石上,但是磁石的位置並未改變。

由華東沿海輸入的西方文化,卻是如潮湧至,奔騰澎湃,聲勢懾人;而且是在短短五十年之內湧到的。西方文化在法國革命和工業革命之後正是盛極一時,要想吸收這種文化,真像一頓飯要吃下好幾天的食物。如果說中國還不至於脹得胃痛難熬,至少已有點感覺不舒服。因此中國一度非常討厭西方文化,她懼怕它,詛咒它,甚至踢翻飯桌,懊喪萬分地離席而去,結果發現飯菜仍從四面八方向她塞過來。中國對西方文化的反感,正像一個人吃得過飽而鬧胃痛以後對食物的反感。1898 年的康梁維新運動,只是吃得過量的毛病;1900 年的「義和團之亂」,則是一次嚴重而複雜的消化不良症,

---

1 渥斯特郡辣醬油,今通譯為伍斯特郡醬,是一種英國調味料。——編者註

結果中國硬被拖上手術台，由西醫來開刀，這些西醫就是八國聯軍。這次醫藥費相當可觀，共計四億五千萬兩銀子，而且她幾乎在這次手術中喪命。

張之洞「中學為體，西學為用」的主張，事實上也不過是說：健全的胃比它所接受的食物對健康更重要。因此中國很想穩步前進，不敢放步飛奔。但是西方文化的潮流卻不肯等她。西潮沖激着她的東海岸，氾濫了富庶的珠江流域和長江流域，並且很快瀰漫到黃河流域。雖然她最近鬧了一場嚴重的胃病，她也不得不再吃一點比較重要的食物。

到了 1902 年，胃口最佳的學生已為時代精神所沾染，革命成為新生的一代的口頭禪。他們革命的對象包括教育上的、政治上的、道德上的，以及知識上的各種傳統觀念和制度，過去遺留下來的一切，在這班青年人看起來不過是舊日文化的骸骨，毫無值得迷戀之處。他們如飢如渴地追求西方觀念，想藉此抵消傳統的各種影響。

五口通商後不久，中國即已建立兵工廠、碼頭、機器廠和外語學校，翻譯了基本科學的書籍，而且派學生留學美國。因為她在抵抗西方列強的保衛戰中屢遭敗北，於是決定先行建立一支海軍。一支小型的海軍倒是真的建立起來了，結果卻在 1894 年被日本所毀滅。日本是無法容忍中國有海軍的。

海軍既然建不成，中國就進一步進行政治、陸軍和教育上的改革。北京的清朝政府開始準備採取西方的立憲政制，建立了新的教育制度，組織了現代化的軍隊和警察，並且派遣了大批學生出洋留學。這可算是中國文化有史以來首次自覺地大規模吸收外國文明，其結果對往後國民生活發生了非常深遠的影響。

最重要的是教育上的改革，因為這些改革的計劃最完善，眼光最

遠大，而且是針對新興一代而發的，傳統觀念對這班年輕人的影響最小。後來這班年齡相若的學生逐漸成長而在政府中掌握大權，他們又採取了更多的西洋方法，使較年輕的一代有更佳的機會吸收新的觀念思想。這年輕的一代接着握權以後，他們又進一步從事西化工作，更多的新措施也隨之介紹到政府、軍隊和學校等部門。因此新興的每一代都比前一代更現代化。

1919 年北京的學生運動，北大教授所強調的科學和現代民主觀念，以及胡適教授所提倡的文學革命，只是自覺地致力吸收西方思想的開端，這種努力在過去只限於工業和政治方面。這次自覺的努力比較更接近中國文化的中心，同時中國文化史也隨之轉入新頁。因為中國正想藉此追上世界潮流。中國文化把羅盤指向西方以後，逐漸調整航線，以期適應西方文化的主流。在今後五十年內，它在保持本身特點的同時，亦必將駛進世界未來文化共同的航道而前進。

到目前為止，中國已經從西化運動中獲得很多好處。婦女與男子享受同等的社會地位，享受結婚和再嫁的自由，並且解放纏足，這就是受到西方尊重婦女的影響而來的。西方醫藥也已阻遏了猖獗的時疫，麻醉藥的應用已使千萬病人在施行手術時免除痛苦。機器和發明已經改進了生產技術，對於人民的生活提供了重大的貢獻。現代作戰武器增加了殺傷的能力，因而也招致了更大的生命損失。現代科學已經拓寬了知識範圍；中國的歷史、哲學和文學的研究工作已採用了科學方法。大家一向信守不疑的迷信，也因科學真理的啟示而漸漸失勢。我們吸收西方思想的能力愈強，我國的文化亦將愈見豐富。中國的現代化工作愈廣泛徹底，則與中國國民生活結着不解緣的貧窮和疾病兩大禍患亦將隨之逐漸消滅。在這一方面，我認為現代化運動和西化運動，即使並非完全相同，也是不可分的，因為現代化

運動肇始於西化，而且已經毫無間斷地向前邁進。中國無法取此而捨彼。

西方被迫現代化，多少有點像中國之被迫西化。現代發明浪潮所經之處，隨即改變了生產的方式，招致分配和控制的問題，並進而引起其他新的問題。人類必須適應日新月異的環境，進步就是由環境的不斷改變和人類適應新的環境產生的。你不妨看一看法國革命以後的歐洲情形，你或許會發現自從羅馬帝國以來，歐洲大陸在表面上幾無多大改變。但是你如果再仔細看看工業革命以後五十年來的歐洲情形，你一定會發現許多顯著的變化。再隔五十年之後，你又會發現整個歐洲大陸和美洲都已經遍佈了鐵路網，一列列的火車則像千萬條蜈蚣爬行在鐵路上。煙囪高聳入雲的工廠像蜂房一樣集中在工業大城裡。裝載工業成品的輪船在港口穿梭進出，準備把工廠產品運送到世界的每一角落。

半世紀以前，這些輪船曾經把自來火 [1]、時辰鐘、洋油燈 [2]、玩具，以及其他實用和巧妙的外國貨帶到中國。我童年時代在安寧的鄉村裡就曾經玩過這些洋貨。我們天真而不自覺地吸收這些新鮮的玩意兒，實際上正是一次大轉變的開端，這次轉變結果使中國步上現代化之途，同時也經歷了相伴而生的苦難、擾攘、危險，以及舊中國恬靜生活的迅速消逝。

中國在此以前所吸收的外國東西，不論是自覺的或是不自覺的，都曾使人民生活更見充實豐富，而且並未導致任何紛擾。但是自從西方工業製品和思想制度傳入以後，麻煩就來了。正像現代的磺胺藥

1 自來火，指火柴，當時也叫「洋火」或「洋取燈」。——編者註
2 洋油燈，指煤油燈。——編者註

品[1]，它們固然可以治病，但是有時候也會引起嚴重的副作用，甚至致人於死。中國所面臨的問題就是如何吸收西方文化而避免嚴重的副作用。此項工作有賴於實驗與科學研究，因為實驗和科學研究是推動心理、社會、工業各項建設的基本工具。不過這些工具仍然是西方的產物。

（二）道德與理智

我在加州大學倫理學班上初次讀到希臘哲學家的著作時，我開始覺得中國古代思想家始終囿於道德範圍之內，希臘哲學家則有敏銳深刻的理智。後來我讀了更多有關希臘生活和文化的書籍以後，更使我深信古代中國思想和古希臘思想之間，的確存在着這種鮮明的對照，同時我相信就是東西文化分道揚鑣的主要原因。這種說法也許過於武斷，但是據我後來的經驗來說，我並未發現有予以修正的必要，而且我至今仍如此深信不疑。

我從美國留學回來以後，曾不斷努力使國人了解發展理智的重要，無論是上課或寫作，我總是經常提到蘇格拉底、柏拉圖和亞里士多德等名字，以致若干上海小報譏諷我是「滿口柏拉圖、亞里士多德的人」。我發現並沒有多少人聽我這一套，結果只好自認失敗而放棄了這項工作，同時改變策略轉而鼓吹自然科學的研究。事實上這是一種先後倒置的辦法，我不再堅持讓大家先去看看源頭，反而引大家先去看看水流。他們看到水流以後，自然而然會探本窮源。

有人曾經請教一位著名的中國科學家，為甚麼中國未曾發展自然

---

1 磺胺藥品，一類用於預防和治療細菌感染性疾病的藥物，應用廣泛，但可能引起過敏或腎臟損傷等。——編者註

科學。他提出四個理由：第一，中國學者相信陰陽是宇宙中相輔相成的兩大原則。第二，他們相信金、木、水、火、土，五行是構成宇宙的五大要素，並把這種對物質世界的分析應用到人類生活以及醫藥方面。第三，中國人的粗枝大葉，不求甚解。這是精確計算的大敵。第四，中國學者不肯用手，鄙夷體力勞動。

這些很可能都是自然科學發展的障礙，但是即使沒有這些障礙，我也不相信自然科學就能發展起來，因為我們根本就沒有注意到這方面的工作。

我們中國人最感興趣的是實用東西。我在美國時常常發現，如果有人拿東西給美國人看，他們多半會説：「這很有趣呀！」碰到同樣情形時，中國人的反應卻多半是：「這有甚麼用處？」這真是中國俗語所謂智者見智，仁者見仁。心理狀態的不同，所表現的興趣也就不同了。我們中國對一種東西的用途，比對這種東西的本身更感興趣。

中國思想對一切事物的觀察都以這些事物對人的關係為基礎，看它們有無道德上的應用價值，有無藝術價值，是否富於詩意，是否切合實用。古希臘的科學思想源於埃及與巴比倫。巴比倫的天文學和埃及的幾何學，和中國天文數學一樣，都以實際應用為目的。但是希臘學者具有重理知的特性，他們概括並簡化各種科學原則，希望由此求出這些科學的通理。這種追求通理的過程為天然律的發現鋪平了道路。

對希臘人而言，一共有兩個世界，即官覺世界與理性世界。官覺有時會弄玄虛；所以哲學家不能信賴他的官覺的印象，而必須發展他的理性。柏拉圖堅主研究幾何學，並不是為了幾何學的實際用途，而是想發展思想的抽象力，並訓練心智使之能正確而活潑地思考。柏拉圖把思想的抽象力和正確的思考能力應用在倫理與政治上，結果奠定了西方社會哲學的基礎；亞里士多德把它們應用在研究具體事物的真

實性上，結果奠定了物質科學的基礎。

亞里士多德相信由官覺所得知識的真實性。他並有驚人的分析的理智力，他的這種理智力幾乎在任何學問上都留有痕跡。他認為正確的知識不但需要正確地運用理性，同時也牽涉官覺的正確運用；科學的進步則同時仰賴推理能力和觀察能力的發展。亞里士多德從應用數學演繹出若干通則，研究與探討這些原則是一種心智的鍛煉，他便由此訓練出一種有力而深刻的理智力。憑着這種訓練有素的理智力以及官覺的正確運用，他創造了一套成為現代化科學基礎的知識系統。使西方思想系統化的邏輯和知識理論，也同是這種理智鍛煉的產物。

中國思想集中於倫理關係的發展上。我們之對天然律發生興趣，只是因為它們有時可以作為行為的準則。「四書」之一的《大學》曾經提出一套知識系統，告訴我們應該先從格物着手，然後才能致知。知識是心智發展的動力。

到此為止，我們所談的還是屬於知識方面的。討論再進一步以後，道德的意味就加強了。心智發展是修身的一部分，修身則是齊家的基礎。齊家而後方能治國，國治而後方能平天下。從格物致知到平天下恰恰形成一個完整的，非常實際的，道德上的理想體系。在中國人看起來，世界和平絕非夢想，而是實際的道德體系。因為國家的安定必然是與國際和平密切關聯的。離開此目標的任何知識都是次要的或無關痛癢的。

在這種學問態度之下，查問地球究竟繞日而行，抑或太陽繞地球而運行，原是無關痛癢的事。

再說，我們何苦為沸水的膨脹而傷腦筋？瓦特實在太傻了！我們中國人倒是對沸水的嘶嘶聲更感興趣，因為這種聲音可以使我們聯想到煮茗待客的情調。那該多麼富於詩意！

　　蘋果落地是自然的道理，中國人可以在這件事情中找出道德意義。他們會說，一樣東西成熟了，自然就掉下來。因此，你如果好好地做一件事情，自然就會得到應有的結果，為此多傷腦筋毫無好處。如果你家花園裡的蘋果不是往地下落，而是往天上飛，那倒可能使中國人惴惴不安，認為老百姓即將遭逢劫難。彗星出現，或者其他習見情形失常，中國人就是如此解釋的。只有牛頓這種人才會從蘋果落地想到地心吸力上面去。

　　我一度鼓吹發展理智，結果徒勞無功，原因不言而喻。這些古希臘人物和他們的學說對中國有甚麼用？在我們中國人的眼光裡，自然科學的價值只是因為它們能夠產生實際的用途。希臘哲學家離現代自然科學太遠了，他們還有些甚麼實際用途呢？我們中國人對科學的用途是欣賞的，但是對為科學而科學的觀念卻不願領教。中國學者的座右銘就是「學以致用」。

　　在這樣的心理狀態之下，中國未能發展純粹科學是毫不足奇的，因為純粹科學是知識興趣的表現，而非實際應用的產物。我們曾經建造長城和運河，也曾建設偉大的水利工程；我國建築式樣的宏麗，我們的宮殿和廟宇，都曾獲得舉世人士的激賞。這些工程足與世界上最偉大的工程成就相提並論。但是它們並不是純粹科學的基礎上發展而來的。因此它們無論如何偉大，也沒有進一步發展的可能，直到現代工程技術輸入以後，才見轉機。如果沒有純粹科學，現代工程科學根本無法達到目前的巔峰狀態。中國人所發明的指南針和火藥曾使全世界普受其利，但是發現火藥爆炸的膨脹原理，把這原理應用於沸水，並進而發明蒸汽機的，結果還是西洋人。

　　在中國，發明通常止於直接的實際用途。我們不像希臘人那樣肯在原理原則上探討；也不像現代歐洲人那樣設法從個別的發現中歸納

出普遍的定律。現代歐洲人的這種習性是從古希臘繼承而來的，不過較諸希臘時代更進步而已。中國人一旦達到一件新發明的實用目的，就會馬上止步不前；因此中國科學的發展是孤立無援的，也沒有科學思想足為導向的明燈。科學發展在中國停滯不進，就是因為我們太重實際。

我並不是說中國人不根據邏輯思考，而是說他們的思想沒有受到精密的系統的訓練。這缺點已經反映在中國哲學、政治組織、社會組織，以及日常生活之中。世界其餘各地的人民普遍享受現代科學的光明和工業社會的福利以後，這種缺點在中國已經更見顯著。

除了重實際之外，我們中國人還充滿着強烈的道德觀念。也可以說正因為我們注重道德，我們才重實際。因為道德係指行為而言，行為則必然要憑實際結果來判斷。希臘人在物理學和形而上學方面曾有離奇的幻想和推測，但是我們對行為卻不可能有同樣的幻想和推測。

有時候我們也可能闖出重實際重道德的思想常規，但是我們一旦發覺離開倫理範圍太遠時，我們馬上就會收回心靈的觸角。宋代的朱子就曾有一次超越道德的範圍。他從山頂上發現的貝殼而推斷到山脈的成因。他認為山勢的起伏顯示千萬年以前的山脈一定是一種流體，山頂上的貝殼正可以證明，目前的山峰一度曾是深淵之底。至於這種流體何時凝結為山脈，如何凝結為山脈，以及海底如何突出水面而成高峰等等問題，他卻無法解答了。他的推斷也就到此為止，深恐冒險前進要栽筋斗。在朱子之前以及朱子之後都曾有過同樣的觀察自然的例子，但是中國思想家在理論方面的探討一向是謹慎的，唯恐遠離倫理關係的範圍。

中國人當然不是缺乏理智的民族，但是他們的理智活動卻局限於道德與實用的範圍。他們像蠶一樣作繭自縛，自立智識活動的界限。

他們深愛他們的道德之繭，而且安居不出。中國人的生活就是一種樂天知命的生活。中國哲學的目標是安定。求進步？算了吧——進步勢將招致對現狀的不滿，不滿現狀則會破壞安定，中國人很滿意現實世界，從來不想對大自然做深入的探討。中國未曾發展自然科學，只是因為她根本無意於此。

希臘人卻大不相同。亞里士多德的思想可以上天入地，無遠弗屆。整個宇宙都是希臘理智活動的範圍。希臘人覺得運用理智，本身就是一種快樂。他們不管它是否切合實際，也不管它與道德倫理有沒有關係。據說古希臘數學家歐幾里得的一位學生曾經這樣問過老師：「我學這些東西能得到些甚麼呢？」歐幾里得吩咐他的僕人說：「既然他一定要從所學的裡面得到些東西，你就給他六個銅板讓他走吧。」希臘人甚至對道德也發展了一套倫理學，以理智的研究來檢討道德的正確性。蘇格拉底就是因此而招致了麻煩，被控以危險的研究毒害青年的心靈。

自然科學之能發展到目前的階段，首先歸功於希臘人對大自然的觀念以及對有系統的智力訓練的愛好，中間經過文藝復興、宗教革命、法國革命，後來又受到工業革命的大刺激。工業革命使工具和技術逐漸改進。西歐在自然科學的後期發展中，從未忽視科學的實際用途。不斷的發明和發現更進一步刺激了科學研究。理論科學和應用科學齊頭並進，而相輔相成。

五口通商以後，現代科學開始涓涓滴滴地流傳到中國時，引起中國學者注意的還是科學的實用價值。他們建立了兵工廠和輪船碼頭。他們附帶翻譯了基本科學的書籍。究竟是太陽繞地球運行或者是地球繞太陽運行，他們仍未感覺興趣。在他們看起來，那是無足輕重的，因為無論誰繞誰轉，對人都沒有實際的影響。三百多年前耶穌會教士

把天文數學傳到中國時，學者們馬上發生興趣，因為這些科學可以糾正當時中國日曆上的許多錯誤。不但計算日子、月份、年份缺不得日曆，就是播種收穫，日曆也是不可或缺的。

20 世紀初葉，進化論傳入中國。我國學者馬上發現它的實用的道德價值。應用「物競天擇，適者生存」這項天然律，他們得到一項結論，知道世界各國正在互相競爭以求生存，而且經過天擇之後只有適者才能生存。中國會不會是適者？她會不會生存呢？她必須競爭，為生存而競爭！進化論如需證據，只要看街頭大狗和小狗打架，小狗會被大狗咬死，小蟲碰到大蟲，小蟲會被大蟲吃掉的事實。俗語說：「大蟲吃小蟲，小蟲吃眯眯蟲。」這已經足夠證明「物競天擇，適者生存」的正確性了，又何必向達爾文討證據呢？他們就這樣輕易地為達爾文的科學研究披上了一件道德的外衣。下面就是他們道德化的結果，他們說：「弱肉強食。」中國既然是弱國，那就得當心被虎視眈眈的列強吃掉才行。

進化論的另一面則被應用於歷史上，照中國過去學者的歷史觀，世運是循環的。受了達爾文學說影響以後，他們相信世運是依直線進行的，不進則退，或者停住不動。這種歷史觀的轉變，對中國學者對進步這一觀念發生了重大的影響。

陰陽和五行等觀念顯然是從直接觀察大自然得來，拿這些觀念來理性化宇宙的變幻和人類的行為已經綽有餘裕。我們不必做精密的計算，更不必動手。我猜想，中國學者如果有興趣從事體力勞動，他們寧願去製作實用的東西，或者美麗的藝術品，而不願在科學實驗室裡從事試驗。大家仍舊只根據自己的興趣去思想，去行動。磁針永遠是指向磁極的。

這樣的心理狀態自然不是純粹科學的園地。不過中國已在慢慢

地、不斷地改變她的態度，她已經從運用科學進而研究純粹科學，從純粹科學進而接觸到新的思想方法，最後終於切實修正了她的心理狀態。我們已經在道德宇宙的牆上開了一扇窗子，憑窗可以眺望長滿科學與發明果實的理智的宇宙。

這種心理狀態的改變已經使大自然有了新的價值，從此以後，大自然不再僅僅是道德家或詩人心目中的大自然，而且是純粹科學家心目中的大自然。對現代中國人而言，宇宙不僅是我國先賢聖哲心目中的道德宇宙，而且是古希臘人心目中的理智宇宙。

道德家觀察大自然的目的在於發現有利倫理道德的自然法則。科學家觀察大自然則是為了發現自然法則，滿足知識上的興趣，也就是為知識而求知識。中國所吸收的現代科學已經穿越她那道德宇宙的藩籬，近代中國學人正深入各處探求真理。他們的思想愈來愈大膽，像一隻小舟在浩瀚的海洋上揚帆前進搜尋秘密的寶藏。這種知識上的解放已經使年輕的一代對某些傳統觀念採取了批評的態度，對道德、政治和社會習俗予以嚴厲的檢討，其影響至為深遠。年紀較大的一代憂慮寧靜的道德樂園將被毀滅，惋歎太平盛世漸成過去，年輕的一代則為建築新的知識之宮而竟日忙碌。

我想這就是西方對中國的最大貢獻。

在相反的一方面，把中國的學問加以整理研究，也可能對現代科學世界提供重大的貢獻，希臘人研究巴比倫和埃及科學的結果就是如此。近年來對中國建築、醫學和實用植物學的初步科學研究已經有了可喜的成績。

世界各國的文化奠基於不同的宇宙觀。中國人所想的是一個道德的宇宙，並以此為基礎而發展了他們的文化。希臘人所想的是一個理智的宇宙，也以此為基礎發展了他們的文化。今日歐洲人的道德觀念

導源於基督教教義 —— 一個上帝所啟示的道德的宇宙。但中國人的道德宇宙是自然法則所啟示的。基督徒努力想在地球上建立一個天國，中國人卻只想建立一個和平安定的王國。

中國道德觀念本諸自然，基督的道德觀念則本諸神權；在中國人看起來，神只是大自然的一部分，在基督徒看起來，大自然卻是上帝所創造的。由此可見基督教教條與科學之間的矛盾必然是很嚴重的，西方歷史已經一再證明如此；科學與中國的道德觀念之間的矛盾卻比較緩和，因為二者的出發點都是大自然，所不同的只是發展的方向。

有人說過，基督教思想是天國的或神國的，中國思想是為人世的，希臘思想是不為人世的，換言之，即越出人世以外的。引導人類發現自然法則的就是這種超越人世的思想。自然法則是現代科學的基礎。有了現代科學，然後才有現代發明。這種不為人世的思想在科學上應用的結果，如果說未為世界帶來和平與安定，至少也已為世界帶來繁榮。

據我個人的看法，歐洲文化的發展過程就是基督教的道德宇宙與希臘的理智宇宙之間的一部鬥爭史。文藝復興、宗教革命和法國革命，都不過是長久淹沒在道德宇宙下的理智宇宙的重現而已，這些運動事實上只是同一潮流中的不同階段。最後工業革命爆發，理智宇宙經過幾百年的不斷發展，終於湧出水面，奔騰澎湃，橫掃全球。工業革命狂潮的前鋒，在我童年時代前後已經突然衝到中國；它衝破了我們的道德宇宙，破壞了我們的安定生活；《西潮》所講的正是這些故事。

道德宇宙不可能產生理智宇宙的果實，理智宇宙也不可能產生道德宇宙的果實。科學之果只能在理智之園成長，在基督教教條或中國的道德觀念之下，不可能產生任何科學。

不錯，我們發現古時的墨子也有過科學思想，但是那只是他哲學

體系中無關緊要的一部分，這些科學思想只是行星的衛星，墨子的哲學體系基本上仍舊是屬於道德方面的。

科學的發展有賴於人們全力以赴，需要對超越人世以外的真理持有夢寐以求的熱忱；並且有賴於不屈不撓無休無止的思維和不偏不倚的精神去探索真理；無論身心，均須不辭勞瘁，愈挫愈奮。換一句話說，科學是人的整個靈魂從事知識活動的結果。僅憑玩票的態度，或者偶爾探討大自然的奧秘，或者意態闌珊，不求甚解，絕不可能使人類榮獲科學的桂冠。

在現代科學影響之下，中國正在建立起一個新的道德體系。揚棄了迷信和那些對大自然似是而非的推斷，經過理智探究的考驗，並受到社會科學結論的支持，這些結論是根據對社會的實地調查而獲得的。

在另一方面，我們絕不可忘記中國舊的道德體系，這個舊體系是經過千百年長期的經驗和歷代不斷的努力而建立起來的，建立過程中所運用的方法或工具包括四書五經、一般文學、雕刻、音樂、家庭、戲劇、神佛、廟宇，甚至玩具，這個道德體系曾使中國人誠實可靠，使中國社會安定平靜，並使中國文化歷久不衰。道德觀念如忠、孝、仁、義、誠、信、中庸、謙沖、誠實等等，都曾對中國人的心情個性有過重大貢獻。現代科學所導致的知識上的忠實態度，自將使幾千年來道德教訓所產生的這些美德更為發揚光大。

一片新的知識園地將與新的道德觀念同時建立起來，以供新中國富於創造能力天才的發展。我們將在儒家知識系統的本幹上移接西方的科學知識。儒家的知識系統從探究事物或大自然出發，而以人與人的關係為歸趨；西方的科學知識系統也同樣從探究事物或大自然出發，但以事物本身之間的相互關係為歸趨，發展的方向稍有不同。

道德宇宙與理智宇宙將和在西方一樣在中國平行並存，一個保持安定，一個促成進步。問題在於我們是否能覓得中庸之道。

(三) 中國人的人情

我們說，學以致用，那麼所謂「用」又是甚麼呢？這裡有兩大原則：第一是有益於世道人心，第二是有益於國計民生。這是為世俗所熟知的，亦即《左傳》裡所說的「正德利用厚生」。這兩大原則是先賢聖哲幾千年來訓誨的總結，他們所說所論最後總是歸結到這兩點。學者們從先賢學到這些原則，然後又把所學傳播給老百姓。老百姓在這種影響之下已逐漸而不自覺地形成一種重常識與重人情的心理。他們根據上述兩大原則，隨時要問這樣東西有甚麼用，那樣東西有甚麼用。

輪船火車傳到中國時，大家都很願意搭乘，因為它們走得比較快。他們採用洋油燈，因為洋油燈比較亮。電話電報使消息傳遞更為便利，而且不像郵寄或者專差送遞那樣遲緩。有了鐘錶以後，可以不必看太陽就知道正確的時刻。大家購買西方貨品，因為它們能夠滿足日常生活中的實際需要。

傳教士到了中國以後，到處設立學校和醫院。中國人異口同聲地說：這些人真了不起啊，他們為患病者診療，又使貧窮的子弟受教育。當中國人上禮拜堂聽福音時，許多人的眼睛卻瞅在醫院和學校上面。他們的手裡雖然拿着《聖經》，眼睛卻偷偷地瞅着牧師從西方故鄉帶來的實用貨品。我父親與當地的一位牧師交了朋友，因為這位牧師替我們修好了抽水機，並且還送給我們咳嗽糖和金雞納霜。他非常誠實，而且對鄰居很客氣。最後一點非常重要，因為中國人不但實際，而且最重道德。那麼，他們所宣揚的宗教怎麼樣？哦，那是一個好宗教，它是勸人為善的。那麼，他們的上帝呢？哦，當然，當然。你說

他們的上帝嗎？他是個好上帝呀。我們要把它與其他好神佛一齊供奉
在廟宇裡。我們應崇拜它，在它的面前點起香燭。但是它不肯與你們
的偶像並供在廟宇裡又怎麼辦呢？那麼，我們就給它也塑個偶像吧！
不行，那怎麼可以？它是無所不能，無所不在的。上帝就在你身上，
而不是在偶像上。哦，是的，是的。不過它不在我身上時，也許喜
歡託身在偶像上呢。不，它住在天堂。是，是，我知道，其他神佛不
也都是住在天上嗎？不過，他也許願意到下界來玩玩，拿廟宇作旅館
暫住，那時候我們就可以在廟宇裡祭拜它了。不行，它是獨一無二的
神——你崇拜它，就不能崇拜其他的神佛。

　　這可使中國人頗費躊躇了。最後他們說，好吧，你們崇拜你們的
上帝，我們還是崇拜我們的神佛算了。「信者有，不信者無。」中國對
宗教的包容並蓄，其故在此。

　　西方人所了解的現代法律觀念在中國尚未充分發展。中國人以為
最好是不打官司。不必訴諸法律就能解決糾紛不是很好嗎？還是妥協
算了！讓我們喝杯茶，請朋友評個理，事情不就完了？這樣可以不必
費那麼多錢，不必那麼麻煩，而且也公平得多。打官司有甚麼用？你
常常可以在縣城附近的大路旁邊看到一些石碑，上面刻着「莫打官司」
四個大字。

　　這或許就是中國人不重法律的原因。但是現代工商業發達以後，
社會也跟着變得複雜了，處理複雜的社會關係的法律也成為必需的東
西，法律成為必需時，通達人情的中國人自將設法發展法律觀念。但
是，如果能憑飲杯茶，評個理就解決事端，法院的負擔不是可以減輕
了嗎？

　　「己所不欲，勿施於人。」批評家說這是消極的，「己之所欲，施
之於人」才算積極。不錯，這說法很正確。但是中國人基於實際的考

慮，還是寧願採取消極的作風。你也許喜歡大蒜，於是你就想強迫別人也吃大蒜，那是積極的做法。我也許覺得大蒜味道好，別人卻未必有同樣的感覺；他們也許像太太小姐怕老鼠一樣怕大蒜。如果你不愛好臭味沖天的大蒜，難道你會高興別人硬塞給你吃嗎？不，當然不。那麼，你又何必硬塞給別人呢？這是消極的，可是很聰明。因為堅持積極的辦法很可能惹出麻煩，消極的作風則可避免麻煩。

以直報怨，以德報德。自然，更高的理想應該是愛敵如己。但是歷史上究竟有多少人能愛敵如己呢？這似乎要把你的馬車趕上天邊的一顆星星，事實上，那是達不到的。以直報怨則是比較實際的想法。所以中國人寧捨理想而求實際。

音樂有沒有用處？當然很有用。它可以陶冶性情，可以移風易俗。

藝術有沒有用處？當然很有用。藝術可以培養人民的高尚情操，有益於世道人心。花卉草木、宮殿廟宇、山水名畫、詩詞歌賦、陶瓷鐘鼎、雕塑篆刻等等都足以啟發人的高尚情操。

一個人為甚麼必須誠實呢？因為你如果不誠實，不可靠，人們就不會相信你，你在事業上和社交上也會因此失敗，不誠實是不合算的。誠實不但是美德，它的實際效果對人與人之間的關係也有很大的價值。

中國人愛好幽默。為甚麼？因為幽默的話不會得罪人；而且你可從幽默中覓得無限的樂趣。你如果常常提些無傷大雅而有趣的建議，你一定可以與大家處得更好。幽默使朋友聚晤更覺融洽，使人生更富樂趣。

有恆為成功之本。只要有恆心，鐵杵磨成針。

有一個夏天下午，杜威教授、胡適之先生和我三個人，在北平西山看到一隻屎蜣螂正在推着一個小小的泥團上山坡。它先用前腿來

推，然後又用後腿，接着又改用邊腿。泥團一點一點往上滾，後來不
知怎麼一來，泥團忽然滾回原地，屎蜣螂則緊攀在泥團上翻滾下坡。
它又從頭做起，重新推着泥團上坡，但結果仍舊遭遇同樣的挫敗。
它一次接一次地嘗試，但是一次接一次地失敗。適之先生和我都說，
它的恆心毅力實在可佩。杜威教授卻說，它的毅力固然可嘉，它的愚
蠢卻實在可憐。這真是智者見智，仁者見仁。同一東西卻有不同的兩
面。這位傑出的哲學家是道地的西方子弟，他的兩位學生卻是道地的
東方子弟。西方惋歎屎蜣螂之缺乏智慧，東方則讚賞它之富於毅力。

　　中國人多半樂天知命。中國人如有粗茶淡飯足以果腹，有簡陋的
房屋足以安身，有足夠的衣服可以禦寒，他就心滿意足了。這種安於
儉樸生活的態度使中國億萬人民滿足而快樂，但是阻滯了中國的進
步。除非中國能夠工業化，否則她無法使人民達到高度的物質繁榮。
或許在今後的一段長時間內，她的億萬人民仍須安貧樂道。

　　中國人深愛大自然，這不是指探求自然法則方面的努力，而是指
培養自然愛好者的詩意、美感或道德意識。月下徘徊，松下閒坐，靜
聽溪水細語低吟，可以使人心神舒坦。觀春花之怒放感覺宇宙充滿了
蓬勃的精神；見落葉之飄零則感覺衰景的淒涼。

　　中國人從大自然領悟到了人性的崇高。北京有一個天壇，是用白
色大理石建造的，這個天壇就是昔日皇帝祭天之所。一個秋天的夜
晚，萬里無雲，皓月當空，銀色的月光傾瀉在大理石的台階上，同時
也瀰漫了我四周的廣大空間。我站在天壇的中央，忽然之間我覺得自
己已與天地融而為一。

　　這次突然昇華的經驗使我了解中國人為甚麼把天、地、人視為不
可分的一體。他們因相信天、地、人三位一體，使日常生活中藐不足
道的人升入莊嚴崇高的精神境界。茫無邊際的空間、燦爛的太陽、澄

明的月亮、浩繁的星辰、蔥翠的樹木、時序的代謝、滋潤五穀的甘霖時雨、灌溉田地的江河溪澗、奔騰澎湃的海浪江潮、高接雲霄的重巒疊嶂，這一切的一切，都培養了人的崇高精神。人生於自然，亦養於自然；他從大自然學到好好做人的道德。大自然與人是二而為一的。

　　大自然這樣善良、仁慈、誠摯，而且慷慨，人既然是大自然不可分的一部分，人的本性必然也是善良、仁慈、誠摯，而且慷慨的。中國人的性善的信念就是由此而來。邪惡只是善良的本性墮落的結果。中國偉大的教育家和政治家始終信賴人的善良本性，就是這個緣故。偉大政治家如孫中山先生，偉大教育家如蔡子民[1]先生，把任何人都看成好人，不管他是張三、李四，除非張三或李四確實證明是邪惡的。他們隨時準備饒恕別人的過錯，忘記別人的罪愆。他們的偉大和開明就在這裡。所以我國俗語說「宰相腹內可撐船」，又用「虛懷若谷」來形容學者的氣度。

　　大自然是中國的國師。她的道德觀念和她的一切文物都建築於大自然之上。中國文化既不足以控制自然，她只好追隨自然。中西之不同亦即在此。道德家和詩人的責任是追隨自然，科學家的責任則是控制自然。中國年輕一代在西方文明影響之下，已經開始轉變──從詩意的道德的自然欣賞轉變到科學的自然研究。中國此後將不單憑感覺和常識的觀察來了解自然，而且要憑理智的與科學的探討來了解自然。中國將會更真切地認識自然，更有效地控制自然，使國家臻於富強，使人民改善生活。

　　有人以為科學會破壞自然的美感，其實未必如此。我現在一面握筆屬稿，一面抬頭眺望窗外，欣賞着花園中在雨後顯得特別清新的松

---

1 蔡子民，即蔡元培，號子民。──編者註

樹和竹叢。在竹叢的外邊，我還可以看到長江平靜徐緩地在重慶山城旁邊流過。大自然的美感使我心曠神怡。但是我如果以植物學觀點來觀察樹木，我會想到它們細胞的生長、樹液的循環，但是這種想法並不至於破壞我的美感。如果我以地理學的觀點來看長江，我可能想到挾帶污泥的江水之下的河床，億萬年之前，這河床或許只是一塊乾燥的陸地，也可能是深海之底。這些思想雖然在我腦海掠過，但是長江優美的印象卻始終保留在我心裡，甚至使我產生更豐富的聯想。如果說對於細胞作用的知識足以破壞一個人對松樹或竹叢的美感，那是不可想像的。我覺得科學的了解只有使大自然顯得更奇妙更美麗。

中國人因為熱愛大自然的美麗，同時感覺大自然力量之不可抗拒，心裡慢慢就形成了一種強烈的宿命論。無論人類如何努力，大自然不會改變它的途徑。因此，洪水和旱災都不是人力所能控制的，人們不得不聽任命運的擺佈。既然命中注定如此，他們也就不妨把它看得輕鬆點。天命不可違，何必庸人自擾？我們發現中國的許多苦力也笑容滿面，原因在此。苦難是命中注定的，何不逆來順受？

抗戰期間，中國人民表現了無比的忍受艱難困苦的能力，秘密就在此。盡力而為之，其餘的聽天由命就是了。你最好樂天知命，秋天的明月、六月的微風、春天的花朵、冬天的白雪，一切等待你去欣賞，不論你是貧是富。

二次大戰期間看現代文化
（節選）

　　現代文化肇始於歐洲，美國文化不過是歐洲文化的一支而已。中國文化是中華民族自己發展出來的，歷史悠久，而且品級很高。現代思潮從歐美湧到後，中國才開始現代化。在過去五十年內，她已經逐漸蛻變而追上時代潮流，在蛻變過程中曾經遭受許多無可避免的苦難。中國已經身不由主地被西潮沖到現代世界之中了。

　　「現代文化」是個籠統的名詞。它可以給人許多不同的印象。它可以指更多更優良的作戰武器，使人類互相殘殺，直至大家死光為止。它也可以指更優越的生產方法，使更多的人能夠享受安適和奢華，達到更高的生活水準。現代文化也可以指同時促成現代戰爭和高級生活水準的科學和發明。它可以代表人類追求客觀真理，控制自然的欲望，也可以指動員資源和財富的交通建設和組織制度。對民主國家而言，它可以代表民主政治；對極權國家而言，它又可以代表極權政治。

　　這一切的一切，或者其中的任何一項，都可以叫現代文化 —— 至於究竟甚麼最重要，或者甚麼最標準，似乎沒有任何兩個人的意見會完全相同。那麼，在過去多災多難的五十年中，中國究竟在做些甚麼呢？她可以說一直在黑暗中摸索，有時候，她似乎已掉進陷阱，正像

一隻蒼蠅被蜜糖引誘到滅亡之路。有時候，她又似乎是被一群武裝強盜所包圍，非逼她屈服不可。她自然不甘屈服，於是就設法弄到武器來自衛。總而言之，她一直在掙扎，在暗中摸索，最後發現了「西方文化」的亮光，這亮光裡有善也有惡，有禍也有福。

　　哪些是她應該努力吸收的善因，哪些又是她必須拒斥的禍根呢？這問題似乎沒有一致的結論，個人之間與團體之間都是如此。她所遭遇的禍患，也可能在後來證明竟是福祉。……在另一方面，她接納的福祉在後來卻又可能夾帶着意想不到的禍患。例如我們因為過分相信制度和組織，竟然忘記了人格和責任感的重要。因缺乏對這些品德的強調而使新制度新組織無法收效的例子已經屢見不鮮。

　　少數以剝削他人為生的人，生活水準確是提高了。汽車進口了，但是他們從來不設法自己製造。事實上要靠成千的農夫，每人生產幾百擔穀子，才能夠賺換一輛進口汽車的外匯。現代都市裡的電燈、無線電、抽水馬桶等等現代物質享受，也必須千千萬萬農夫的血汗來償付。我們以入超 [1] 來提高生活水準，結果使國家愈來愈貧困。但是生活水準是必須提高的，因此而產生的禍害只有靠增加生產來補救。為了增加生產，我們必須利用科學耕種、農業機械和水利系統。

　　這種工作勢將引起其他新的問題。我們吃足了現代文化的苦頭，然而我們又必須接受更多的現代文化。我們如果一次吃得太多，結果就會完全吐出來。1900 年的「義和團之亂」就是一個例子；如果我們吃得太少，卻又不夠營養。現代文化在中國所產生的影響就是這樣。無論如何，中國還是不得不跟着世界各國摸索前進。

　　西方在過去一百年中，每一發明總是導致另一發明，一種思想必

---

1 貿易逆差的舊式說法。——編者註

定引發另一種思想，一次進步之後接着必有另一次進步，一次繁榮必定導致另一次繁榮，一次戰爭之後必有另一次戰爭。唯有和平不會導致和平，繼和平而來的必是戰爭。這就是這個世界在現代文化下前進的情形。中國是否必須追隨世界其餘各國亦步亦趨呢？

大家都在擔憂發生第三次世界大戰，如果另一次大戰爭真的發生的話，很可能仍像第一次大戰一樣爆發於東歐和中歐，也可能像第二次大戰一樣爆發於中國的東三省。中歐的人民想在別處找個生存空間，至於中國的東北，則是別國人民想在那裡找生存空間。中歐是個人口稠密的區域，境內的紛擾很容易蔓延到其他區域；東三省則是遼闊的真空地帶，很容易招惹外來的紛擾。二者都可能是戰爭的導火線，戰爭如果真的發生，勢將再度牽涉整個世界，未來浩劫實不堪設想。

確保東方導火線不着火的責任，自然要落在中國的肩膀上。因此今後二三十年間，中國在政治、社會、經濟和工業各方面的發展，對於世界和平自將發生決定性的影響。一個強盛興旺的中國與西方列強合作之下，即使不能完全消弭戰爭的危機，至少也可以使戰爭危機大為減低。西方列強如能與中國合作，不但同盟國家均蒙其利，即對整個世界的和平亦大有裨益。西方國家在今後五六十年內至少應該協助中國發展天然資源，在今後二十年內尤其需要協助中國進行經濟復員和社會重建的工作。

在西方潮流侵入中國以前，幾百年來的禍患可說完全導源於滿洲和蒙古。甲午中日戰爭之後，日本一躍而為世界強國，遂即與帝俄搶奪滿洲的控制權，終至觸發日俄之戰。日本處心積慮，想利用東三省作為征服全中國的跳板，結果發生九一八事變。如果唐朝滅亡以後的歷史發展能夠給我們一點教訓的話，我們就很有理由相信，東三省今

後仍係中國的亂源，除非中國成為強大富足的國家，並且填補好滿洲的真空狀態。

在建立現代民主政治和工業的工作上，中國需要時間和有利的條件從事試驗。這些條件就是和平和安全。國內和平有賴於國家的統一。國家安全則有賴於國際間的了解。只有在東北成為和平中心時，中國才有安全可言。

我們必須從頭做起，設法把廣大的東北領土從戰亂之源轉化為和平的重鎮。在這件艱巨的工作上，我希望全世界 —— 尤其是美國、英國和蘇俄 —— 能夠與中國合作。如果它們肯合作，這件工作自然會成功，那不但是中國之福，也是全世界之福。

1921 年，我承上海市商會及各教育團體的推選，並受廣州中山先生所領導的國民黨政府的支持，曾以非官方觀察員身份列席華盛頓會議。翌年我又到歐洲訪問現代文化的發祥地。那時剛是第一次世界大戰結束後不久，歐洲各國正忙於戰後復員，主要的戰勝國則忙於確保永久和平。但是當時似乎沒有一個國家意識到，實際上他們正在幫著散佈下一次大戰的種子。

法國已經精疲力竭，渴望能有永久和平。它目不轉睛地監視著萊茵河彼岸，因為威脅它國家生存的危機就是從那裡來的。法國的防禦心理後來表現在馬其諾防線上，它認為有了這道防線，就可以高枕無憂，不至於再受德國攻擊了。秦始皇 (前 259—前 210) 築長城以禦韃靼，法國則築馬其諾防線以抵禦德國的侵略。但是中國的禍患結果並非來自長城以外，而是發於長城之內，法國及其「固若金湯」的防線，命運亦復如是。

英國忙於歐洲的經濟復興，並在設法維持歐陸的均勢。戰敗的德國正在休養將息。帝俄已經覆亡。一種新的政治實驗正在地廣人眾的

蘇俄進行。這就是第一次世界大戰後的歐洲政治情勢。

　　美國因為不願捲入歐洲紛擾的漩渦，已經從多事的歐陸撤退而召開華盛頓會議，九國公約就是在這次會議中簽訂的。此項公約取代了英日同盟。所謂山東問題，經過會外磋商後，亦告解決，日本對華的「二十一條」要求終於靜悄悄地被放進墳墓。巴黎和會中曾決定把青島贈送給日本，所謂山東問題就是因此而起的。中國人民對巴黎和會的憤慨終於觸發了學生運動，在中日關係上發生了深遠的影響，同時在此後二十年間，對中國政治和文化上的發展也有莫大的影響。巴黎和會的決定使同情中國的美國政界人士也大傷腦筋，終至演化為棘手的政治問題。共和黨和民主黨都以打抱不平自任，承諾為中國伸雪因凡爾賽和約而遭受的冤抑。因此，美國固然從歐洲脫身，卻又捲入了太平洋的漩渦。二十年後的珍珠港事變即種因於此。

　　美國雖然是國際聯盟的倡導者，結果卻並未參加國聯的實際活動；法國唯一的願望是避免糾紛，防禦心理瀰漫全國；英國的注意力集中在維持歐陸均勢上面；結果國際聯盟形同虛設。它只會唁唁狂吠卻從來不會咬人。但是會員本身無法解決的問題，還是一股腦兒往國際聯盟推，結果國聯就成了國際難題的垃圾堆。中國無法應付東北問題的困難時，也把這些難題推到國聯身上，因為日本是國聯的會員國。法國對瀋陽事變漠不關心，英國所關切的只是歐洲大陸的均勢，唯恐捲入遠東糾紛，因此國聯連向日本吠幾聲的膽量都沒有，結果只懶洋洋地打了幾個呵欠，如果說那是默認既成事實，未始不可。

　　國聯雖然一事無成，卻是一個很有價值的教訓。世界人士可以從它的失敗中學習如何策劃未來的和平。國聯誕生於美國之理想，結果因會員國間利益之衝突，以及列強間的野心而夭折。

　　凡爾賽和約訂立後約二十年間，世局演變大致如此。由凡爾賽和

約播下的戰爭種子在世界每一角落裡像野草一樣蔓生滋長，這些野草終於着火燃燒，火勢遍及全球。

但是政治究竟只是過眼雲煙，轉瞬即成歷史陳跡。恆久存在的根本問題是文化。我們無法否認歐洲已經發展了現代科學和民主制度，為人類帶來了許多幸福。

在我看起來，德國是個遍地是望遠鏡、顯微鏡和試驗管的國家。它的發明日新月異，突飛猛進。上海人甚至把高級舶來品統稱為「茄門貨」(德國貨)。德國人在物質發明上的確稱得起能手，但是在人事關係上卻碌碌無能。我想，這或許就是他們無法與其他國家和睦相處的原因。他們透過望遠鏡或顯微鏡看人，目光焦點不是太遠就是太近，因而無法了解人類的行為和情感。他們不可能把國際關係或人類情緒放到試管裡去觀察它們的反應。在人類活動的廣大領域裡，德國人常常抓不到人性的要點或缺點。他們已經發展了其他民族望塵莫及的特殊才智，但是欠缺常識。他們的特長使他們在科學上窮根究底，對世界提供了許多特殊的貢獻；但是他們在常識方面的欠缺，卻使德國和其他國家同受其害。

英國人剛剛與德國人相反。他們是個常識豐富的民族，也是應付人事關係的能手。他們對國際事務的看法以及有關的政策富於彈性和適應性。他們從來不讓繩子拉緊到要斷的程度。如果拉着繩子另一端的力量比較強，英國人就會放鬆一點免得繩子拉斷。如果拉着另一端的力量比較弱，英國人就會得寸進尺地把繩子拉過來，直至人家脫手為止。但是他們絕不會放棄自己拿着的這一端 —— 他們會堅持到底，不顧後果。在國際關係和殖民政策上，英國人的這種特性隨處可見。

英國人的特性中，除了彈性和適應性之外，同時還有容忍、中

庸、體諒、公平以及妥協的精神。他們的見解從來不走極端，而且始終在努力了解別人的觀點，希望自己能因此遷就別人，或者使別人來接受他們自己的觀點。他們愛好言論自由和思想自由，憎惡無法適應不同情況的刻板規律。

　　英國的拘謹矜持幾乎到了冷酷的程度，這是英國人最受其他民族討厭的一種特性，而且常常因此引起猜疑誤會。這種特性使英國人喪失了許多朋友。但是當你對他們有較深的認識時，或者說當他們對你了解較深時，你就會願意與他們交朋友了。

　　這許多特性湊合在一起時，英國的民主政治才成為可能。因為民主不是抽象的東西，也不是天上掉下來的，民主政治包含着民主先進國家的所有特長。翻開英國的憲政史，你會發現其中充滿了偏執、迫害、腐敗和殘忍的史實。許多生命，包括一位君主，曾經為民主犧牲。英國實行民主的經驗的確值得我們好好研究。

　　不過，我們必須記住一項事實：英國的民主政治在聯合王國達成統一之後才迅速發展，美國的民主政治也是在南北戰爭之後才突飛猛進。歷史告訴我們：只有統一與安全同時並進時，有組織的民主政治才能實現。英國幸而是小島組成的王國，四圍有海洋保護着。在古代，外國侵入英國是不容易的，因此英國人得以永久安全，有足夠的時間從事民主實驗。在民主的孕育和實驗期間，英國的生存始終未受外來侵略的威脅。

　　美國的情形也很相似。北美大陸本身就是一個大島，周圍的海洋使它不受外來的侵略。從英國來的早期殖民者帶來愛好自由的種子，這些種子遂即滋長為自由大樹，海洋則保護了這些大樹，免受外來侵略者的斧斤之擾。經過約一百年的發榮滋長，美國的民主已經根深蒂固，不但人事方面普遍進行實驗，即在物質方面也是如此，換一句話

說，科學研究之風已吹遍美洲的每一角落。美國的民主固然由英國模型發展而來，美國的科學卻受德國之惠不淺。

美國的高等教育制度是英國學院和德國大學的混合體。打個比喻，美國的學術服裝是由一件英國袍子和一頂德國帽子湊合而成的。美國大學裡男女學生的友好相處與交際自由，建立了自由研究的基礎。知識不受嚴格的管制，人與人的關係是經由學生團體的自由接觸而學到的，年輕一代的目光並未受到望遠鏡、顯微鏡或試驗管的局限，凡是有興趣的人都可以接受一種普遍文化的陶冶。

在大學部和研究院裡，美國學生普遍接受研究方法的訓練。德國學者的徹底精神普受讚許與提倡，但是這種徹底精神直到我進大學的時代才充分發揮。第一次世界大戰期間，中國舊國旗中的紅黃藍白黑五色一度只剩下黑白兩色。理由是德國顏料因戰事關係已經無法再輸入中國。紐約一位美國化學家告訴我，在德國，通常是好幾位專家共同研究一種顏料，在美國卻是一位化學家同時研究好幾種顏料。這是二十多年前的事了，目前的情況已經有了改變，因為在過去二三十年間，美國人民已經深獲德國徹底精神的訣竅。

英國民主和德國精神在美國攜手並進，相得益彰。美國以其豐富的天然資源，強大的組織能力，以及對大規模建設的熱誠，已經一躍而登民主國家的首座。有一天，重慶的美國大使館舉行酒會，會中一位英國外交官對我說：「英國美國化了，俄國美國化了，中國也美國化了。」

「英國在哪一方面美國化了呢？」我問道。

「好萊塢電影就是一個例子。」他回答說。

「那麼俄國呢——你是不是指大工業？」

「是的。」

　　這使我聯想到中國的政治制度、教育制度、社會改革和工業發展，這一切都帶着濃厚的美國色彩。但是我並沒有忘記：中國也已使沖激着她海岸的汪洋染上了她自己的色彩。

　　這位英國外交官用手指着綴有四十八顆星星[1]的美國國旗，帶點幽默地轉身問站在他身邊的一位美國高級將領說：「這上面是六行星星，每行八顆。如果你們增加一個新的州時，你們預備怎麼安排？」

　　「呃，我想它們排成七行，每行七顆星就成了。但是你問這個幹甚麼？你心裡所想的是哪一個新的州？」

　　「英格蘭。」這位外交官回答說。我們大家都笑了。這當然只是一個笑話，但是從笑話裡，我們可以看出時代的潮流。

　　……全世界雖然歷經戰爭慘禍，國際烏雲之中已經透露出一線曙光了。希望這一線曙光，在大戰勝利之後，能夠漸漸擴大而成為光芒萬丈的霽日。

　　美國已經決意參加未來的國際和平組織，它已經英勇地參加戰鬥，為永久和平而戰鬥。歷史上的一個新時代正在形成中。中、美、英、蘇俄如能合力謀求和平，再由一個有效的世界組織來維護和平，永久和平並非不可能的。

　　就中國而論，在未來二十年或者三十年裡，她尤須加倍努力，從事建設和復興。今後二三十年將是中國的興衰關頭。我們的努力能否成功，要看我們有無遠大眼光，有無領導人才，以及盟國與我們合作的程度而定。盟國與我們合作的程度，又要看我們國內的政治發展以及我們對國際投資所採取的政策而定。戰爭的破壞，敵騎的蹂躪，更

1　1958 年，阿拉斯加和夏威夷正式成為美國第 49 個州和第 50 個州，美國國旗上的星星也改為 50 顆。——編者註

使我們的復興工作倍形困難。

在另一方面，中國必須完成雙重的任務：第一是使她自己富強。第二是協力確保世界和平。在儒家的政治哲學裡，世界和平是最終的目的。中山先生根據儒家哲學，也把世界和平定為他的三民主義的目標。

我們如果能夠渡過這二三十年的難關，自然就可以駕輕就熟，繼續進行更遠大的改革和建設，為中國創造輝煌的將來，到那時候，中國自然就有資格協助世界確保永久的和平了。

……

現在我們中國人一提到唐朝文化，不禁眉飛色舞，心嚮往之，滿望能恢復舊日的光榮。唐朝的文化比起後來宋朝禁欲主義的文化要近人情得多。如果我們能從唐朝文化得到些靈感與鼓舞，也未始不是一件好事。從唐人的繪畫裡，我們深深讚歎唐人體格的強健。唐朝的音樂、舞蹈、詩歌、繪畫和書法都有登峰造極的成就，後代少能望其項背。

但是中國要想回到歷史上的這個輝煌時代是不可能的。千百年來我們一直在努力恢復過去的光榮，但是我們的文化卻始終在走下坡。因為環境已經改變了。唐代文化賴以滋長的肥沃土壤，已經被歷代禍亂的浪潮沖刷殆盡，但是我們如果能避免重蹈唐代滅亡的覆轍，轉向在藝術、科學、軍事、政治、衛生、財富各方面均有高度成就的現代文明國家如美國等學習，我們或許會發現唐代的光榮將有重臨的一日。在維護和平的工作上，中國的職責將是相當重大的。中國的歷史上曾經有過不少次的戰爭，但是這些戰爭多半屬於國內革命的性質。對外的比較少，國內戰爭多半是被壓迫的農民和苦難人民反抗腐敗的政府所引起。至於對外戰爭，性質上也是防禦多於攻擊。……

　　孔子的忠孝、仁愛、信義、和平的教訓和孟子的民主觀念，都使中國適於做一個不願欺凌其他民族的現代民主國家。中國在戰後必須強調的是現代科學和民主政治；科學方面應注重生產方法的應用，民主方面應強調國家的統一。科學和民主是現代進步國家的孿生工具，也是達成強盛、繁榮和持久和平的關鍵。

　　中國人民深通人情，特別注重待人接物的修養，生活思想習於民主，這一切都使中國具備現代民主國家的堅強基礎。我們在前面已經提到，中國的民主社會組織相當鬆泛。中國人對於個人自由的強烈愛好，並未能與現代社會意識齊頭並進。強烈的家族觀念已經阻滯了使個人結合為廣大團體的過程。不過這種褊狹的觀念正在迅速衰退；現代社團已經在大城市裡相繼出現；進一步工業化之後，家族關係自將愈來愈鬆弛，個人社會化的程度也將愈來愈深。

　　在知識方面，中國人看待事物的態度使她深通人情，但是也使她忽視概括與抽象的重要。她以詩人、藝術家和道德家的心情熱愛自然，因而胸懷寬大，心平氣和。但是這種對自然的愛好尚未推展到對自然法則的研究，人類要控制自然，必須靠這些法則作武器。以中國文化同化能力之強，她必定能慢慢地吸收西方在科學上的貢獻；以中國天然資源之富，人民智慧之高，科學的發展將使她前途呈現無限光明。物質文明發展之後，她的道德和藝術更將發揚光大；她的文學和哲學也將在現代邏輯方法和科學思想影響下更見突出而有系統。

　　在這個初步的和平與繁榮的新基礎上，中國將可建立新的防衛力量來維護和平。只有戰鬥中的夥伴才有資格成為和平時期的夥伴。中國八年抗戰[1]對世界和平的貢獻，已使舉世人士刮目相看。

---

1 這裡指 1937 年七七事變到 1945 年日軍戰敗投降之間的全國性抗日戰爭。——編者註

　　現代科學，特別是發明和工業上的成就，將與中國的藝術寶藏和完美道德交織交融。一種新的文化正在形成，這種新文化對世界進步一定會提供重大的貢獻。

附　錄

萬里長征，辭卻了五朝宮闕，暫駐足衡山湘水，又成離別。絕徼移栽楨榦質，九州遍灑黎元血。儘笳吹，弦誦在山城，情彌切。

千秋恥，終當雪。中興業，須人傑。便一成三戶，壯懷難折。多難殷憂新國運，動心忍性希前哲。待驅除仇寇，復神京，還燕碣。

西南聯大進行曲（部分）

羅庸、馮友蘭　作

西南聯大一九三九年度校曆

氣節（一九三九年）

氣節	日期	氣節	日期	氣節	日期
小寒	一月六日	大寒	一月廿一日	立春	二月五日
雨水	二月十九日	驚蟄	三月六日	春分	三月廿一日
清明	四月六日	穀雨	四月廿一日	立夏	五月六日
小滿	五月廿二日	芒種	六月六日	夏至	六月廿二日
小暑	七月八日	大暑	七月廿四日	立秋	八月八日
處暑	八月廿四日	白露	九月八日	秋分	九月廿四日
寒露	十月九日	霜降	十月廿四日	立冬	十一月八日
小雪	十一月廿三日	大雪	十二月八日	冬至	十二月廿三日

植樹節 三月十二日
日環食 四月九日
月環食 五月三日至四日
月偏食 廿八
日全食 十三
月全食 十九

第一學期

一九三九年：

九月二十五日至三十日	星期一至六	補考 註冊 選課
十月二日	星期一	第一學期始業
十月二日至十四日	星期一至六	改選功課
十月十日	星期二	國慶紀念日 放假
十月二十八日	星期六	退選功課截止
十一月十二日	星期日	總理誕辰紀念日 放假

一九四〇年：

一月一日至三日	星期一至三	年假
一月十九日至二十五日	星期五至四	學期考試
一月二十六日至二月八日	星期五至四	寒假

第一學期共十五週

第二學期

一九四〇年：

二月九日至十五日	星期五至四	補考
二月十三日至十五日	星期二至四	註冊
二月十六日	星期五	第二學期始業
二月十六日至二十九日	星期五至四	改選功課
三月十二日	星期二	總理逝世紀念日 放假
三月十四日	星期四	退選下學期開班 功課截止
三月二十九日	星期五	革命先烈紀念日 放假
三月三十日至四月五日	星期六至五	春假
五月十五日	星期三	交入畢業論文最後期限
六月十日至十五日	星期一至六	學年考試
六月二十二日	星期六	畢業禮
六月二十三日	星期日	暑假起始
八月二十七日	星期二	孔子誕生紀念日 放假

第二學期共十五週

責任編輯　梅　林
書籍設計　彭若東
責任校對　江蓉甬
排　　版　周　榮
印　　務　馮政光

書　　名　西南聯大國學課

作　　者　羅庸　湯用彤　馮友蘭　聞一多　蔣夢麟

出　　版　香港中和出版有限公司
　　　　　Hong Kong Open Page Publishing Co., Ltd.
　　　　　香港北角英皇道 499 號北角工業大廈 18 樓
　　　　　http://www.hkopenpage.com
　　　　　http://www.facebook.com/hkopenpage
　　　　　http://weibo.com/hkopenpage
　　　　　Email: info@hkopenpage.com

香港發行　香港聯合書刊物流有限公司
　　　　　香港新界荃灣德士古道 220-248 號荃灣工業中心 16 樓

印　　刷　陽光（彩美）印刷有限公司
　　　　　香港柴灣祥利街 7 號萬峯工業大廈 11 樓 B15 室

版　　次　2023 年 4 月香港第 1 版第 1 次印刷

規　　格　16 開（152mm×230mm）312 面

國際書號　ISBN 978-988-8812-20-2

　　　　　© 2023 Hong Kong Open Page Publishing Co., Ltd.
　　　　　Published in Hong Kong

本書由四川天地出版社有限公司授權本公司在中國內地以外地區出版發行。